SPOKEN FRENCH IN REVIEW

SPOKEN FRENCH

IN REVIEW

BASED ON MODERN AUTHORS

SECOND EDITION

Quentin M. Hope

INDIANA UNIVERSITY

The Macmillan Company, New York

Collier-Macmillan Limited, London

ACKNOWLEDGMENTS

LIBRAIRIE GALLIMARD for "Quartier libre," "Déjeuner du matin," "Le Chat et l'oiseau," "Le Cancre," "L'Addition," and "L'Accent grave" by Jacques Prévert; and for selections from *Les Contes du chat perché* by Marcel Aymé.

MONSIEUR GIRARD BILLAUDOT for the selections from *A louer meublé* by Gabriel d'Hervilliez.

EDITIONS BERNARD GRASSET for the selections from *Ondine, L'Apollon de Bellac*, and *La Folle de Chaillot* by Jean Giraudoux.

LA TABLE RONDE for the selections from *L'Hurluberlu, Ornifle*, and *Le Bal des voleurs* by Jean Anouilh.

LIBRAIRIE HACHETTE for the selections from *Les Carnets du Major Thompson* by Pierre Daninos.

Illustrated by Annemarie Mahler.

10-21-14

Library of Congress catalog card number: 68–10069

THE MACMILLAN COMPANY, NEW YORK
COLLIER-MACMILLAN CANADA, LTD., TORONTO, ONTARIO

Printed in the United States of America

PREFACE

The purpose of this book is to expand the student's fluency and under-standing of French. It has been planned to attract and hold the student's interest while it leads him through a series of pattern drills and other exercises designed to develop his skill in the actual use of the language.

Each chapter begins with a short text drawn from a modern French author and written in colloquial French. Chosen from the realms of humor, satire, farce, and fantasy, these texts are lively, stimulating, and easy to talk about. They are short enough for intensive study, and they include many examples of the vocabulary and sentence structures drilled in the exercises.

These exercises consist largely of oral pattern practice. Each exercise drills one or two closely connected points of grammar. The student uses short, natural speech groups, and he has plenty of opportunity to repeat the form in different phrases, so that its use should become automatic. Each chapter also includes a *thème d'imitation* and a suggested composition topic related to the text and designed to give the student practice in using the French he has learned. Occasional review chapters provide exercises that recapitulate the important new words and expressions, and list the grammatical points drilled in the previous lessons.

Taken as a whole, the exercises constitute a review of the standard topics of French grammar. A paragraph number and heading are indicated so that the student may check the point of grammar drilled in the appendix at the back of the book. The appendix may also be used for review, and in checking compositions and *thèmes d'imitation*. To avoid the difficulty which students usually have in finding what they are looking for in a grammatical appendix, the arrangement is alphabetical, from *adjectives* to *verb tables*. A set of ab-breviations referring to the various sections of the appendix is designed for use in correcting compositions.

The book has been arranged to permit the utmost flexibility in use. It can serve as the main text in any French class beyond the elementary level, Lessons 1 to 21 being covered in the first semester, and Lessons 22 to 43 in the second. In classes which emphasize reading, it can serve as an auxiliary text for con-versation and grammar review. It can be used primarily for conversation, with emphasis on the texts, or primarily for grammar, with emphasis upon the exercises, compositions, and *thèmes d'imitation*. The major grammatical structures presented in the first part are repeated and expanded in the second part. It is thus possible to use either part independently of the other. The basic purpose of such repetitions, however, is to help the student learn the structures well. Very few students can achieve easy control of the *imparfait* or the subjunctive or the relative pronoun from one intensive presentation. If they could there would be no need for a review grammar at all. Hence the frequent repetition of major points of grammar in this book.

The texts included are all drawn from modern French authors. In narrative passages the *passé simple* has been changed to the *passé composé*. There are several omissions and perhaps a half-dozen places where a commoner expression replaces a rarer one. Otherwise the texts appear as they were written. They are not merely colloquial and amusing, but they also have a certain literary or sociological significance. The characteristics that many of them share—the sense of the ridiculous, irreverence toward authority, freedom from sentimentality, a wry awareness of man's foibles combined with a pervasive gaiety—are typical of an important aspect of French literature and of the French mind. From Daninos' immensely popular caricature of French ways one can learn what many Frenchmen think is typical and amusing about the behavior of their compatriots. Prévert's significance likewise lies as much in his popularity as in what he has to say. His poems, with their revolt against bourgeois conformity and discipline and their exuberant celebration of youth and freedom, belong to the mass culture of modern France. Anouilh and Giraudoux also have something to contribute to the composite view of French traits which arises from this book, but they are even more interesting for the way in which they present their themes, for their brilliance and their sophistication. Even the authors that are without any literary pretensions—Gabriel d'Hervilliez and Marcel Aymé—deserve attention for their techniques as well as for their content. *A louer meublé* uses the most time-honored devices of farce: raciness, rudimentary and transparent characters, paradox, parallelism, and comic props. In the pithy, humorous, and ironic stories of *Les Contes du chat perché* beast-fable verges toward the dramatic form, derives comic effect from incongruities, and breathes new life into commonplace figures by the simplicity and inventiveness of its narrative.

Individual instructors will, of course, decide what emphasis to put on this aspect of the book. Class discussion of such topics should be encouraged. It reminds students that learning a language involves more than the memorization of words and structures, and prepares them for a more advanced study of literature and civilization.

Q. M. H.

NOTE ON THE SECOND EDITION

Several major revisions have been incorporated in the second edition. The number of exercises has been more than doubled and the responses are now given only in the model. Students should therefore be particularly careful to follow the model and to read the brief grammatical explanations in French now provided with most of the exercises. The grammatical appendix itself has been considerably revised and lengthened and should prove useful as a brief reference grammar for intermediate classes. The *thèmes d'imitation* may be used alternately with compositions, or instead of them. The brief *dialogues* which accompany most of the lessons supplement the questionnaire and offer further oral practice. Finally, a pronunciation drill is added to each lesson in Part I. The systematic review and drill of pronunciation should prove very useful to most students. In fact, the pronunciation drills of Part I (Lessons 1–21) could profitably be repeated in Part II (Lessons 22–43).

I am grateful for the helpful suggestions of the many friends and colleagues who have used this text in class. I want to thank Jill Larson for her patience and fortitude in helping me put together this second edition.

Q. M. H.

CONTENTS

PART I

1 *Jacques Prévert*: Quartier libre 3
OBJECT PRONOUNS IN IMPERATIVE, PARTITIVE ARTICLES;
Syllabification

2 *Jacques Prévert*: Déjeuner du matin 8
PAST PARTICIPLE, INFINITIVE AFTER PREPOSITIONS; Accent

3 *Jacques Prévert*: Le Chat et l'oiseau 13
PARTITIVE ARTICLE, OBJECT PRONOUNS, ADVERBS; *-ille*

4 *Jacques Prévert*: Le Cancre 20
RELATIVE AND INTERROGATIVE PRONOUNS, *IMPARFAIT*; *a*

5 *Jacques Prévert*: L'Addition 25
PRESENT PARTICIPLE, RELATIVE PRONOUNS, *IMPARFAIT*; *an/en*

6 *Jacques Prévert*: L'Accent grave 31
RELATIVE AND INTERROGATIVE PRONOUNS; Closed *o*

REVIEW LESSON I 37

7 *Gabriel d'Hervilliez*: A louer meublé [I] 41
FAMILIAR FORM, POSSESSIVE ADJECTIVES, ADVERBS IN *-EMMENT*,
INTERROGATIVE *LEQUEL*; *on*

8 *Gabriel d'Hervilliez*: A louer meublé [II] 47
NEGATIVES, OBJECT PRONOUNS, INTERROGATIVES; Releasing Final
Consonant

9 *Gabriel d'Hervilliez*: A louer meublé [III] 53
NEGATIVES, ARTICLES; Denasalization

10 *Gabriel d'Hervilliez*: A louer meublé [IV] 61
PRESENT OF IRREGULAR VERBS, *FAIRE* + INFINITIVE; *in*

11 *Gabriel d'Hervilliez*: A louer meublé [V] 67
IMPARFAIT, STRESSED PRONOUNS; *i – u*

12 *Gabriel d'Hervilliez*: A louer meublé [VI] 74
NEGATIVES, FUTURE; *ou*

REVIEW LESSON II 80

ix

13 *Jean Giraudoux*: Ondine [I]   84
    ADJECTIVES, ARTICLES, *NI . . . NI . . .*; Open *o*

14 *Jean Giraudoux*: Ondine [II]   90
    COMPARATIVE AND SUPERLATIVE, ADJECTIVE VS. ADVERB, INFINITIVE
    CONSTRUCTION, PRESENT OF IRREGULAR VERBS; *ou* + vowel — *u*
    + vowel

15 *Jean Giraudoux*: Ondine [III]   97
    PAST PARTICIPLE, *ETRE* VERBS, PLUPERFECT, ADJECTIVE VS. ADVERB;
    Liaison—*s*—*z*; aspirate *h*

16 *Jean Giraudoux*: Ondine [IV]   102
    OBJECT PRONOUNS, AVOIDING DEPENDENT CLAUSES, CONDITIONAL,
    ORTHOGRAPHIC CHANGING VERBS; Closed *e* — Open *e*

17 *Jean Giraudoux*: Ondine [v]   108
    ADJECTIVES, CONDITIONAL, *IMPARFAIT*; Closed *eu* — Open *eu*

REVIEW LESSON III   114

18 *Jean Anouilh*: Ornifle [I]   118
    PREPOSITIONS, OBJECT PRONOUNS, DEMONSTRATIVES; *l*—*r*

19 *Jean Anouilh*: Ornifle [II]   125
    SUBJUNCTIVE; *p–t–qu*

20 *Jean Anouilh*: Ornifle [III]   130
    DEMONSTRATIVES, SUBJUNCTIVE, *DEVOIR*; Pronounced Final
    Consonants—*ch*—*f*

21 *Jean Anouilh*: Ornifle [IV]   137
    FUTURE, SUBJUNCTIVE, IMPERATIVE OF IRREGULAR VERBS; Mute *e*

REVIEW LESSON IV   143

PART II

22 *Jean Anouilh*: L'Hurluberlu [I]   149
    DEMONSTRATIVE PRONOUNS, NEGATIVE INFINITIVE, OBJECT
    PRONOUNS

23 *Jean Anouilh*: L'Hurluberlu [II]   155
    FUTURE PERFECT, PREPOSITIONS, *Qu'est-ce que c'est que*

24 *Pierre Daninos*: Les Carnets du major Thompson [I]   159
    REFLEXIVE VERBS, VERBS IN -*PRENDRE*

25 *Pierre Daninos*: Les Carnets du major Thompson [II]   164
    REFLEXIVE VERBS, VERBS IN -*TENIR*

26 *Pierre Daninos*: Les Carnets du major Thompson [III]   169
    POSSESSIVE PRONOUNS, GENDER, REFLEXIVE VERBS

27 *Pierre Daninos*: Les Carnets du major Thompson [IV]   174
    ARTICLES
28 *Pierre Daninos*: Les Carnets du major Thompson [V]   179
    PRESENT, DOUBLE-OBJECT PRONOUN

REVIEW LESSON V   185

29 *Jean Giraudoux*: L'Apollon de Bellac [I]   190
    OBJECT PRONOUNS, *IMPARFAIT*, *FAIRE* + INFINITIVE, PAST
    PARTICIPLES
30 *Jean Giraudoux*: L'Apollon de Bellac [II]   197
    OBJECT PRONOUNS, PAST PARTICIPLE AGREEMENT, PREPOSITIONS
31 *Jean Giraudoux*: La Folle de Chaillot   203
    OBJECT PRONOUNS, INTERROGATIVES, PRESENT OF *-IR* VERBS,
    RELATIVE PRONOUNS
32 *Marcel Aymé*: Les Bœufs [I]   209
    RELATIVE PRONOUNS, PREPOSITIONS
33 *Marcel Aymé*: Les Bœufs [II]   215
    CE OR *IL*, RELATIVE PRONOUNS

REVIEW LESSON VI   220

34 *Marcel Aymé*: Le Loup   225
    CE OR *IL*, PREPOSITIONS, CONDITIONAL
35 *Marcel Aymé*: Le Paon   231
    IMPARFAIT, INTERROGATIVES, DEMONSTRATIVES
36 *Marcel Aymé*: Le Canard et la panthère   238
    IMPARFAIT, PREPOSITIONS, ADVERBS
37 *Jean Anouilh*: Le Bal des voleurs [I]   245
    AVOIDING THE PASSIVE, INFINITIVE, *IMPARFAIT*
38 *Jean Anouilh*: Le Bal des voleurs [II]   251
    SUBJUNCTIVE, CONDITIONAL, *SAVOIR VS. CONNAÎTRE*

REVIEW LESSON VII   257

39 *Jean Anouilh*: Le Bal des voleurs [III]   261
    USE OF TENSES, ADJECTIVE VS. PRONOUN, OBJECT PRONOUNS
40 *Jean Anouilh*: Le Bal des voleurs [IV]   267
    SUBJUNCTIVE, STRESSED PRONOUN
41 *Jean Anouilh*: Le Bal des voleurs [V]   274
    NEGATIVES, SUBJUNCTIVE, CONDITIONAL, ADJECTIVES
42 *Jean Anouilh*: Le Bal des voleurs [VI]   281
    ETRE VERBS, INTERROGATIVES, AVOIDING DEPENDENT CLAUSES

43 *Jean Anouilh*: Le Bal des voleurs [VII]   286
               IMPARFAIT, SUBJUNCTIVE, USE OF TENSES

     R E V I E W   L E S S O N   V I I I   291

Grammatical Appendix   295

Vocabulary   359

SPOKEN FRENCH IN REVIEW

Part One

1

QUARTIER LIBRE[1]

Jacques Prévert

Les poèmes de Jacques Prévert sont écrits dans un français familier,° et sont en général amusants et faciles à lire. Il aime les jeux de mots,° les enfants, les animaux, la fantaisie, l'amour, la liberté. Il aime se moquer de tout ce qui symbolise la contrainte:° les prêtres, les maîtres d'école, les hommes d'état, les militaires. Même la ponctuation lui semble une contrainte inutile.° Voici un de ses poèmes les plus courts:

> J'ai mis mon képi° dans la cage
> et je suis sorti avec l'oiseau° sur la tête
> Alors
> on ne salue° plus[2]
> a demandé le commandant°
> Non
> on ne salue plus
> a répondu l'oiseau
> Ah bon
> excusez-moi je croyais qu'on saluait
> a dit le commandant
> Vous êtes tout excusé tout le monde peut se tromper°
> a dit l'oiseau.

VOCABULAIRE

familier colloquial
jeu de mots pun, wordplay
la contrainte constraint
inutile useless

le képi French military cap
un oiseau a bird
saluer to salute
le commandant the major
tout le monde peut se tromper anyone can make a mistake

[1] *Quartier libre*—a military pass; in the navy, liberty. *Donner quartier libre à quelqu'un* means to let him do what he wants to do.
[2] This question is used as a reprimand. Cf. "Have you given up saluting?"

3

QUESTIONNAIRE

1. Quelle sorte de poèmes Prévert écrit-il?
2. Qu'est-ce qu'il aime?
3. De qui se moque-t-il?
4. Qu'est-ce que ces personnes dont il se moque symbolisent?
5. Quelle semble être son opinion de la ponctuation?
6. Celui qui parle dans ce poème, où a-t-il mis son képi?
7. Croyez-vous qu'il aime son uniforme? Pourquoi pas?
8. Qu'est-ce qui montre qu'il aime la liberté, d'abord la sienne, mais aussi celle des autres?
9. Qu'est-ce qui montre que l'oiseau dans ce poème n'est pas un oiseau ordinaire?
10. Qu'est-ce que celui qui parle a négligé de faire quand il a croisé (*passed*) le commandant?
11. Quelle remarque le commandant lui a-t-il faite?
12. Qui a répondu pour lui?
13. Quelle réponse?
14. Quelle réponse inattendue (*unexpected*) le commandant a-t-il faite?
15. L'oiseau est-il poli avec le commandant?

DIALOGUE

Un étudiant prend le rôle du commandant, un autre celui de l'oiseau.

A. Le commandant demande à l'oiseau si on ne salue plus.
B. L'oiseau répond négativement.
A. Le commandant fait ses excuses.
B. L'oiseau les accepte poliment.

ETUDE DE MOTS

1. *se moquer*
   Je m'en moque.
   Mais, vous vous moquez!
   Vous vous moquez du monde!
   C'est se moquer du monde!

   to make fun of
   I don't care.
   You're joking!
   You're joking!
   That's going too far!

2. *inutile*
   Oh! c'est inutile.

   useless
   It's no good (trying), there's no point in it.

3. *se tromper*   to make a mistake
   Je me suis trompé d'étage.   I got off at the wrong floor.
   Vous vous trompez.   You're wrong.
   Je me suis trompé de route.   I took the wrong road.

EXERCICES

Position and use of object pronouns (**59A, C**); Imperative (**41A**); Present (**72 C**)

A. LE PROFESSEUR: Je l'invite chez moi? LE PROFESSEUR: Je lui parle?
    L'ÉTUDIANT: Oui, invitez-la.   L'ÉTUDIANT: Oui, parlez-lui.

A l'impératif affirmatif le pronom suit le verbe, comme en anglais.
Répondez en suivant le modèle:

1. Je la salue?   5. Je lui montre l'appartement?
2. Je lui parle?   6. Je lui donne ces bonbons?
3. Je l'accompagne?   7. Je lui offre ce verre de vin?
4. Je l'invite chez moi?

B. LE PROFESSEUR: Saluez-la.   LE PROFESSEUR: Parlez-lui.
    L'ÉTUDIANT: Bon, je la salue.   L'ÉTUDIANT: Bon, je lui parle.

D'ordinaire le pronom précède le verbe, sauf à l'impératif affirmatif. N'oubliez pas l'élision de *la* devant un mot commençant par une voyelle, et suivez le modèle.

1. Saluez-la.   5. Montrez-lui l'appartement.
2. Parlez-lui.   6. Donnez-lui ces bonbons.
3. Accompagnez-la.   7. Offrez-lui ce verre de vin.
4. Invitez-la.

Object Pronouns (**56**)

C. LE PROFESSEUR: Invite her.   LE PROFESSEUR: Speak to her.
    L'ÉTUDIANT: Invitez-la.   L'ÉTUDIANT: Parlez-lui.

N'oubliez pas de distinguer entre le complément direct, *la*, et le complément indirect, *lui*.

1. Speak to her.   4. Offer her this glass of wine.
2. Accompany her.   5. Give her these candies.
3. Invite her.   6. Show her the apartment.

D. LE PROFESSEUR: Je l'invite chez moi? LE PROFESSEUR: Je la salue?
    L'ÉTUDIANT: Ah, non! Ne l'in-   L'ÉTUDIANT: Ah, non! Ne la saluez
    vitez pas.   pas!

A l'impératif négatif le pronom précède le verbe. Notez l'ordre des mots: sujet + *ne* + pronom + verbe + *pas*. Suivez le modèle.

1. Je la salue?
2. Je lui parle?
3. Je l'accompagne?
4. Je l'invite chez moi?

5. Je lui montre l'appartement?
6. Je lui donne ces bonbons?
7. Je lui offre ce verre de vin?

E. Etudiez les verbes irréguliers (**72D.4**) en notant le contraste entre le pluriel et le singulier.

1. Je prends son manteau?
2. Je le mets dans l'armoire?
3. Je lui dis de s'asseoir?
4. Je fais du café?
5. Je sers du cafe?
6. Je bois du café?

7. Je réponds à ses questions?
8. Je choisis un livre?
9. Je lis des poésies?
10. Enfin, je finis de lire?
11. Je pars avec elle?

Partitive article (**17A**)

F. LE PROFESSEUR: Qu'est-ce que vous buvez?
    L'ÉTUDIANT: Je bois du vin.
    LE PROFESSEUR: Qu'est-ce qui est rouge?
    L'ÉTUDIANT: Le vin est rouge.

Quand un nom est employé au sens général il est précédé par l'article *l'*, *le*, *la*, ou *les*. Quand il est employé au sens partitif il est précédé par *du*, *de la*, *de l'*, ou *des*.

(**a**) Répondez par des phrases complètes en employant *le café* (sens général) ou *du café* (sens partitif).

1. Qu'est-ce qu'il y a dans cette tasse?
2. Qu'est-ce que vous buvez maintenant?
3. Qu'est-ce qui est bon?
4. Qu'est-ce qui est noir?
5. Qu'est-ce que vous aimez?
6. Qu'est-ce que vous avez?

(**b**) Répondez par des phrases complètes en employant *les bonbons* (sens général) ou *des bonbons* (sens partitif).

1. Qu'est-ce que vous mangez en ce moment?
2. Qu'est-ce que vous m'offrez là?
3. Qu'est-ce qui coûte cher?
4. Qu'est-ce que vous aimez?
5. Qu'est-ce que vous servez ce soir?
6. Qu'est-ce que vous avez?

SUJET DE COMPOSITION

Le commandant rencontre son ami le capitaine. Il lui raconte son aventure. Etonnement du capitaine. Se moque-t-on de lui? Son commandant boit-il un peu trop? etc.

THÈME D'IMITATION

I used to think (**40A.1**) that soldiers (**13A**) always (**7A**) saluted majors, but I was wrong. I passed a major today who was saying (**40A.2**) to a soldier, "So, you've given up saluting, have you?" The soldier answered, "Yes. There's no point in it. I like liberty—mine (**66**) and other people's too—and I make fun of everything that symbolizes constraint: uniforms, priests, teachers, etc." The major answered, "Oh, I see. Excuse me." What [an] unexpected answer!

PRONONCIATION

Syllabification

In French syllabification all syllables end with vowels whenever possible. Thus, they end with the mouth open.

REPEAT

mi-li-taire	a-ni-maux
i-na-tten-du	a-mu-sants
u-ni-forme	fan-tai-sie
i-nu-tile	co-mman-dant

(note: syllable begins with double consonant)

English anticipates consonants. French anticipates vowels. That is, in French the lips and tongue take the position of the vowel while articulating the preceding consonant.

REPEAT

English	*French*
symbolize	sym-bo-lise
familiar	fa-mi-lier
military	mi-li-taire
commander	co-mman-dant
uniform	u-ni-forme
animal	a-ni-mal

A vowel followed by *m* or *n* is nasalized only if the *m* or *n* belongs to the same syllable.

CONTRAST

i-nu-tile	in-stru-ment
fan-tai-sie	fa-na-tique
i-na-tten-du	in-té-rêt
con-trainte	co-nnaître

2

DÉJEUNER DU MATIN

Jacques Prévert

Il a mis le café
Dans la tasse°
Il a mis le lait
Dans la tasse de café
Il a mis le sucre°
Dans le café au lait
Avec la petite cuiller°
Il a tourné°
Il a bu le café au lait
Et il a reposé° la tasse
Sans me parler
Il a allumé
Une cigarette
Il a fait des ronds°
Avec la fumée°
Il a mis les cendres°
Dans le cendrier°
Sans me parler
Sans me regarder
Il s'est levé
Il a mis
Son chapeau sur sa tête
Il a mis
Son manteau de pluie°
Parce qu'il pleuvait
Et il est parti
Sous la pluie
Sans une parole
Sans me regarder
Et moi j'ai pris
Ma tête dans ma main
Et j'ai pleuré.

VOCABULAIRE

la tasse the cup
le sucre the sugar
la cuiller ou cuillère the spoon
tourner to stir
reposer to put down
un rond a ring, circle

la fumée the smoke
la cendre the ash
le cendrier the ashtray
le manteau de pluie the raincoat
l'imperméable (*m.*) the raincoat (a more common expression)

QUESTIONNAIRE

1. Comment savons-nous que l'homme n'est pas pressé de finir son petit déjeuner?
2. Qu'est-ce qu'il prend comme petit déjeuner?
3. Qu'est-ce qu'il met dans son café?
4. Comment ce petit déjeuner français diffère-t-il du petit déjeuner américain?
5. Qu'est-ce qu'on fait avec une cuiller?
6. Qu'est-ce qu'on met dans un cendrier?
7. Qu'est-ce qu'il a fait après avoir bu son café?
8. Quand a-t-il fait des ronds avec la fumée?
9. Pourquoi a-t-il mis son imperméable?
10. Qu'est-ce qu'il a mis sur sa tête, un oiseau?

ETUDE DE MOTS

Words designating parts of the body are usually preceded by *le, la*, or *les* if the possessor is mentioned in the sentence.

Je suis sorti avec l'oiseau sur la tête.   I went out with the bird on my head.
Il dit non avec la tête.   He says no with his head.
Il se lèche le museau.   He licks his chops.

If two parts of the body or a part of the body and an article of clothing are involved, the possessive adjective may be used to depict a gesture.

J'ai pris ma tête dans ma main.   I took my head in my hand.
Il a mis son chapeau sur sa tête.   He put his hat on his head.

But if an attitude rather than a gesture is depicted the article is used:

N'entrez pas dans l'église le chapeau sur la tête.   Don't go into the church with your hat on your head.

EXERCICES

A. Lisez le texte au présent.

Etre verbs (**32A**); Past participle (**63**)

B. LE PROFESSEUR: Je parle.   LE PROFESSEUR: Il part.
    L'ÉTUDIANT: J'ai parlé.   L'ÉTUDIANT: Il est parti.

Dans cet exercice tous les participes passés se terminent en -*é*.
Il faut distinguer cependant entre les verbes conjugués avec *être* et les verbes
conjugués avec *avoir*.

1. Je tourne le café.   7. Je me dirige vers la porte.
2. Je repose la tasse.   8. Je m'arrête.
3. J'allume une cigarette.   9. Elle me regarde.
4. Elle me parle.   10. Je la néglige.
5. Je me lève.   11. Je vais dans la rue.
6. Je me retourne.

C. LE PROFESSEUR: Je mets le café dans la tasse.
    L'ÉTUDIANT: J'ai mis le café dans la tasse.

Etudiez les participes passés irréguliers (**63**).

1. Il prend sa tasse.   7. Il met son chapeau.
2. Il boit son café.   8. Il veut partir.
3. Il lit son journal.   9. Il peut partir.
4. Il ouvre le paquet de cigarettes. 10. Il part.
5. Il offre une cigarette à sa femme. 11. Il sort dans la rue.
6. Il répond à sa femme.

Infinitive (**43**)

D. LE PROFESSEUR: Il boit, mais il ne la regarde pas. Il boit . . .
    L'ÉTUDIANT: . . . sans la regarder.
    LE PROFESSEUR: Il la regarde, mais il ne parle pas. Il la regarde . . .
    L'ÉTUDIANT: . . . sans parler.

On emploie l'infinitif après la préposition *sans*. Le pronom complément
précède l'infinitif.

1. Il met le sucre dans le café, mais il ne tourne pas. Il met le sucre dans le
   café . . .
2. Il boit, mais il ne lui parle pas. Il boit . . .
3. Il me regarde, mais il ne sourit pas. Il me regarde . . .
4. Il regarde son journal, mais il ne le lit pas. Il regarde son journal . . .
5. Il croise le commandant, mais il ne le salue pas. Il croise le commandant . . .
6. Il répond en classe et il ne se trompe pas. Il répond en classe . . .

7. Il dit ces choses, mais il n'y croit pas. Il dit ces choses . . .
8. Il parle et il ne s'arrête pas. Il parle . . .
9. Il me salue, mais il ne se lève pas. Il me salue . . .
10. Il part, mais il ne dit pas au revoir. Il part . . .

E. LE PROFESSEUR: Il boit, puis il se   LE PROFESSEUR: Il pense, puis il parle.
               lève.
     L'ÉTUDIANT: Il boit avant de se   L'ÉTUDIANT: Il pense avant de parler.
               lever.

On emploie l'infinitif après *avant de.*
1. Il prend du sucre, puis il tourne.
2. Il se retourne, puis il s'en va.
3. Il me regarde, puis il sourit.
4. Il regarde son journal, puis il le lit.
5. Il sort, puis il revient.
6. Il me salue, puis il se lève.
7. Il dit au revoir, puis il part.
8. Il ouvre la porte, puis il sort.

F. LE PROFESSEUR: Il boit, puis il se lève.
     L'ÉTUDIANT: Après avoir bu, il se lève.
     LE PROFESSEUR: Il se lève, puis il part.
     L'ÉTUDIANT: Après s'être levé, il part.

On emploie l'infinitif parfait après la préposition *après.* Refaites l'exercice D d'après le modèle ci-dessus. N'oubliez pas de distinguer entre les verbes conjugués avec *avoir* et les verbes conjugués avec *être.*

G. Traduisez
1. without looking
2. without getting up
3. before going out
4. before reading
5. instead of answering
6. instead of stopping

SUJET DE COMPOSITION

Décrivez le petit déjeuner chez vous et le départ pour le travail.

THÈME D'IMITATION

I am not in a hurry when I have (*prends*) my breakfast. I put my coffee in my cup, I put sugar in the coffee, I take my spoon and I stir. I put some milk in my coffee and I drink it. I like coffee with milk, and I like a cigarette with my breakfast. But I don't like rain, and today it's raining. Without speaking, I get up and I put [on] my raincoat. My wife drinks her coffee without looking at me. She doesn't like cigarettes. I always put my ashes in the cup and she doesn't like that (*ça*). She says, "The ash-tray is useless if you (*on*) put the ashes in the cup." What [a] woman! But I am always polite. I say, "Anybody can make a mistake," and I go out into the rain.

PRONONCIATION

Accent

In English the accented syllable is louder and the accent can come on any syllable: punctu*a*tion. In French it is longer, not louder, and comes at the end of the word: ponctua*tion*. If the word forms part of a sense group, the accent does not come until the end of the sense group: la ponctuation fran*çaise*. Practice these sense groups using the same rhythm that you use when you say *one, two, three, four, five*, in English.

REPEAT

il a fait des ronds   son manteau de pluie
la prononciation   la prononciation française
dans le cendrier

LE CHAT ET L'OISEAU

Jacques Prévert

Un village écoute désolé°
Le chant d'un oiseau blessé°
C'est le seul oiseau du village
Et c'est le seul chat du village
Qui l'a à moitié° dévoré
Et l'oiseau cesse de chanter
Le chat cesse de ronronner°
Et de se lécher le museau°
Et le village fait à l'oiseau
De merveilleuses funérailles
Et le chat qui est invité
Marche derrière le petit cercueil° de paille°
Où l'oiseau mort est allongé°
Porté par une petite fille
Qui n'arrête pas de pleurer
Si j'avais su que cela te fasse tant de peine°
Lui fit° le chat
Je l'aurais mangé tout entier°
Et puis je t'aurais raconté
Que je l'avais vu s'envoler°
S'envoler jusqu'au bout° du monde
Là-bas où c'est tellement loin
Que jamais on n'en revient
Tu aurais eu moins de chagrin
Simplement de la tristesse°
Et des regrets
Il ne faut jamais faire
Les choses à moitié.

Il ne faut jamais faire
les choses à moitié

VOCABULAIRE

désolé unhappy, mournful
blessé wounded
à moitié half
ronronner to purr
se lécher le museau to lick one's face (*museau* used only for animals; cf. *paw* in English)
le cercueil the coffin
la paille the straw

allongé stretched out
te fasse tant de peine would make you feel so bad
fit said
tout entier whole, all of it, all of him
s'envoler to fly away
le bout the end
la tristesse the sadness

QUESTIONNAIRE

1. Pourquoi le village est-il désolé?
2. Qu'est-ce que le chat a fait à l'oiseau?
3. Combien de chats et d'oiseaux y a-t-il dans le village?
4. Que fait le chat après avoir à moitié dévoré l'oiseau?
5. Qui participe aux funérailles de l'oiseau?
6. Où l'oiseau est-il allongé?
7. Pourquoi la petite fille pleure-t-elle?
8. Qu'est-ce que le chat aurait fait s'il avait su que cela ferait tant de peine à la petite fille?
9. Quelle histoire lui aurait-il racontée?
10. Quelles émotions ce mensonge (*lie*) aurait-il produites?
11. Le chat regrette-t-il d'avoir mangé l'oiseau? En fait-il semblant? Est-il hypocrite ou honnête?
12. Quelle est la morale que le chat tire de cette histoire?

ETUDE DE MOTS

1. Note that *de* follows *cesser* and *arrêter*.
   cesser d'écrire   to stop writing
   arrêter de pleurer   to stop crying

2. *faire de la peine à* to cause sorrow. *La mort d'un ami ou animal que vous avez aimé vous fait de la peine.* Contrast with *faire mal*—to hurt physically: *ma jambe me fait mal.*

3. *Si j'avais su ça, je l'aurais mangé.*   If I had known that, I would have eaten it.
   S'il avait eu faim, il aurait mangé.   If he had been hungry, he would have eaten.

   S'il avait faim, il mangerait.   If he were hungry, he would eat.
   S'il a faim, il mangera.   If he is hungry, he will eat.

EXERCICES

Partitive article (**17, 18**)

A. LE PROFESSEUR: La peine. Tant.
   L'ÉTUDIANT: Tant de peine.
   LE PROFESSEUR: La peine. Cela lui fait.
   L'ÉTUDIANT: Cela lui fait de la peine.
   LE PROFESSEUR: Les bonnes raisons. J'ai.
   L'ÉTUDIANT: J'ai de bonnes raisons.
   LE PROFESSEUR: Le café. Pas.
   L'ÉTUDIANT: Pas de café.

Quand un nom est employé au sens partitif il est précédé par l'article partitif *du*, *de la, de l'*, ou *des*. L'article partitif est remplacé par *de* après un négatif, après une locution exprimant l'idée de quantité, et devant un nom précédé par un adjectif.

1. Les oiseaux. Un grand nombre.
2. Le café. Une tasse.
3. Le café. Je bois.
4. Le lait. Une bouteille.
5. Les animaux. Pas.
6. Les merveilleuses funérailles. On lui fait.
7. Les jolis oiseaux. Il y a.
8. Les cuillers. Une douzaine.
9. Les cigarettes. Un paquet.
10. Le café. Jamais.
11. Le café sucré. Je bois.
12. Les cigarettes. J'achète.
13. Les amis. Beaucoup.
14. La pluie. Un peu.
15. Les funérailles. Combien.
16. Le chagrin. Plus.
17. Les choses. Une grande quantité.
18. Les regrets. J'ai.
19. La tristresse. Elle a.
20. La tristresse. Beaucoup.

Object pronouns (**54–58**)

B. LE PROFESSEUR: Est-ce que les chats mangent *les oiseaux*?
   L'ÉTUDIANT: Oui, ils les mangent.

Les est le pronom complément d'objet direct à la troisième personne du pluriel. N'oubliez pas de faire la liaison devant un verbe commençant par une voyelle.
1. Est-ce qu'il a mis *son chapeau et son imperméable*?
2. Est-ce qu'il aime *les jeux de mots*?

    3. Est-ce qu'on salue *les généraux?*

    4. Dans ce village, est-ce qu'on aimait *les oiseaux?*

    5. Est-ce qu'on avait invité *les habitants du village?*

C. LE PROFESSEUR: Est-ce que le chat aurait mangé *l'oiseau?*
    L'ÉTUDIANT: Oui, il l'aurait mangé.

Le et *la* (*l'* devant une voyelle ou un *h* muet) sont les pronoms compléments d'objet direct à la troisième personne du singulier.

    1. Est-ce qu'il a allumé *sa cigarette?*

    2. Est-ce que le chat a dévoré *l'oiseau?*

    3. Est-ce qu'on a invité *le chat?*

    4. Est-ce qu'il salue *Marie?*

    5. Est-ce qu'il sert *le café?*

D. LE PROFESSEUR: Est-ce que la petite a eu *des chagrins?*
    L'ÉTUDIANT: Oui, elle en a eu.

En est le pronom complément qui remplace un nom précédé par *de.* Il est invariable. N'oubliez pas de faire la liaison.

    1. Est-ce que le monsieur a bu *du café?*

    2. Est-ce qu'il y avait *du sucre?*

    3. Est-ce qu'il a fait *des ronds?*

    4. Est-ce qu'il est sorti *de la maison?*

    5. Est-ce que la petite aurait eu *de la peine?*

    6. Est-ce qu'on revient *du bout du monde?* (Répondez non.)

Object pronouns (56)

E. Traduisez. Distinguez entre les verbes qui prennent le complément d'objet indirect *lui* et ceux qui prennent le complément d'objet direct *la* (ou *l'*).

    1. I like her.

    2. I invite her.

    3. I answer her.

    4. I tell her.

    5. I accompany her.

    6. I show her the apartment.

    7. I listen to her. (cf., *Un village écoute le chant d'un oiseau.*)

    8. I speak to her.

    9. I give her candy.

   10. I offer her wine.

Formation of adverbs (6)

F. LE PROFESSEUR: La petite fille est jolie. Comment est-ce qu'elle sourit?
    L'ÉTUDIANT: Elle sourit joliment.
    LE PROFESSEUR: Sa voix est merveilleuse. Comment est-ce qu'elle chante?
    L'ÉTUDIANT: Elle chante merveilleusement.

D'ordinaire on forme l'adverbe en ajoutant *-ment* au féminin de l'adjectif, ou au masculin s'il se termine par une voyelle.

    1. L'oiseau est poli. Comment est-ce qu'il répond?

    2. La leçon est facile. Comment est-ce qu'on la prépare?

3. La petite fille est folle. Comment est-ce qu'elle rit?
4. La dame est triste. Comment parle-t-elle?
5. Ses protestations sont inutiles. Comment proteste-t-il?
6. Il a la voix dure. Comment répond-il?
7. Le chat est tranquille. Comment ronronne-t-il?
8. Ses excuses sont faibles. Comment s'excuse-t-il?

SUJET DE COMPOSITION

Décrivez les funérailles de l'oiseau. Cause de sa mort. Qui est invité? Que font les invités?

THÈME D'IMITATION

THE LITTLE GIRL: Have you (*tu*) seen the bird? He's not in his cage.

THE CAT: What bird?

THE LITTLE GIRL: You know (*sais*) very well. My bird. After all, he's the only bird in the village. Stop licking your face and answer me.

THE CAT: Ah, the bird! I saw him yesterday. He told me that he was going to fly away to the end of the world. I asked him if it was (**40B.2**) far away. He said, "It's so far away that you never come back." And he left. He doesn't do things by halves, that bird. He didn't want to talk to you. If you had known that he was leaving you would have put him in his cage.

THE LITTLE GIRL: I don't believe you! You ate him!

THE CAT: Well yes, I did eat him, I'm so sorry. Forgive (**41C**) me.

PRONONCIATION

il, ille, as in *funérailles, paille, merveilleuse, cercueil*

il, ille, at the end of a word or before a suffix resemble the *y* in the English word *yes*, but the French sound is pronounced more distinctly and tensely. The *l* is not pronounced. (Major exceptions: *mille, ville, village, tranquille*.)

Practice adding this *y* sound to the preceding vowel: (Each of these vowels will be drilled separately in later lessons.)

REPEAT

a	–	pa	–	paille		i	–	fi	–	fille
		ma	–	maille				fami	–	famille
		a	–	ail				bri	–	brille
		trava	–	travail						
ou	–	brou	–	brouille		ui	–	cui	–	cuiller
		mou	–	mouille						
		fripou	–	fripouille						
		Anou	–	Anouilh						

eu – feu – feuille   e – is pronounced *è* before *il* or *ille*
     deu – deuil
     veu – veuille   merveille   éveille
                                       soleil   vieille

The *e* and *u* are inverted after *c*: cercueil, cueille, accueil.

Spelling: After a vowel this sound is usually spelled *il*, *ille*, or *ill* as in the above examples. Before a vowel it is spelled *i* or *y* as in cendr*i*er, moit*i*é, ent*i*er, famil*i*er, ponctuat*i*on, prononc*i*ation.

4

LE CANCRE°

Jacques Prévert

Il dit non avec la tête
mais il dit oui avec le cœur
il dit oui à ce qu'il aime
il dit non au professeur
il est debout[1]
on le questionne
et tous les problèmes sont posés
soudain le fou rire le prend°
et il efface° tout
les chiffres° et les mots
les dates et les noms
les phrases et les pièges°

et malgré les menaces du maître°
sous les huées° des enfants prodiges°
avec des craies° de toutes les couleurs
sur le tableau noir du malheur
il dessine° le visage du bonheur.

VOCABULAIRE

le cancre the dunce, the worst student in the class
le fou rire le prend he is overtaken by helpless laughter
effacer to erase
le chiffre figure; number
le piège the trap; trick question that traps the unwary

le maître teacher (in primary school)
la huée hooting
un enfant prodige a child prodigy; that is, good student
la craie the chalk
dessiner to draw

[1] En France l'élève se met debout pour répondre aux questions du maître.

20

QUESTIONNAIRE

1. Comment le cancre dit-il non?
2. Comment dit-il oui?
3. A qui ou à quoi dit-il oui?
4. A qui dit-il non?
5. Est-ce qu'il ressemble à l'oiseau dans *Quartier libre*? Est-ce que l'oiseau dit non au commandant?
6. Pourquoi est-il debout?
7. Qu'est-ce qui le prend?
8. Que fait-il ensuite?
9. Qu'est-ce qu'il y avait au tableau?
10. Que fait le maître? Que font les bons élèves?
11. Quelles craies utilise-t-il?
12. Qu'est-ce qui symbolise le malheur pour le cancre?
13. Que fait-il après avoir tout effacé?
14. Pourquoi n'aime-t-on pas ce professeur? et ces "enfants prodiges"? Pourquoi aime-t-on le cancre?
15. Croyez-vous que *Le Cancre* et *Quartier libre* ont le même thème? Quel est ce thème?

ETUDE DE MOTS

Note the uses of *tout, tous,* and *toutes*:

1. As an indefinite, invariable pronoun, *tout* meaning "everything," and *tous* (*s* pronounced) meaning "all," "everyone."

Il efface tout.	He erases everything.
Tout est effacé.	Everything is erased.
Tous se moquent de lui.	Everyone makes fun of him.

2. As an adjective (the *s* of *tous* is not pronounced)

des craies de toutes les couleurs	chalks of all colors
tous les problèmes	all the problems

3. As an invariable adverb *tout* (*toute* before a feminine adjective beginning with a consonant or an aspirate *h*)

Ils sont tout seuls.	They are all alone.
Elle est toute seule.	She is all alone.
Je l'aurais mangé tout entier.	I would have eaten all of it.

EXERCICES

Relative pronouns (77B)

A. LE PROFESSEUR: Le vieux monsieur tombe.
   L'ÉTUDIANT: C'est le vieux monsieur qui tombe.
   LE PROFESSEUR: La pluie tombe.
   L'ÉTUDIANT: C'est la pluie qui tombe.

Le pronom relatif introduit une proposition subordonnée. Quand il est le sujet de la proposition on emploie *qui*. *Qui* peut avoir pour antécédent un nom de personne ou un nom de chose.
   1. Le poète m'amuse.
   2. Son poème m'amuse.
   3. Le commandant est imposant.
   4. Son uniforme est imposant.
   5. Le maître fait peur à la classe.
   6. Son visage fait peur à la classe.
   7. Le cancre fait rire la classe.
   8. Son dessin fait rire la classe.
   9. La petite fille écoute.
   10. Le village écoute.

B. LE PROFESSEUR: J'aime le café.
   L'ÉTUDIANT: C'est le café que j'aime.
   LE PROFESSEUR: J'aime le militaire.
   L'ÉTUDIANT: C'est le militaire que j'aime.

Quand le pronom relatif est le complément direct de la proposition subordonnée on emploie *que*. *Que* peut avoir pour antécédent un nom de personne ou un nom de chose.
   1. J'aime Marie.   6. Je salue son uniforme.
   2. J'aime sa façon de parler.   7. J'admire le poète.
   3. Je déteste le maître.   8. J'admire le poème.
   4. Je déteste la contrainte.   9. Je regarde le cancre.
   5. Je salue le commandant.   10. Je regarde le dessin.

Interrogative pronouns (46)

C. LE PROFESSEUR: La pluie tombe.   LE PROFESSEUR: Le vieux monsieur
                                                          tombe.

   L'ÉTUDIANT: Qu'est-ce qui tombe?   L'ÉTUDIANT: Qui est-ce qui tombe?

Le pronom interrogatif distingue entre les noms de personne et les noms de chose. Quand le pronom interrogatif est le sujet de la phrase on emploie *qu'est-ce qui* pour les noms de chose et *qui est-ce qui* pour les noms de personne. (On peut employer *qui* au lieu de *qui est-ce qui* pour les noms de personne. Dans cet exercice employez *qui est-ce qui*. C'est la forme qu'on emploie le plus fréquemment dans la langue courante.)

Refaites l'exercice A en suivant le modèle ci-dessus.

D. LE PROFESSEUR: J'aime le café.
L'ÉTUDIANT: Qu'est-ce que j'aime?
LE PROFESSEUR: J'aime le cancre.
L'ÉTUDIANT: Qui est-ce que j'aime?

Quand le pronom interrogatif est le complément d'objet de la phrase on emploie *qu'est-ce que* pour les noms de chose et *qui est-ce que* pour les noms de personne. Refaites l'exercice B en suivant le modèle ci-dessus.

Relative pronouns (**77F**)

E. LE PROFESSEUR: Voilà *un visage* qui m'intéresse.
L'ÉTUDIANT: Voilà ce qui m'intéresse.
LE PROFESSEUR: On se moque de *la chose* qu'on ne comprend pas.
L'ÉTUDIANT: On se moque de ce qu'on ne comprend pas.

Quand le pronom relatif n'a pas d'antécédent on emploie *ce qui* s'il est le sujet de la proposition subordonnée, et *ce que* s'il en est le complément. Notez que le pronom relatif dans les phrases du professeur a un antécédent. Cet antécédent est remplacé par *ce* dans les réponses de l'etudiant.

1. Je cherche *le képi* que j'ai perdu.
2. C'est *le café* qui est bon dans ce restaurant.
3. Voilà *la remarque* qui lui a fait de la peine.
4. Apportez-vous *le vin* que j'ai commandé?
5. Comprenez-vous *les poèmes* que je vous lis?
6. Parlez-moi de *la poésie* que vous aimez.
7. Il est malade à cause de *l'oiseau* qu'il a mangé.
8. Expliquez-moi *la chose* qui vous intéresse le plus dans ce livre.

Relative pronouns (**77A**)

F. Traduisez. Notez que le pronom relatif est souvent omis en anglais quand il est complément. En français il est toujours exprimé.

1. the hat I lost	3. the poems I read
2. the bird he ate	4. the wine I ordered

G. LE PROFESSEUR: la question
L'ÉTUDIANT: je questionne
LE PROFESSEUR: le dessin
L'ÉTUDIANT: je dessine

En suivant le modèle ci-dessus formez des infinitifs en *-er* de ces noms. (Notez que la prononciation change quand la terminaison est ajoutée: ques-tion, ques-tio-nne.)

1. L'addition (*addition; bill*)   4. le frisson (*shiver*)
2. le soupçon (*suspicion*)   5. le dessin (*drawing*)
3. le pardon (*pardon*)   6. le chagrin (*sorrow*)

SUJET DE COMPOSITION

Le cancre rentre à la maison, et explique ce qu'il a fait à l'école ce jour-là, ce que le maître lui a dit, etc.

THÈME D'IMITATION

The bird has stopped singing and there is no happiness left in the village. The little girl tells (**67B**) all the children what the cat has done. That makes them sad. The next day (*le lendemain*) there is a wonderful funeral. The little girl carries the coffin (**77A**) she has made for the bird and a dozen children walk behind her. But what interests them is (**22D**) what the cat says when they question him. He says there are lots of birds and lots of cats in the other villages. If they had known that before, they would have felt less chagrined.

PRONONCIATION

a as in *a*nim*a*l, ét*a*t, p*a*role

The French *a* has no English equivalent. The vowel sound in English cl*o*ck is somewhat similar but the French *a* is pronounced further forward:

CONTRAST

English	French
clock	claque
lock	lac
dot	date
pot	patte

Some students tend to substitute the English "uh" sound for French *a*, especially in the unaccented syllables of cognates. Practice avoiding this in the following utterances. Give equal value to each *a*, counting a rhythm: 1–2–3–4.

REPEAT

l*a* c*a*valc*a*de	l*a* b*a*n*a*lité
l*a* c*a*thédr*a*le	l*a* c*a*tastrophe
l*a* s*a*l*a*de	m*a*d*a*me
b*a*g*a*ge	p*a*ss*a*ge

There is also an *a* in French which is pronounced further back (often spelled *â* or *as*) but the distinction between the two *a*'s is not essential to understanding or to making oneself understood. You can hear the difference in such contrasts as these:

patte pâte   tache tâche

Spelling: *a* or *oi* as in *moi*. Also *emme* is usually pronounced *amme* as in *femme*, or *évidemment*.

5

L'ADDITION

Jacques Prévert

LE CLIENT: Garçon l'addition!°

LE GARÇON: Voilà. [*Il sort*° *son crayon et note.*] Vous avez . . . deux œufs° durs, un veau,[1] un petit pois, une asperge, un fromage avec beurre, une amande verte,° un café filtre,[2] un téléphone.

LE CLIENT: Et puis des cigarettes!

LE GARÇON: C'est ça même° . . . des cigarettes . . . [*Il commence à compter.*] . . . alors ça fait. . . .

LE CLIENT: N'insistez° pas, mon ami, c'est inutile, vous ne réussirez° jamais

LE GARÇON: ! ! !

LE CLIENT: On ne vous a donc pas appris à l'école que c'est ma-thé-ma-ti-que-ment impossible d'additionner des choses d'espèce différente!

LE GARÇON: ! ! !

LE CLIENT: [*Elevant la voix.*] Enfin, tout de même,° de qui se moque-t-on? . . . Il faut réellement être insensé° pour oser° essayer de tenter "d'additionner" un veau avec des cigarettes, des cigarettes avec un café filtre, un café filtre avec une amande verte et des œufs durs avec des petits pois, des petits pois avec un téléphone, pourquoi pas un petit pois avec un grand officier de la Légion d'honneur,[3] pendant que vous y êtes!° [*Il se lève.*] Non mon ami, croyez-moi, n'insistez pas, ne vous fatiguez pas, ça ne donnerait rien,° vous entendez, rien, absolument rien . . . pas même le pourboire!°

[*Et il sort en emportant le rond de serviette*° *à titre gracieux.*°]

VOCABULAIRE

l'addition (*f.*) the bill
il sort he takes out
un œuf an egg (*f* is silent in plural)

insensé mad
oser to dare
pendant que vous y êtes while you're at it

[1] *un veau*—an order of veal, *une asperge*—an order of asparagus, and so on.
[2] *café filtre*—a cup of coffee with its individual filter, permitting the customer to brew his own coffee.
[3] *la Légion d'honneur*—the most famous honorary society in France, founded by Napoléon. People are named to it by the government. *Grand officier* is its next to highest rank.

une amande verte an order of green almonds

c'est ça même that's right

n'insistez pas don't go on; don't try

réussir to succeed

tout de même after all; anyhow

ça ne donnerait rien it would produce nothing; no results

le pourboire the tip

le rond de serviette the napkin ring

à titre gracieux gratis; as a gift

QUESTIONNAIRE

1. Que fait le garçon quand le client lui demande l'addition?
2. Qu'est-ce qu'il a eu comme hors-d'œuvre?
   Comme légumes (*vegetables*)? Comme dessert?
3. Comment savons-nous qu'il faut payer pour utiliser le téléphone?
4. Qu'est-ce que le garçon a oublié?
5. Qu'est-ce que le client lui dit quand il commence à compter?
6. Selon le client, pourquoi est-ce que le garçon ne réussira jamais à faire l'addition?
7. Qu'est-ce qui indique que le client commence à se fâcher? (*to get angry*)
8. Quelle suggestion le client fait-il au garçon pour lui montrer l'absurdité de ses efforts?
9. D'ordinaire que laisse-t-on pour le garçon? Croyez-vous que le client respecte cette coutume?
10. Que fait-il quand il sort?
11. Quelle semble être l'étymologie du mot *pourboire*?

DIALOGUE

A. Le client demande l'addition.
B. Le garçon fait l'addition.
A. Le client lui dit qu'il fait une chose impossible.
B. Le garçon ne comprend pas.
A. Le client explique au garçon pourquoi son addition est impossible.

ETUDE DE MOTS

Learn which verbs are followed by *de* and which by *à*.

Il commence à additionner.	He begins to add.
Il réussit à le faire.	He succeeds in doing it.
Il essaie de le faire.	He tries to do it.
Il tente de le faire.	

EXERCICES

Present participle (74–75); Avoiding dependent clauses (20C)

A. LE PROFESSEUR: *Quand on parle,* on apprend.
  L'ÉTUDIANT: On apprend en parlant.
  LE PROFESSEUR: *Quand on sort,* on dit au revoir.
  L'ÉTUDIANT: On dit au revoir en sortant.

Le participe présent exprime une action qui a lieu en même temps que l'action du verbe principal. Comme verbe il est invariable. Il est souvent précédé par *en*. *En* + participe présent peut exprimer la simultanéité (*while*) ou le moyen (*by*). Pour former le participe présent on emploie la forme *nous* du présent en substituant la terminaison *-ant* pour la terminaison *-ons*. (Notez le contraste entre la prononciation de ces deux voyelles nasales.)

1. *Quand on entre,* on dit bonjour.
2. *Quand on lit,* on apprend.
3. *Quand on dort,* on rêve.
4. *Quand on boit,* on devient ivre.
5. *Quand on prend le train,* on arrive bientôt.
6. *Quand on descend l'escalier,* on va vite.
7. *Quand on monte,* on va lentement.
8. *Quand on fait ses devoirs,* on fait des progrès.
9. *Quand on choisit,* on se limite.
10. *Quand on dit bonjour,* on se salue.

B. LE PROFESSEUR: une histoire qui intéresse
  L'ÉTUDIANT: une histoire intéressante

On emploie aussi le participe présent comme adjectif. Comme adjectif il s'accorde avec le nom auquel il se rapporte.

1. une nouvelle qui inquiète   4. une raison qui suffit
2. une maladie qui affaiblit   5. la page qui suit
3. un animal qui meurt   6. un homme qui vit

Imparfait (40)

C. LE PROFESSEUR: Il met son chapeau parce qu'il pleut.
  L'ÉTUDIANT: Il a mis son chapeau parce qu'il pleuvait.

Lisez la narration suivante au passé en distinguant entre les actions qui doivent être exprimées par l'imparfait et les actions qui doivent être exprimées par le passé composé. L'imparfait exprime une action, un état, ou une condition habituelle et répétée. Il est souvent descriptif. Le passé composé exprime un fait ou une action qui a eu lieu et qui s'est achevé à un moment déterminé du passé.

Jacques est un cancre. Voici ce qu'il fait toujours en classe: il arrive en retard,
il dit non au professeur, il se moque des "enfants prodiges." Un jour le maître
lui dit de se lever. Jacques se lève. Il va au tableau. Il fait sombre dans la salle
de classe parce qu'il pleut dehors. Jacques prend la craie, et, disant qu'il n'y a
pas assez de couleurs dans la salle de classe, il efface tous les chiffres, et il dessine
au tableau le visage du bonheur.

Relative pronouns (77B, D)

D. LE PROFESSEUR: Il parle des livres. Voilà les livres.
    L'ÉTUDIANT: Voilà les livres dont il parle.
    LE PROFESSEUR: Il avait des livres. J'ai lu les livres.
    L'ÉTUDIANT: J'ai lu les livres qu'il avait.

Dont remplace le pronom relatif précédé par la préposition *de*. Ne confondez
pas la préposition *de* avec le partitif *de*.
1. Je me moque du général. Voilà le général.
2. Nous parlons des problèmes. Je vais vous expliquer les problèmes.
3. Elle pose des questions. Ecoutez les questions.
4. Il revient du pays. Nommez le pays.
5. Il se sert du cendrier. Voilà le cendrier.
6. Je prends des notes. Je relis les notes.
7. Je me souviens des notes. Voilà les notes.
8. Il prend des asperges. Regardez les asperges!
9. Il est sorti de la maison. Quelle est cette maison?
10. Il a besoin d'un livre. J'ai trouvé le livre.

E. LE PROFESSEUR: Il efface le dessin de l'élève. Je connais l'élève.
    L'ÉTUDIANT: Je connais l'élève dont il efface le dessin.
    LE PROFESSEUR: Il dessine le visage du maître. Décrivez le maître.
    L'ÉTUDIANT: Décrivez le maître dont il dessine le visage.

L'ordre des mots dans la proposition subordonnée introduite par *dont* est
toujours sujet + verbe + complément.
1. J'ai trouvé le képi du militaire. Où est le militaire?
2. Je connais la mère de cette petite fille. Voilà la petite fille.
3. J'ai acheté la voiture de ce monsieur. Je ne connais pas le monsieur.
4. Nous ne savons pas la cause de ce désastre. C'est un désastre.
5. Il a volé le pourboire du garçon. Allons trouver le garçon.
6. J'ai pris l'imperméable de ce monsieur. Evitons le monsieur.
7. Je connais la fin de cette histoire. C'est une histoire.
8. J'ai visité l'école de ce garçon. Voici le garçon.

F. Traduisez. Notez que l'ordre des mots est différent en français qu'en anglais.

1. the soldier whose cap I found
2. the man whose car I bought
3. the boy whose school I visited
4. the disaster the cause of which we do not know
5. the story the end of which I know

G. Complétez les phrases suivantes en employant la forme convenable du pronom interrogatif *qu'est-ce qui* ou *qu'est-ce que* ou du pronom relatif *ce qui* ou *ce que*. Notez que chacun de ces pronoms est exprimé en anglais par *what*. Il faut donc faire attention de ne pas les confondre.

1. _____tombe?   (What is falling?)
2. Dites-moi_____tombe.   (Tell me what is falling.)
3. _____vous avez dit?   (What did you say?)
4. Je n'ai pas entendu_____vous
   avez dit.   (I didn't hear what you said.)
5. Je vais vous dire _____m'intéresse. (I will tell you what interests me.)
6. _____le cancre efface?   (What does the dunce erase?)
7. _____fait rire la classe?   (What makes the class laugh?)
8. Il dit oui à_____il aime.   (He says yes to what he likes.)
9. Je dis non à _____je déteste.   (I say no to what I hate.)
10. Savez-vous _____m'étonne?   (Do you know what surprises me?)

SUJET DE COMPOSITION

Vous êtes le garçon. Vous décrivez vos clients bizarres, celui qui ne dit rien (cf., *Déjeuner du matin*), celui qui ne veut pas payer, celui qui vient au restaurant avec son chat, etc.

THÈME D'IMITATION

I will never succeed as [a] waiter. I try to add up the things the customer has eaten (**11B**) but I don't have a (**15**) head for numbers. I erase everything and I start again (*recommence*), but it's useless. The customers say you really have to be out of your mind to be a (**16A**) waiter when you (*on*) don't know [how to] add. At school I was the dunce. The other students used to make fun of me, and when I went to the board they used to break out into helpless laughter. Now it's the clients who laugh (*rient*)! What a job (*métier*)!

PRONONCIATION

an/en (or *am/em*)—as in c*en*dre, m*an*teau, d*an*s, command*an*t.
The sound represented by this spelling is articulated like French *a* except it is pronounced through the nose.

CONTRAST

Non-nasal	*Nasal*
pas	pan
sa	cent
la	lent
ma	ment

Contrast English *dawn* with French *dans*. The vowels are similar but the French differs from the English in important ways: (1) like all French vowels it is *pure*, that is, there is no change in its quality during its articulation. Such a change is called a glide and occurs in the vowel of English *dawn* and in many other English vowels. (2) It is much shorter than the English vowel. (3) The *n* is not pronounced.

CONTRAST

dawn	dans
pawn	pan
sawn	cent
lawn	lent

REPEAT

m*an*teau; s*em*ble; att*en*dre; comm*an*d*an*t; appartem*en*t; étonnem*en*t; c*en*dre; pr*en*dre; ch*am*bre; sort*an*t; dis*an*t; part*an*t

Spelling: *an*, *en*, *am*, and *em* represent this sound if the vowel (*a* or *e*) and the consonant (*m* or *n*) are in the same syllable.

6

L'ACCENT GRAVE

Jacques Prévert

LE PROFESSEUR: Elève Hamlet!

L'ÉLÈVE HAMLET: Hein.° . . . Quoi. . . . Pardon. . . . Qu'est ce qui se passe . . . Qu'est-ce qu'il y a. . . . Qu'est-ce que c'est . . . ?

LE PROFESSEUR: [*Mécontent.*] Vous ne pouvez pas répondre présent comme tout le monde? Pas possible, vous êtes encore dans les nuages.°

L'ÉLÈVE HAMLET: Etre ou ne pas être dans les nuages!

LE PROFESSEUR: Suffit.° Pas tant de manières.° Et conjuguez-moi le verbe être comme tout le monde, c'est tout ce que je vous demande.

L'ÉLÈVE HAMLET: To be. . . .

LE PROFESSEUR: En français, s'il vous plaît, comme tout le monde.

L'ÉLÈVE HAMLET: Bien Monsieur. [*Il conjugue.*]

Je suis ou je ne suis pas
Tu es ou tu n'es pas
Il est ou il n'est pas
Nous sommes ou nous ne sommes pas . . .

LE PROFESSEUR: [*Excessivement mécontent.*] Mais c'est vous qui n'y êtes pas,° mon pauvre ami!

L'ÉLÈVE HAMLET: C'est exact, monsieur le professeur,

Je suis "où" je ne suis pas[1]
Et, dans le fond,° hein, à la réflexion,
Etre "où" ne pas être
C'est peut-être aussi la question.

VOCABULAIRE

hein? huh?

le nuage the cloud

[ça] suffit that's enough

pas tant de manières stop showing off

vous n'y êtes pas you're wrong (cf., *j'y suis* I've got it!) *but literally it means:* you are not there

dans le fond after all, fundamentally

[1] I am where I am not, i.e., my mind is not here: I am not thinking of what we are doing.

QUESTIONNAIRE

1. Quel est le vers le plus célèbre de la tragédie *Hamlet*?
2. Quel rôle l'accent grave joue-t-il dans cette histoire?
3. Quels jeux de mots y trouve-t-on?
4. Qu'est-ce qui montre que l'élève Hamlet n'écoute pas en classe?
5. Comment répond-il?
6. Où est-il selon le professeur?
7. Comment le professeur voudrait-il qu'Hamlet réponde?
8. Quelle expression le professeur emploie-t-il souvent?
9. Semble-t-il croire au conformisme?
10. Quelle remarque désobligeante fait-il à l'élève Hamlet?
11. Comment Hamlet conjugue-t-il le verbe *être*?
12. Qu'est-ce que le professeur lui dit?
13. Est-ce qu'Hamlet croit que le professeur a raison?
14. Où est l'élève Hamlet? Où voudrait-il être, probablement?
    Comment peut-on être où l'on n'est pas?
15. Quelle est la question?

DIALOGUE

A. Le professeur appelle l'élève Hamlet.
B. L'élève se réveille en sursaut (*with a start*).
A. Le professeur exprime son mécontentement et lui dit de conjuguer.
B. L'élève commence à conjuguer au positif et au négatif.
A. Le professeur lui dit qu'il n'y est pas.
B. L'élève est d'accord.

ETUDE DE MOTS

1. *Vous n'y êtes pas du tout.*   You're all wrong.
   C'est à la page 18.   It's on page 18.
   Vous y êtes?   Have you got your place?
   Vous comprenez enfin un problème difficile.
        Vous dites: Ah! J'y suis!   I've got it!

2. Dependent clauses modifying *tout* are introduced by the relative pronouns *ce que* or *ce qui*.

   C'est tout ce que je vous demande.   That's all I ask you.
   Voilà tout ce que je sais.   That's all I know.
   Il se moque de tout ce qui symbolise la contrainte.   He makes fun of everything that stands for constraint.
   Il mange tout ce qui lui semble bon.   He eats everything that seems good to him.

3. *Conjuguez-moi le verbe* être.   Conjugate the verb *to be*.

The *moi* is added for emphasis and should usually not be translated. (The second person object pronoun may be used in the same way.)

Regardez-moi ça!   Look at that!
Il vous prend une craie, et il vous dessine   He takes up a piece of chalk, and he
  un visage au tableau!   draws a face on the board!
Goûtez-moi ce vin.   Taste this wine.

EXERCICES

Relative pronouns (**77A, C, D**)

A. LE PROFESSEUR: Il note avec un crayon. Remarquez le crayon.
  L'ÉTUDIANT: Remarquez le crayon avec lequel il note.
  LE PROFESSEUR: Il parle à un monsieur. Qui est ce monsieur?
  L'ÉTUDIANT: Qui est ce monsieur à qui il parle?

Après une préposition on emploie le pronom relatif *lequel* (*laquelle, lesquels, lesquelles*) pour les noms de chose, et *qui* pour les noms de personne. (On peut aussi employer *lequel* pour les noms de personne, mais dans cet exercice employez *qui*.)
  1. Il mange avec une fourchette. Voilà la fourchette.
  2. Il s'appuie sur la table. Voici la table.
  3. Il dessine sur le tableau. Où est le tableau?
  4. Il note avec le crayon. Quelle est la couleur du crayon?
  5. Il parlait avec la petite fille. J'ai dit bonjour à la petite fille.
  6. Il tourne avec la cuiller. Il regarde la cuiller.
  7. Il se fâche contre les cancres. Il y a beaucoup de cancres.
  8. Il travaille pour le maître. Il y a un seul maître.
  9. Il dessine avec des craies. Il a acheté les craies.
  10. Il joue avec les ronds de serviette. Voilà les ronds de serviette.
  11. Il travaille pour le pourboire. On lui a volé le pourboire.
  12. Il continue malgré les huées. On entend des huées.
  13. Il a mis les cendres dans le cendrier. Sa femme lui a donné le cendrier.
  14. Il est porté par la petite fille. Il y a une petite fille.
  15. Il a mis le lait dans la tasse. J'admire la tasse.

B. LE PROFESSEUR: On pense à ce problème. Quel est le problème?
  L'ÉTUDIANT: Quel est le problème auquel on pense?
  LE PROFESSEUR: On parle de ces problèmes. J'ai étudié ces problèmes.
  L'ÉTUDIANT: J'ai étudié ces problèmes dont on parle.

Distinguez entre *dont* qui remplace *de* + pronom relatif et *lequel* qui est employé après une préposition pour les noms de chose. Notez la contraction de *à* + *lequel*: *auquel, à laquelle, auxquels, auxquelles*.

1. On parle de ce livre. J'ai lu ce livre.
2. On s'intéresse à ce livre. Quel est ce livre?
3. On se moque de cet accent. Il a un accent.
4. On s'habitue à cet accent. Il a un accent.
5. On a peur de cette maladie. Parlez-moi de cette maladie.
6. On ne pense jamais à cette maladie. Il avait une maladie.
7. On se souvient de ces dessins. Ce sont des dessins.
8. On fait allusion à ces dessins. Connaissez-vous ces dessins?
9. On se méfie de ces promesses. Il fait des promesses.
10. On songe à ces promesses. Quelles sont ces promesses?
11. On a peur de cette question. Quelle est la question?
12. On a répondu à cette question. Répétez la question.

C. LE PROFESSEUR: Je pense au poète.
   L'ÉTUDIANT: A qui est-ce que vous pensez? (*ou*, A qui pensez-vous?)
   LE PROFESSEUR: Je pense au poème.
   L'ÉTUDIANT: A quoi est-ce que vous pensez? (*ou*, A quoi pensez-vous?)

Le pronom interrogatif après une préposition est *qui est-ce que* pour les noms de personne et *quoi est-ce que* pour les noms de chose, quand il n'y a pas d'inversion.

1. Je pense au commandant.
2. Je pense à son képi.
3. J'ai peur du maître.
4. J'ai peur de ses menaces.
5. Je réponds au client.
6. Je réponds à ses questions.
7. Je dis oui au professeur.
8. Je réussis à répondre en classe.
9. Je lis avec les autres étudiants.
10. Je dessine avec la craie.
11. Je pars avec Marie.
12. Je pars avec le rond de serviette.
13. J'ai besoin de clients honnêtes.
14. J'ai besoin d'une douzaine de ronds de serviette.

D. LE PROFESSEUR: Je lis un livre. Ce livre vous intéresserait.
   L'ÉTUDIANT: Je lis un livre qui vous intéresserait.
   LE PROFESSEUR: Je lis un livre. Vous devriez lire ce livre.
   L'ÉTUDIANT: Je lis un livre que vous devriez lire.
   LE PROFESSEUR: Je lis un livre. On a beaucoup parlé de ce livre.
   L'ÉTUDIANT: Je lis un livre dont on a beaucoup parlé.
   LE PROFESSEUR: Je lis un livre. J'ai beaucoup d'admiration pour ce livre.
   L'ÉTUDIANT: Je lis un livre pour lequel j'ai beaucoup d'admiration.

En suivant les modèles ci-dessus joignez ces phrases par les pronoms relatifs *qui*, *que*, *dont*, ou *lequel*.

1. Je connais un restaurant. Le restaurant est près d'ici.
2. C'est un restaurant. Vous serez ravi de ce restaurant.
3. Connaissez-vous le restaurant? Je fais allusion à ce restaurant.
4. Oui, je connais le restaurant. Vous parlez de ce restaurant.
5. C'est un restaurant. Les touristes ne fréquentent pas ce restaurant.
6. Voilà un argument. On ne saurait résister à cet argument.
7. Commandez le veau. Je vous ai parlé de ce veau.
8. C'est un plat! Je trouve ce plat délicieux.
9. La cuisine est un art. Je m'intéresse à cet art.
10. Goûtez les asperges. J'ai commandé ces asperges.
11. Regardez l'addition. Le garçon apporte l'addition.
12. Ah, ça c'est un repas! Je me souviendrai de ce repas.

SUJET DE COMPOSITION

Vous êtes un élève dans la même classe que l'élève Hamlet. Décrivez Hamlet et le professeur à un ami, et dites-lui ce qui se passe en classe.

THÈME D'IMITATION

Hamlet is not the dunce of the class, but he never knows what is going on at school. He is always in the clouds. All the professor asks him to (**68C**) do (**22D**) is to (**78E**) conjugate the verb *to be* like everybody else, but Hamlet answers in English. To be or not to be is the question for Hamlet, and the professor tells him that he is all wrong. The professor is terribly angry. He raises his voice and he says, "Didn't they ever teach you to (**68B**) conjugate in school?" He takes out his pencil and writes down: *Zéro*.

PRONONCIATION

Closed *o*.

Contrast French *beau* with English *bow*. The contrast clearly illustrates a major difference between English and French vowels. The English is long and has a glide. The French is short, pure, requires more muscular tension, and has a rapid cutoff.

CONTRAST

English	*French*
owe	au
foe	faut
know	nos
blow	tableau

REPEAT

l'oiseau; les mots; chapeau; manteau; museau; les choses; oser

Be careful to pronounce closed *o* correctly in cognates where force of habit some-times produces the English rather than the French sound.

REPEAT

cause; pause; auto; autographe; applaudir

Spelling: The sound is called closed *o* and may be spelled *ô, eau, au,* or *o.* The spell-ings *ô, eau,* and in most cases, *au* represent this sound and no other sound. *O* more often represents open *o* but can also represent closed *o* in final syllable not followed by an audible consonant: *nos, mots,* or followed by *s: rose.*

REVIEW LESSON I
Review of Lessons 1–6

Vocabulary and Idioms

TRANSLATE

1. You're all wrong. — Vous n'y êtes pas du tout.
2. I've got it! — J'y suis!
3. It wouldn't do any good, produce any result. — Ça ne donnerait rien.
4. Don't put on airs. — Pas tant de manières.
5. He likes puns. — Il aime les jeux de mots.

REPLACE THE EXPRESSIONS IN ITALICS BY A SYNONYM

1. *avoir du succès* — réussir
2. *parler plus fort* — élever la voix
3. *ce que l'on donne au garçon* — le pourboire
4. Prenez-le *sans payer*. — à titre gracieux
5. Qu'est-ce qui *a lieu?* — se passe
6. *Quoi?* — hein?
   Qu'est-ce qu'il y a?
   Qu'est-ce que c'est?
7. [*C'est*] *assez*. — [Ça] suffit.
8. Le professeur est *fâché*. — mécontent
9. *En réalité*, voilà la question. — dans le fond
10. *Quand on y pense*, voilà la question. — à la réflexion
11. *les nombres* — les chiffres
12. *en dépit de* ses menaces — malgré
13. *le professeur dans une école primaire* — le maître
14. *ce qu'on emploie pour écrire au tableau* — la craie
15. *la face* — le visage
16. *ce qu'un chat fait quand il est content* — ronronner
17. *le visage d'un animal* — le museau
18. Après la mort, les *cérémonies d'enterrement* — funérailles
19. *coffre où l'on met le corps d'un mort* — cercueil
20. Je ne veux pas vous *rendre triste*. — faire de la peine
21. C'est *si* loin. — tellement
22. *le chapeau d'un militaire* — le képi

23. Tout le monde peut *tomber dans
    l'erreur*.   se tromper
24. *passer la langue sur* quelque chose   lécher
25. Il l'a *à demi* dévoré.   à moitié
26. *le contraire de la liberté*   la contrainte
27. *les cris de désapprobation poussés
    contre quelqu'un*   les huées
28. un style *simple et sans ornements*   familier
29. *la question difficile et rusée*   le piège
30. votre remarque m'a *fait de la peine*   blessé
31. Je me suis *fait mal*   blessé
32. l'oiseau est *étendu* sur le cercueil de
    paille.   allongé

ANSWER BRIEFLY THE FOLLOWING QUESTIONS

De quoi est fait le cercueil de l'oiseau?   Il est fait de paille.
Dans quoi est-ce qu'on verse le café?   dans une tasse
Avec quoi est-ce qu'on tourne?   avec une cuiller
Avec quoi est-ce qu'on fait des ronds?   avec la fumée
Qu'est-ce qu'on met dans le cendrier?   les cendres
Que fait l'oiseau si on laisse la cage
    ouverte?   Il s'envole.
Que fait le cancre avant de dessiner le
    visage du bonheur?   Il efface tout.

Grammar

1. Present (**72**); Past participle (**63**); *Etre* verbs (**32A**); *Imparfait* (**40**)

Conjugate in the present, imperative, *passé composé*, and *imparfait:*

an *-er* verb (*parler*)
an *-ir* verb (*choisir*)
an *-re* verb (*répondre*)
an *être* verb (*aller*)
a reflexive verb (*s'arrêter*)
the following irregular verbs:

    dormir and the verbs like it: *mentir, partir, sentir, servir,* and *sortir*
    ouvrir and the verbs like it: *couvrir, découvrir, offrir,* and *souffrir*

être	*faire*
avoir	•*mettre*
dire	*mourir*
lire	*boire*
suffire	*prendre*
vivre	*pleuvoir*
suivre	*vouloir*
sourire	*pouvoir*

2. Infinitive (**43**); Present participle (**74–75**)

He speaks without getting up.	Il parle sans se lever.
He speaks before getting up.	Il parle avant de se lever.
He speaks instead of getting up.	Il parle au lieu de se lever.
He speaks after getting up.	Il parle après s'être levé.
He speaks while getting up.	Il parle en se levant.
He speaks by getting up.	Il parle en se levant.

3. Object pronouns (**54, 56, 58A** and **B, 59A** and **C**)

I speak it.	Je le parle.
I speak to him.	Je lui parle.
I invite her.	Je l'invite.
I answer her.	Je lui réponds.
He drank some.	Il en a bu.
He went out of there.	Il en est sorti.
He likes them.	Il les aime.
Take it.	Prenez-le.
Don't take it.	Ne le prenez pas.

4. Articles (**13A, 17A, 18**)

Wine is good.	Le vin est bon.
a cup of coffee	une tasse de café
There is coffee in that cup.	Il y a du café dans cette tasse.
how much coffee	combien de café
no coffee	pas de café

5. Relative pronouns (**77A, B, C, D,** and **F**)

Here is the book I like.	Voici le livre que j'aime.
Here is the book that interests me.	Voici le livre qui m'intéresse.
Here is the book I am talking about.	Voici le livre dont je parle.
Here is the book I write in.	Voici le livre dans lequel j'écris.
Here is what I like.	Voici ce que j'aime.
Here is what interests me.	Voici ce qui m'intéresse.
Here is what I am talking about.	Voici ce dont je parle.

6. Interrogative pronouns (**46A**)

Who is important?	Qui est important?
	or Qui est-ce qui est important?
What is important?	Qu'est-ce qui est important?
Whom do you like?	Qui est-ce que vous aimez?

What do you like?	Qu'est-ce que vous aimez?
Whom are you afraid of?	De qui est-ce que vous avez peur?
What are you afraid of?	De quoi est-ce que vous avez peur?

7. Formation of adverbs (6A, B)

Adjective	*Adverb*
merveilleux	merveilleusement
poli	poliment

7

A LOUER MEUBLÉ [I]

Gabriel d'Hervilliez

A louer meublé est une comédie gaie de Gabriel d'Hervilliez. Deux voleurs, Jojo et Dédé, ont pénétré dans une villa pour la cambrioler.° Jojo a peur, mais Dédé se moque de lui.

JOJO: [*S'épongeant*° *le front.*°] Ce que j'ai peur!°

DÉDÉ: Tu me fais rigoler.° . . . Tu n'as donc pas lu l'écriteau?°

JOJO: Quel écriteau?

DÉDÉ: "Villa meublée à louer. . . . S'adresser à° M. Tubeuf, 78, Grande-Rue. . . ."

JOJO: Et après?°

DÉDÉ: [*Essayant patiemment*° *de se faire comprendre.*] La villa est meublée. . . . Elle est à louer. . . . Le propriétaire s'appelle Tubeuf.

JOJO: Je m'en fiche.°

DÉDÉ: Moi aussi. Mais il a la gentillesse° de nous prévenir° qu'il n'habite pas ici.

JOJO: Ce n'est pas un métier° pour moi!

DÉDÉ: Alors . . . il fallait° rester chez ton notaire.°

JOJO: Je ne pouvais pas y rester et emporter la caisse.°

DÉDÉ: Evidemment!

JOJO: Mais je n'ai pas le cœur à l'ouvrage.[1]

DÉDÉ: Alors . . . qu'est-ce que tu veux faire? . . . . Travailler?

JOJO: [*Scandalisé.*] Oh! non. . . .

DÉDÉ: Eh bien, si tu ne veux pas travailler . . . au boulot.[2]

JOJO: [*Sans enthousiasme.*] Au boulot!

DÉDÉ: [*Se lève, puis s'arrête devant une photographie qu'il voit sur la table.*] Tu as vu la gueule° du vieux? Ça doit être le propriétaire!

JOJO: Le citoyen Tubeuf. Il n'a pas l'air commode.° . . .

---

[1] *Je n'ai pas le cœur à l'ouvrage.*—My heart's not in my work, i.e., I don't feel like being a robber.

[2] *au boulot*—let's get to work, i.e., let's start robbing the villa.

DÉDÉ: Allons voir les chambres. Faisons le tour du propriétaire.[3]
JOJO: Quel métier!

[*A ce moment on entend un coup de sonnette!*°]

VOCABULAIRE

cambrioler to ransack; burgle
éponger to mop
le front the brow
ce que j'ai peur I'm terribly frightened
rigoler to laugh (colloquial)
un écriteau a sign
s'adresser à apply to
et après? so what?
patiemment patiently
je m'en fiche I don't give a darn

la gentillesse courtesy
prévenir to warn
le métier the trade, line of work
il fallait (here) you should have
le notaire the notary (has some of the functions of a lawyer)
la caisse the cash-box
la gueule the face, mug (colloquial)
commode easy to get along with
un coup de sonnette a ring at the door

QUESTIONNAIRE

1. Pourquoi Dédé et Jojo sont-ils entrés dans la villa?
2. Quelle différence y a-t-il entre Jojo et Dédé?
3. Qu'est-ce qui montre que Jojo a peur?
4. Pourquoi Dédé n'a-t-il pas peur?
5. Quels mots lit-on sur l'écriteau?
6. Pourquoi Jojo semble-t-il un peu stupide?
7. Pourquoi est-ce que l'écriteau rassure Dédé?
8. Qu'est-ce que Jojo aurait dû faire s'il n'aimait pas son métier?
9. Où travaillait-il avant de devenir voleur? Pourquoi ne pouvait-il pas y rester?
10. Avec quelle attitude contemple-t-il le cambriolage de cette villa?
11. Quelle alternative Dédé lui suggère-t-il?
12. Qu'est-ce qui scandalise Jojo?
13. Qu'est-ce que Dédé voit sur la table?
14. Quelle remarque Jojo fait-il à propos de la photographie?
15. Qu'est-ce que Jojo et Dédé vont faire?
16. Pourquoi s'arrêtent-ils?

---

[3] *Faisons le tour du propriétaire.*—This is what the host says when he is showing guests around: Let me show you around the house. Used here ironically.

DIALOGUE

A. Jojo lit l'écriteau à Dédé.

B. Dédé est content. Il explique à Jojo pourquoi ils vont pouvoir cambrioler la villa tranquillement.

A. Jojo dit qu'il n'aime pas son métier.

B. Dédé lui demande pourquoi il n'est pas resté chez son notaire.

A. Jojo explique pourquoi.

B. Dédé lui dit de se mettre au travail.

ETUDE DE MOTS

1. *Ce que j'ai peur!*
   Comme j'ai peur!
   Que j'ai peur!

   These expressions all mean: How frightened I am!

   Ce qu'il fait froid!   How cold it is!
   Ce que je suis fatigué!   How tired I am!

2. *le tour du propriétaire*   literally, the owner's trip around the house

   le tour du monde   trip around the world

EXERCICES

Adverbs (6C)

A. LE PROFESSEUR: patient
     L'ÉTUDIANT: Il parle patiemment.
     LE PROFESSEUR: différent
     L'ÉTUDIANT: Il parle différemment.

Les adjectifs qui se terminent en *-ant* et *-ent* forment des adverbes qui se terminent en *-amment* et *-emment*. (Notez que *-emme* se prononce comme *-amme*.)

1. constant
2. courant
3. intelligent
4. élégant
5. insolent
6. innocent

Possessive adjectives (65)

B. LE PROFESSEUR: La caisse est à lui.
     L'ÉTUDIANT: C'est sa caisse.
     LE PROFESSEUR: Ces livres sont à moi.
     L'ÉTUDIANT: Ce sont mes livres.

L'adjectif possessif s'accorde avec le nom auquel il a rapport, mais il n'indique pas le genre du possesseur. Il n'y a donc aucune distinction en français entre *his* et *her*. Dans cet exercice les phrases du professeur emploient *à* + pronom disjonctif pour exprimer la possession. Les réponses de l'étudiant emploient l'adjectif possessif.

1. La caisse est à elle.
2. La villa est à lui.
3. La villa est à eux.
4. Les petits pois sont à moi.
5. Les cigarettes sont à vous.
6. Les cigarettes sont à lui.
7. Le chapeau est à elle.
8. Les enfants sont à eux.
9. Le village est à nous.
10. L'imperméable est à toi.
11. Les asperges sont à toi.
12. Les œufs durs sont à nous.

Interrogative pronouns (**47B**)

C. LE PROFESSEUR: Quel chat a mangé l'oiseau?
L'ÉTUDIANT: Lequel a mangé l'oiseau?
LE PROFESSEUR: De quel village est-ce qu'il s'agit?
L'ÉTUDIANT: Duquel est-ce qu'il s'agit?

Le pronom interrogatif *lequel* correspond à l'anglais *which one*. Contraction avec *à*: *auquel, à laquelle, auxquels, auxquelles*; avec *de*: *duquel, de laquelle, desquels, desquelles*. Dans cet exercice les phrases du professeur emploient l'adjectif interrogatif *quel* + nom. Dans les réponses de l'étudiant le pronom interrogatif *lequel* remplace *quel* + nom.

1. Quel oiseau a été blessé?
2. Quel élève est le cancre de la classe?
3. Quels problèmes sont les plus faciles?
4. Quelle tragédie est-ce que l'élève préfère?
5. A quelle tragédie est-ce qu'il fait allusion?
6. A quel vers est-ce qu'il fait allusion?
7. De quelle classe est-ce qu'il a peur?
8. De quel maître est-ce qu'il se moque?
9. De quelles craies est-ce qu'il se sert?
10. De quelles dates est-ce qu'il se souvient?
11. Par quelle porte est-ce qu'il sort?

Familiar form (**34**)

D. LE PROFESSEUR: Vous vous levez? Dépêchez-vous! Je pars avec vous.
L'ÉTUDIANT: Tu te lèves? Dépêche-toi! Je pars avec toi.

En tutoyant quelqu'un faites attention d'employer non seulement le pronom sujet *tu* et la forme convenable du verbe, mais aussi les autres formes de la deuxième personne du singulier: le pronom complément *te* (ou *t'*), le pronom disjonctif *toi*, et les adjectifs possessifs *ton, ta, tes*.

1. Vous n'avez donc pas lu l'écriteau?
2. Vous me faites rigoler.
3. Qu'est-ce que vous voulez faire?
4. Vous avez vu votre propriétaire?
5. Vous buvez votre vin?
6. Vous partez avec vos amis?
7. Vous mettez votre imperméable?
8. Vous voulez votre café maintenant?
9. Vous écrivez à votre mère?
10. Vous savez votre leçon?
11. Vous lisez vos livres?
12. Vous vivez avec vos parents?
13. Vous vous endormez.
14. Vous vous moquez du monde.
15. Reposez-vous.
16. Allez vous reposer tout de suite!
17. Ah! c'est vous?
18. Je viens avec vous.
19. Non, couchez-vous!
20. Vous vous couchez, n'est-ce pas?

SUJET DE COMPOSITION

Dédé explique à Jojo toutes les raisons pour lesquelles il ne faut pas avoir peur. Si Tubeuf vient ils diront qu'ils veulent louer la villa, etc.

THÈME D'IMITATION

Jojo is a robber. He does his job without enthusiasm. Before, he used to work in a notary's office, but he didn't have his heart in his work. The first time he saw the notary he was afraid because the notary didn't seem too easy to get along with. One day, without having the courtesy to warn him, Jojo left. The notary said, "I don't care. Fundamentally, I have never liked that Jojo. Now that he has left, I am content." But he was excessively discontent when he learned what Jojo had taken [with him]: the cashbox.

PRONONCIATION

on (or *om*)

The sound usually represented by these spellings is articulated like closed *o* except it is pronounced through the nose.

CONTRAST

Non-nasal	*Nasal*
nos	non
faut	fond
veau	vont
peau	pont
sot	sont
beau	bon
côte	compte

It is important to distinguish between the nasal vowel represented by *en* (or *an*) and the nasal vowel represented by *on*.

CONTRAST

sans	son	emportait	on portait
rang	rond	devant	devons
lent	long	allant	allons
tremper	tromper	beaucoup demandent	beaucoup de monde
en	ont	répandre	répondre
tant	ton		

Spelling: On or *om* represent this sound if the *o* and the *n* (or *m*) are in the same syllable, as in *bon* or *comprendre*.

8

A LOUER MEUBLÉ [II]

Gabriel d'Hervilliez

Jojo est terrorisé quand il entend le coup de sonnette. On entend une voix de dehors:

PRENTOUT: Est-ce que la villa est louée? [*Un silence.*] Peut-on visiter la villa?

JOJO: [*La voix éteinte.°*] Pas aujourd'hui.

DÉDÉ: [*Plus calme.*] Visiter la villa! Pourquoi pas? Je vais ouvrir, le temps de prendre les clés.[1] [*A Jojo.*] De la tenue!° ... du sangfroid!° ... du naturel! Qu'est-ce qu'on risque?

JOJO: [*Très simplement.*] La prison!

[*Dédé fait entrer monsieur et madame Prentout.*]

PRENTOUT: La villa n'est pas louée, j'espère?

DÉDÉ: [*Vivement.°*] Pas encore.

PRENTOUT: Ah! tant mieux. Ce pays plaît beaucoup à ma femme ... et, mon Dieu! nous avons pensé. ...

HORTENSE: [*Regardant son mari, impérative:°*] Si les conditions° nous conviennent. ...

PRENTOUT: ... Si les conditions nous conviennent ... qu'il ne serait pas désagréable de passer nos vacances ici.

HORTENSE: Voulez-vous nous faire visiter?°

DÉDÉ: Avec plaisir!

HORTENSE: [*A Jojo:*] Combien avez-vous de chambres?

JOJO: [*Pris de court.°*] Combien?

DÉDÉ: [*Venant à son secours.°*] Vous allez vous rendre compte.° ... Rien ne vaut° une bonne visite.

HORTENSE: Vous avez l'eau, le gaz, ... l'électricité?

DÉDÉ: [*Qui n'en sait rien° lui-même.*] Vous verrez. Je ne veux rien vous dire. Il ne faut pas influencer l'amateur.°

HORTENSE: Nous allons jeter un coup d'œil° général.[2]

DÉDÉ: C'est cela. Vous n'avez pas besoin de guide et, seuls, vous pourrez mieux échanger vos impressions. Nous vous attendons.[3]

[1] Just a moment while I go get the keys.
[2] We'll take a look around.
[3] We'll wait for you.

47

VOCABULAIRE

la voix éteinte in a faint, toneless voice
de la tenue! behave yourself; watch yourself
le sang-froid nerve; courage
vivement quickly
impératif imperious
les conditions (here) the price
faire visiter to show around

pris de court taken aback
le secours help; rescue
se rendre compte to realize; to find out
rien ne vaut nothing is as good as
il n'en sait rien he has no idea
l'amateur (m.) (here) the customer
le coup d'œil the glance

QUESTIONNAIRE

1. Pourquoi Jojo est-il terrorisé?
2. Où est Prentout? Quelle question pose-t-il?
3. Comment Jojo répond-il?
4. Comment Dédé répond-il? Que dit-il à Jojo d'avoir?
5. Pourquoi les Prentout[1] s'intéressent-ils à cette villa?
6. Qu'est-ce qui donne l'impression que Prentout est un mari timide?
7. Qu'est-ce qu'Hortense demande à Dédé et à Jojo de faire?
8. Pourquoi Jojo est-il pris de court?
9. Comment Dédé vient-il à son secours?
10. Quelles autres questions Hortense pose-t-elle?
11. Pourquoi Dédé ne peut-il pas y répondre?
12. Quelle raison donne-t-il pour ne pas répondre à ses questions?
13. Qu'est-ce qu'Hortense et son mari vont faire?
14. Quel avantage trouveront-ils, selon Dédé, à être seuls?

DIALOGUE

A. Prentout demande si on peut visiter.
B. Dédé répond affirmativement et lui demande d'attendre une minute.
A. Prentout explique pourquoi lui et sa femme s'intéressent à la villa.
B. Dédé demande s'ils veulent visiter.
A. Prentout dit oui, et demande des détails sur la villa.
B. Dédé trouve une réponse qui cache son ignorance.

ETUDE DE MOTS

1. *jeter un coup d'œil*   to take a look at; to glance at

---

[1] No *s* because proper names are invariable.

Jetez un coup d'œil sur ce livre.   Have a look at this book.

Je ne l'ai pas lu, mais j'y ai jeté un   I haven't read it, but I've glanced at it.
coup d'œil.

Dédé jette un coup d'œil à Jojo.   Dédé glances at Jojo.

2. *Vous allez vous rendre compte.*   You'll find out.

Je ne m'en rendais pas compte.   I didn't realize that.

Vous rendez-vous compte de l'heure   Do you realize what time it is?
qu'il est?

Visitez le pays; c'est la meilleure façon   Visit the country; it is the best way of
de se rendre compte de ce qui se passe   finding out what's happening over there.
là-bas.

EXERCICES

Interrogatives (45A.3, B)

A. LE PROFESSEUR: Pourquoi est-ce qu'il n'est pas parti?

L'ÉTUDIANT: Pourquoi n'est-il pas parti?

On peut poser une question ayant pour sujet *ce, on, tu, il, elle, nous, vous, ils,* et *elles* en plaçant le sujet après le verbe. Dans cet èxercice les questions du professeur emploient la locution *est-ce que.* Les questions de l'étudiant omettent la locution *est-ce que* et placent le sujet après le verbe.

1. Est-ce qu'elle est louée?
2. Est-ce qu'on peut visiter?
3. Pourquoi est-ce qu'on ne peut pas visiter?
4. Comment est-ce qu'ils ont pénétré dans la villa?
5. Pourquoi est-ce qu'il n'a pas peur?
6. Où est-ce qu'il travaillait?
7. Quelle remarque est-ce qu'il a faite?
8. A qui est-ce qu'ils vont louer la villa?
9. Qui est-ce qu'ils ont vu à la porte?
10. Quelles questions est-ce qu'elle a posées?
11. Qu'est-ce qu'elle leur demande?
12. Qu'est-ce qu'ils vont faire?

B. LE PROFESSEUR: Pourquoi est-ce que Dédé est parti?

L'ÉTUDIANT: Pourquoi Dédé est-il parti?

LE PROFESSEUR: Est-ce que Jojo a peur?

L'ÉTUDIANT: Jojo a-t-il peur?

On peut poser une question ayant un nom pour sujet en plaçant le nom avant le verbe, mais en le reprenant après le verbe par le pronom personnel convenable. Dans cet exercice les questions du professeur emploient la locution *est-ce que.* Les questions de l'étudiant omettent la locution *est-ce que* et reprennent le sujet après le verbe par le pronom personnel convenable.

1. Est-ce que la villa est louée?
2. Est-ce que les Prentout peuvent visiter?
3. Pourquoi est-ce que les Prentout ne peuvent pas visiter?
4. Comment est-ce que les cambrioleurs ont pénétré dans la villa?
5. Pourquoi est-ce que Dédé n'a pas peur?
6. Quelle remarque est-ce que Dédé a faite?
7. A qui est-ce que les cambrioleurs vont louer la villa?
8. Qui est-ce que les voleurs ont vu à la porte?
9. Quelles questions est-ce que la dame leur a posées?

Negatives (**48A, C**); Personal pronouns (**54**)

C. LE PROFESSEUR: *Les Prentout ont-ils apporté leurs bagages?*
   L'ÉTUDIANT: Non, ils ne les ont pas apportés.
   LE PROFESSEUR: *Jojo a-t-il entendu ce bruit?*
   L'ÉTUDIANT: Non, il ne l'a pas entendu.

Répondez en employant la locution négative indiquée et en substituant des pronoms pour les mots en italique. Notez que *ne* précède le pronom complément qui précède le verbe et que *pas, jamais,* et *plus* se placent après l'auxiliaire et avant le participe passé dans les temps composés.

NE...PAS
1. *Dédé* a-t-il peur?
2. *Jojo* a-t-il lu *l'écriteau?*
3. *Dédé* a-t-il emporté *la caisse?*
4. *Jojo* a-t-il trouvé *les clefs?*
5. *Dédé* a-t-il visité *les chambres?*

NE...JAMAIS
1. *Les Prentout* ont-ils loué *cette villa?*
2. *Les cambrioleurs* ont-ils visité *la villa?*
3. *Dédé* a-t-il rencontré *M. Tubeuf?*
4. *Les cambrioleurs* ont-ils travaillé ensemble?
5. *Jojo* s'est-il repenti?

NE ... PLUS
1. *Jojo* a-t-il *la caisse?*
2. *M. Tubeuf* habite-t-il *la villa?*
3. *Les cambrioleurs* regardent-ils *la photographie?*
4. *Jojo* suit-il *le même métier?*
5. Entend-on *le coup de sonnette?*

D. LE PROFESSEUR: Qu'est-ce que vous avez vu?
   L'ÉTUDIANT: Je n'ai rien vu.
   LE PROFESSEUR: Qui est-ce que vous avez vu?
   L'ÉTUDIANT: Je n'ai vu personne.

Rien se place après l'auxiliaire et avant le participe passé. *Personne* se place après le participe passé.

1. Qu'est-ce que vous avez dit?
2. Qu'est-ce que vous avez fait?
3. Qui est-ce que vous avez rencontré?
4. Qu'est-ce que vous avez lu?
5. Qu'est-ce que vous avez compris?

6. Qui est-ce que vous avez attendu?
7. Qui est-ce que vous avez entendu?
8. Qu'est-ce que vous avez bu?
9. Qui est-ce que vous avez invité?
10. Qu'est-ce que vous avez su?

E. LE PROFESSEUR: Je ne vois personne.
L'ÉTUDIANT: Je n'ai vu personne.
LE PROFESSEUR: Je n'apprends rien.
L'ÉTUDIANT: Je n'ai rien appris.

1. Je ne dis rien.
2. Je n'invite personne.
3. Je ne fais rien.
4. Je ne bois rien.
5. Je ne connais personne.

6. Je ne sais rien.
7. Je ne comprends rien.
8. Je n'entends personne.
9. Je n'attends personne.
10. Je ne lis rien.

SUJET DE COMPOSITION

Votre famille a loué une villa pour l'été. Décrivez la villa en utilisant le vocabulaire de la leçon: le gaz, l'eau, le propriétaire, etc.

THÈME D'IMITATION

Prentout, wiping his brow, says to himself (**76C**) "How hot it is! I think it would be disagreeable to spend our vacation here. But my wife likes this region very much, and, if we find a villa and if the price is right, I know that she will want to rent it. If I didn't want to spend my vacations here I should have stayed in Paris. Heavens, there's a sign: Villa for Rent. Well, let's visit it (**9**), if it isn't rented. It looks comfortable (*commode*). We can have a look around, and if she likes it we'll rent it."

PRONONCIATION

Releasing the Final Consonant

French syllables end with the mouth open. Even when the last sound in a word is a consonant, the word ends with the mouth open, because the consonant is released, not held. In English *aim* the release at the end of the consonant is weak and scarcely audible. One could say that the word ends with the mouth closed. In French *aime* the release is very audible. There is something like a whispered *uh* after the *m*. This should not actually be made into a syllable, however:

CONTRAST

English	French	English	French
facile	facile	constraint	contrainte
poem	poème	cigarette	cigarette
coot	écoute	sonnet	sonnette
seen	dessine		

REPEAT

tête; parte; moque; sac; soupe; coupe; arrête; écoute

9

A LOUER MEUBLÉ [III]

Gabriel d'Hervilliez

Monsieur et madame Prentout ont décidé de louer la villa si les conditions leur conviennent.

HORTENSE: Alors . . . quelles seraient vos conditions?
DÉDÉ: [*Embarrassé.*] Ah! voilà. . . . Nos conditions? . . .
    [*Dédé et Jojo se regardent, indécis.°*]
PRENTOUT: Vous aurez de bons locataires.° . . .
HORTENSE: Soigneux.° . . .
PRENTOUT: Tranquilles. . . .
HORTENSE: Honnêtes. . . .
DÉDÉ: C'est ce que nous cherchons avant tout! . . . .
HORTENSE: Alors . . . de ce côté.° . . vous pouvez être tranquilles. Mon mari est commissaire de police. . . .
    [*Jojo sent ses jambes se dérober° sous lui. Dédé le rattrape° par le col de son veston.°*]
DÉDÉ: [*La gorge sèche.°*] Ah! Monsieur est commissaire de police. . . .
JOJO: [*S'éponge fébrilement° le front.*] Ah, pour une garantie. . . .
DÉDÉ: . . . C'est une garantie![1] . . .
HORTENSE: Est-ce vous qui avez fait construire la villa?
DÉDÉ: [*Pris à l'improviste.°*] Oh! non . . . c'est notre père.
HORTENSE: Votre père est probablement . . . ce vieux monsieur. . . . Pardon! . . . ce monsieur?
    [*Elle montre la photographie.*]
DÉDÉ: Oui, madame.
HORTENSE: Il est très bien,° monsieur votre père. Vous lui ressemblez.
DÉDÉ ET JOJO: [*Ensemble.*] On nous l'a toujours dit.
HORTENSE: Mais il n'a pas l'air commode!
JOJO: [*S'épongeant.*] N'est-ce pas?
PRENTOUT: Mais alors c'est lui le propriétaire?
DÉDÉ: [*Vivement.*] Oh! non.

---

[1] *Pour une garantie . . . c'est une garantie!*—For a guarantee, that's a guarantee, all right!

PRENTOUT: Comment cela?

DÉDÉ: Il est mort . . . l'an dernier.

PRENTOUT: Oh! pardon.

DÉDÉ: Alors . . . vous comprenez . . . revoir cette maison où notre pauvre
père a vécu.° . . . C'est plus fort que nous[2] . . . l'émotion est trop forte . . .

JOJO: [*S'épongeant.*] Oh! oui, trop forte. . . . Je ne peux pas y rester. Il faut
que je m'en aille!
[*Il se lève et marche vers la porte.*]

DÉDÉ: [*Le rattrapant au passage.*[3]] Aussi,° nous ne venons que de temps en
temps . . . pour aérer° un peu.

JOJO: Et nous avons décidé de la louer.

PRENTOUT: Voilà qui tombe à merveille.[4]

[*Les Prentout décident de prendre la villa.*]

VOCABULAIRE

indécis undecided

le locataire the tenant

soigneux careful

de ce côté in that respect (literally, on
that side)

se dérober to give way, to escape

rattraper (here) to grab

le col de son veston his coat-collar

la gorge sèche with a dry throat

fébrilement feverishly

à l'improviste unexpectedly

il est très bien he is a fine-looking man

vécu (*vivre*) lived

aussi and so, therefore

aérer to air out

QUESTIONNAIRE

1. Quelle a été la décision des Prentout?
2. Quelle promesse font-ils à Dédé et à Jojo?
3. Quelle est la profession de Prentout?
4. Quelle est la réaction de Jojo quand il apprend cette nouvelle? Et celle de Dédé?
5. Qu'est-ce qui montre que même Dédé a un peu peur maintenant?
6. Quelle supposition Hortense fait-elle quand elle voit la photographie?
7. Quelle remarque fait-elle après avoir regardé la photographie de Tubeuf?
8. Cette remarque montre-t-elle de l'esprit d'observation ou de l'originalité? Pourquoi pas?
9. Comment Dédé et Jojo y répondent-ils?
10. Quelle supposition Prentout fait-il au sujet de Tubeuf?
11. Quelle raison Dédé donne-t-il pour vouloir louer la maison?

[2] *C'est plus fort que nous.*—It's more than we can bear.
[3] *le rattrapant au passage.*—grabbing him as he goes by.
[4] *Voilà qui tombe à merveille.*—What a happy coincidence.

12. L'émotion est trop forte pour Jojo aussi. Que fait-il? Quelle est en effet l'émotion qu'il ressent? (*feels*)
13. Que fait Dédé quand Jojo se dirige vers la porte?
14. Selon Dédé, quand et pourquoi Dédé et Jojo viennent-ils à la villa?

DIALOGUE

A. Hortense fait un compliment à Dédé sur la photographie de son père et remarque la ressemblance.
B. Dédé répond poliment.
A. Hortense demande s'il est le propriétaire.
B. Dédé explique pourquoi il ne l'est plus, et pourquoi la villa est à louer.

ETUDE DE MOTS

1. *Vous pouvez être tranquilles.*
Soyez tranquilles.

Both mean: Don't worry.

Comme ça vous serez tranquilles.

That way you won't have to worry.

2. *Monsieur votre père*

(polite way of referring to person's father)

Je travaillais pour madame votre mère.

I used to work for your mother.

Monsieur le professeur, j'ai une question.

I have a question, professor.

Voilà monsieur le maire.

There's the mayor.

3. *C'est plus fort que moi.*

I can't help it.

C'est plus fort que moi, je déteste ce type-là.

I can't help it, I hate that guy.

C'est plus fort que moi, il faut que je rie.

I can't help laughing.

4. *tomber à merveille, tomber bien, tomber juste*

to come or occur at the right time

tomber mal

to come or occur at the wrong time

A. *Je voudrais voir un match de football.*

I would like to see a football game.

B. *Vous tombez bien, c'est aujourd'hui samedi.*

You came on the right day, today is Saturday.

A. *J'arrive à Paris le dix.*

I get to Paris on the tenth.

B. *Moi aussi! Ça tombe bien, n'est-ce pas?*

Me too! What a happy coincidence!

A. *Je suis venu voir Marie.*

I came to see Marie.

B. *Vous tombez mal. Elle vient de sortir.*

You came at the wrong time. She just left.

EXERCICES

Negatives (**48A, B, C**); The Partitive *de* (**18A**)

A. LE PROFESSEUR: Est-ce que *Jojo* a encore de l'argent?
  L'ÉTUDIANT: Non, il n'a plus d'argent.
  LE PROFESSEUR: Est-ce que *Jojo* a souvent de la chance?
  L'ÉTUDIANT: Non, il n'a jamais de chance.

Ne . . . jamais et *ne . . . plus* sont des locutions négatives. Lorsqu'elles sont suivies du partitif il faut donc employer *de* (ou *d'*) au lieu de *du, de la, des,* ou *de l'*. Répondez avec la locution négative indiquée, et en substituant un pronom pour le nom sujet.

NE...JAMAIS
1. Est-ce que *Jojo* a souvent du sangfroid?
2. Est-ce que *Jojo* a souvent de la tenue?
3. Est-ce que *le client* mange souvent des asperges?
4. Est-ce que *les Prentout* prennent souvent des photographies?
5. Est-ce que *Prentout* pose souvent des questions?

NE...PLUS
1. Est-ce qu'il reste encore du veau?
2. Est-ce que *cette vieille villa* attire encore des locataires?
3. Est-ce que *le commissaire* arrête encore des cambrioleurs?
4. Est-ce qu'il y a encore des villas à louer dans la région?
5. Est-ce qu'il y a encore du fromage?

B. LE PROFESSEUR: Moi, je ne prends jamais de vin.
  L'ÉTUDIANT: Moi, je ne prends que du vin. C'est tout ce que je prends.

Ne . . . que n'est pas une locution négative. Elle n'exprime pas la négation mais seulement la restriction. Lorsqu'elle est suivie du partitif il faut donc employer *du, de la, des,* ou *de l'*. Suivez le modèle; ajoutez *c'est tout ce que je* + verbe à chacune de vos réponses.
1. Moi, je ne lis jamais de poésies.
2. Moi, je ne mange jamais d'asperges.
3. Moi, je ne fume jamais de cigarettes.
4. Moi, je n'ai jamais de chagrins.
5. Moi, je ne bois jamais de café.
6. Moi, je n'écris jamais de compositions.
7. Moi, je ne prends jamais de fromage.

C. LE PROFESSEUR: Qu'est-ce qui terrorise Dédé?
  L'ÉTUDIANT: Rien ne le terrorise.
  LE PROFESSEUR: Qui entend le coup de sonnette?
  L'ÉTUDIANT: Personne ne l'entend.

Ne précède le verbe dans toutes les phrases négatives. Faites bien attention de ne pas omettre le *ne*. Observez la différence entre la structure française et la structure anglaise :

Nobody comes.	Personne ne vient.
Nothing happens.	Rien n'arrive.

1. Qui fait peur à Dédé?
2. Qu'est-ce qui fait peur à Dédé?
3. Qui plaît à Hortense?
4. Qu'est-ce qui plaît à Hortense?
5. Qui influence l'amateur?
6. Qu'est-ce qui influence l'amateur?
7. Qui donne confiance à Jojo?
8. Qu'est-ce qui donne confiance à Jojo?
9. Qui scandalise Dédé?
10. Qu'est-ce qui prouve que Dédé et Jojo ne sont pas des voleurs?
11. Qui étonne les deux voleurs?
12. Qu'est-ce qui scandalise Dédé?
13. Qui intéresse Jojo?
14. Qu'est-ce qui étonne les deux voleurs?
15. Qui prévient les Prentout?
16. Qu'est-ce qui intéresse Jojo?
17. Qui explique la situation?
18. Qu'est-ce qui explique la situation?

Definite article (13C)

D. LE PROFESSEUR : Le client élève_____.
L'ÉTUDIANT :   Le client élève la voix.

D'ordinaire les noms désignant les parties du corps sont précédés par l'article défini. (On emploie souvent l'adjectif possessif, cependant, pour éviter l'ambiguïté ou pour marquer l'idée de possession.) Complétez les phrases suivantes par un mot convenable désignant une partie du corps et précédé par un article défini.

1. Le militaire est sorti avec l'oiseau sur _____.
2. Le chat se lèche_____.
3. Le cancre dit oui avec _____.
4. Le cancre dit non avec _____.
5. Jojo est nerveux; il s'éponge_____.
6. Jojo n'a pas _____ à l'ouvrage.
7. Si vous savez la réponse, levez _____.
8. Si vous voulez goûter quelque chose de bon, ouvrez _____.
9. Si vous ne voulez pas le voir, fermez _____.
10. Avant de manger on devrait se laver _____.
11. Après avoir mangé on devrait se brosser_____.

E. LE PROFESSEUR : Ses yeux sont bleus.
L'ÉTUDIANT :   Il a les yeux bleus.

La structure de la phrase de l'étudiant est employée fréquemment. Apprenez-la. Notez que dans cette structure l'adjectif suit toujours le nom.

1. Ses cheveux sont blonds.
2. Ses yeux sont petits.
3. Son nez est rouge.

4. Sa gorge est sèche.
5. Sa bouche est ouverte.

F. LE PROFESSEUR: Il lèche son museau.
   L'ÉTUDIANT: Il se lèche le museau.
   LE PROFESSEUR: Je lave ses mains.
   L'ÉTUDIANT: Je lui lave les mains.

La structure de la phrase de l'étudiant est employée fréquemment. Apprenez-la. Notez que toute ambiguïté est évitée par l'emploi du pronom complément d'objet indirect (*se, lui*, etc.).

1. Il éponge son front.
2. Il gratte sa tête.
3. Il brosse ses dents.
4. Il bouche ses oreilles.

5. Je serre sa main.
6. Je brosse ses cheveux.
7. Je réchauffe ses pieds.
8. J'ouvre ses yeux.

SUJET DE COMPOSITION

Prentout et Hortense sout seuls. Prentout dit à sa femme pourquoi il se méfie de (*mistrusts*) Dédé et de Jojo, mais sa femme lui dit qu'il a tort. Elle insiste pour qu'ils louent la villa.

THÈME D'IMITATION

I don't like to rent our villa. It's the house my poor father lived in (**77G**) you know. He had it built when we were young, and we always used to spend our vacation there. But last year I decided to rent it and here is what happened: my first tenants were two thieves! What I was looking for above all was good tenants, and they seemed very nice. It is true that when I told them I was a police commissioner the little [one] said, "I must go away." His legs gave way under him and the other caught him by his coat collar. But I thought they were kidding ("to kid": *rigoler*)! Oh well (*Tant pis!*). Anyone can make a mistake.

PRONONCIATION

Denasalization

A nasal vowel as in *bon* becomes an oral vowel (denasalizes) in the feminine because of the syllabification: *bo-nne*. English speakers often mispronounce such words because they anticipate the nasal consonant -*n*. Practice the contrast between nasal and denasalized vowels in the words below. Pronounce the denasalized vowel distinctly: *bo* (open *o*) as if it were a separate syllable then add the consonant: *-nne* followed by a release.

CONTRAST

la question	il questio-nne	il comprend	ils compre-nnent
le soupçon	il soupço-nne	an	A-nne
le frisson	il frisso-nne	paysan	paysa-nne
l'addition	il additio-nne	Jean	Jea-nne
le pardon	ils pardo-nnent	persan	persa-ne

10

A LOUER MEUBLÉ [IV]

Gabriel d'Hervilliez

Dédé et Jojo se font payer mille francs de loyer d'avance. Prentout les em-
mènera à la gare dans son automobile, mais ils veulent aussi emporter quelques
"souvenirs." Ils sortent, puis reparaissent, les bras encombrés° de paquets,
de pendules,° etc.

PRENTOUT: [*Levant les bras au ciel en les voyant.*] Mais vous déménagez°
toutes les pendules!
DÉDÉ: Ça . . . ce sont des souvenirs. . . .
HORTENSE: Vous avez le culte des souvenirs.
DÉDÉ: [*Noblement.*] C'est notre faiblesse.°
HORTENSE: Je suis tout à fait comme vous.
PRENTOUT: Vous avez de la chance que j'aie mon auto.
HORTENSE: Et vous allez à Châteauroux?
DÉDÉ: Oui, madame. Nous avons un train à quatre heures dix-huit.
PRENTOUT: Il est quatre heures. Nous avons juste le temps.
JOJO: C'est vrai! Filons.° . . .
PRENTOUT: Eh bien . . . en voiture.° La voiture de ces messieurs est prête.[1]
DÉDÉ: Si on m'avait dit que je voyagerais . . . aujourd'hui . . . en invité!°
. . . dans l'auto du commissaire . . . je ne l'aurais pas cru.
HORTENSE: C'est l'imprévu° de la vie!
PRENTOUT: [*Se précipitant° pour les soulager° un peu.*] Je vais vous aider à
déménager tout cela!
DÉDÉ: Monsieur le commissaire est trop gentil! S'il voulait seulement se
charger de° la pendule qui est sur la cheminée.°
PRENTOUT: [*Prenant avec précaution la lourde pendule du salon.*] Mais avec
plaisir!
JOJO: [*A part,° à Dédé:*] Tu l'emportes aussi?
DÉDÉ: Bien entendu . . . la pendule de papa!
JOJO: [*S'inclinant.°*] Au revoir, madame.

---

[1] The gentlemen's car awaits.

61

HORTENSE: [*Gracieuse et souriante.*] Au revoir, messieurs. . . . Au revoir.
. . . Et à bientôt, j'espère. . . . Vous serez toujours les bienvenus° ici.

JOJO: Merci, madame . . . merci . . . mais nous n'abuserons pas. . . .
[*Prentout est sorti. On l'entend crier d'en bas:*° *En voiture . . . en voiture!*
. . .]

JOJO ET DÉDÉ: [*Se hâtant à leur tour.*°] Voilà, monsieur le commissaire. . . .
Voilà!

HORTENSE: [*A son mari:*] Tu ne seras pas longtemps parti?

VOIX DE PRENTOUT: La gare est à deux cents mètres . . . j'en ai pour° cinq
minutes.

HORTENSE: Je t'attends! Au revoir, messieurs.

VOIX DE DÉDÉ ET DE JOJO: Au revoir, madame . . . au revoir! . . . . A bientôt!

VOCABULAIRE

les bras encombrés with their arms loaded
la pendule the clock
déménager to move out
la faiblesse the weakness
filer to hurry along (colloquial)
en voiture all aboard
en invité as a guest
l'imprévu (*m.*) the unforeseen
se précipiter to rush forward
soulager to relieve, help

se charger de to take care of
la cheminée the mantelpiece, fireplace
à part aside
s'incliner to bow
être le bienvenu to be a welcome visitor
d'en bas from below
à leur tour in (their) turn
j'en ai pour . . . it will take me . . .

QUESTIONNAIRE

1. Pourquoi Dédé et Jojo se font-ils payer d'avance?
2. Que fera Prentout pour les aider? Pourquoi ne partent-ils pas tout de suite?
3. Décrivez Dédé et Jojo quand ils reparaissent.
4. Que fait Prentout quand il les voit? Et que dit-il?
5. Selon Dédé, qu'est-ce que ce sont, ces paquets et ces pendules dont ils ont les bras encombrés?
6. Et Hortense, que pense-t-elle des souvenirs?
7. Pourquoi Dédé et Jojo ont-ils de la chance?
8. Combien de temps ont-ils avant le départ de leur train?
9. Que dit Prentout pour imiter un chauffeur?
10. Quelle réflexion sur l'imprévu de la vie Dédé fait-il?
11. Que fait Prentout pour les aider?
12. Qu'est-ce que Dédé lui demande de faire?
13. Pourquoi le fait-il avec précaution?

14. Que leur dit Hortense?
15. Comment Jojo répond-il?
16. Qu'est-ce qu'Hortense dit à son mari?

DIALOGUE

A. Dédé dit l'heure du départ du train à Prentout.

B. Prentout lui dit qu'il faudra se dépêcher. Il invite Dédé et Jojo à monter dans sa voiture.

A. Dédé fait une réflexion sur l'imprévu de la vie.

B. Prentout dit qu'il va les aider à déménager.

A. Dédé répond poliment et lui indique un objet à emporter.

B. Prentout dit au revoir à sa femme en lui promettant qu'il sera bientôt de retour.

ETUDE DE MOTS

1. *Ils se font payer.*	They get (the Prentouts) to pay them (i.e., they get paid).
Il se fait raser.	He gets (someone) to shave him (i.e., he gets shaved).
Il se fait gronder.	Someone scolds him (i.e., he gets scolded).
Il s'est fait blesser.	Someone wounded him (i.e., he got wounded).
2. *emmener quelqu'un*	to take someone (with you)
emporter quelque chose	to take something (with you)
Prentout emmène Dédé à la gare.	Prentout takes Dédé to the station.
Tu emportes la pendule?	Are you taking the clock (with you)?
3. *se charger de*	to take care of; look after; be in charge of
Qui va se charger de la caisse?	Who's going to take care of the cash-box?
Je m'en charge.	I'll take care of it.
Chargez-vous-en, voulez-vous?	Take care of it, will you?
Quelle charge!	What a load; a responsibility!

EXERCICES

Faire + Infinitive (33)

A. LE PROFESSEUR: Est-ce que *le propriétaire* construit *la villa* lui-même?

L'ÉTUDIANT: Non, il la fait construire.

LE PROFESSEUR: Est-ce que *le client* sert *le vin* lui-même?

L'ÉTUDIANT: Non, il le fait servir.

Faire suivi de l'infinitif signifie *to have something done, to make someone do something*. Suivez le modèle, en substituant des pronoms pour le sujet et pour le complément. Notez l'ordre des mots: pronom(s) complément(s) + faire + infinitif.

1. Est-ce que *le maître* conjugue *le verbe* lui-même?
2. Est-ce que *le maître* récite *le poème* lui-même?
3. Est-ce que *le monsieur* prépare *le déjeuner* lui-même?
4. Est-ce que *le monsieur* fait *le café* lui-même?
5. Est-ce que *le client* apporte *les cigarettes* lui-même?

B. LE PROFESSEUR: Est-ce que *le propriétaire* construit *la villa* lui-même?
    L'ÉTUDIANT: Non, il se la fait construire.

Refaites l'exercice A en suivant le modèle ci-dessus. Le pronom *se* signifie *for himself, to himself*.

C. LE PROFESSEUR: Est-ce qu'on vous a construit cette villa?
    L'ÉTUDIANT: Oui, je me suis fait construire cette villa.

Puisque *faire* est un verbe pronominal dans la réponse de l'étudiant, il faut le conjuguer avec l'auxiliaire *être*. Commencez chaque réponse par: Oui, je me suis fait. . . .

1. Est-ce qu'on vous a grondé?
2. Est-ce qu'on vous a rasé?
3. Est-ce qu'on vous a montré l'appartement?
4. Est-ce qu'on vous a payé?
5. Est-ce qu'on vous a coupé les cheveux?
6. Est-ce qu'on vous a ciré les souliers?

Verbs not ending in *-er* (72D.4)

D. LE PROFESSEUR: Nous apprenons le métier.
    L'ÉTUDIANT: Ils disent qu'ils apprennent le métier.
    LE PROFESSEUR: Nous faisons notre métier.
    L'ÉTUDIANT: Ils disent qu'ils font leur métier.

Revoyez le présent de l'indicatif des verbes irréguliers.

1. Nous mourons de peur.
2. Nous devons cambrioler la villa.
3. Nous voulons la cambrioler.
4. Nous pouvons la cambrioler.
5. Nous venons aérer un peu.
6. Nous recevons les locataires.
7. Nous prenons un verre avec eux.
8. Nous buvons du cognac.
9. Nous prenons des précautions.
10. Nous appartenons à une bande de voleurs.

E. LE PROFESSEUR: Nous apprenons le métier.
   L'ÉTUDIANT: Moi aussi, j'apprends le métier.

Refaites l'exercice D en suivant le modèle ci-dessus.

SUJET DE COMPOSITION

Vous avez eu des invités (*guests*) chez vous pour le week-end. Racontez leur départ, vos adieux. Vous les emmenez à la gare.

THÈME D'IMITATION

We rented a villa last year. There were a lot of things to take [with us] when we moved out. We didn't know anyone in the region but we had [a stroke of] luck: the owner came to take us to the railroad station in his car.

When he saw us, he threw his hands up in the air. We were waiting in front of the villa with our arms full of packages, souvenirs, etc. He said, "If someone had told me that you had so many things, I never would have believed it." But he was very nice. He said, "I'll take care of everything," and that is what he did. If all landlords were like him!

PRONONCIATION

in (or *im*)

Contrast English *sank* with French *cinq*. The sounds are quite similar but there is no glide in French.
Contrast the French *an* (or *en*) with French *in*. The tongue is further forward, the lips further apart in *in*.

CONTRAST

an-en	*in*
sang	saint
attendre	atteindre
cendre	ceindre
emporter	importer
cent mètres	cinq mètres
descends	dessin

Note that if the vowel and the consonant (*n* or *m*) do not belong to the same syllable they do not represent a nasal sound. Contrast nasal and non-nasal. Be sure to pronounce the vowel distinctly then add the consonant:

CONTRAST

Nasal	*Non-nasal*
dessin	dessine
citoyen	citoyenne
vain	vaine
pain	peine
lin	laine
chagrin	chagrine

Spelling: *in* as in *vin*, *im* as in *imprévu*. The sound is also frequently spelled *ain* as in *vain* and *aim* as in *faim*, and occasionally may also be *ein* as in *plein*. It may also be spelled *yn* as in *synthèse* or *ym* as in *sympathie*. *Ien* as in *rien* and *yen* as in *citoyen* represent the sound preceded by the *y* sound drilled in Lesson 3.

11

A LOUER MEUBLÉ [V]

Gabriel d'Hervilliez

Quelques moments après le départ de monsieur Prentout, de Dédé, et de Jojo, monsieur Tubeuf entre dans sa villa. Il est tout étonné d'y voir Hortense.

TUBEUF: [*Rudement.*] Qu'est-ce que vous fichez ici?°

HORTENSE: [*Choquée.*] Oh!

TUBEUF: Qu'est-ce que vous fichez chez moi?

HORTENSE: Chez vous? Vous êtes ivre°, mon bonhomme!

TUBEUF: Comment . . . je suis ivre?

HORTENSE: Je suis ici chez moi.

TUBEUF: Chez vous?

HORTENSE: Dans une villa que nous venons de° louer. . . .

TUBEUF: [*Les yeux ronds.*] Que vous venez de louer? A qui?°

HORTENSE: Aux propriétaires.

TUBEUF: Au propriétaire?

HORTENSE: Ces messieurs Tubeuf.° . . .

TUBEUF: Ces messieurs Tubeuf! Qu'est-ce que c'est que cette histoire?° Il n'y a ici qu'un Tubeuf . . . et c'est moi.

HORTENSE: Vous prétendez° être le propriétaire de cette villa?

TUBEUF: Oui, madame.

HORTENSE: Vous tombez mal, monsieur!

TUBEUF: Pourquoi?

HORTENSE: Parce que les véritables propriétaires de cette villa sortent d'ici.° [*A ce moment les yeux d'Hortense tombent sur la photographie.*] Ah! mon Dieu! . . . .

TUBEUF: Quoi donc?

HORTENSE: Le portrait!

TUBEUF: Eh bien?

HORTENSE: Il vous ressemble!

TUBEUF: C'est assez normal. C'est moi qui ai posé. . . .

HORTENSE: Mais alors, les autres, qui étaient-ils?

TUBEUF: Ça! . . . Je ne sais pas.

HORTENSE: Que faisaient-ils ici?

TUBEUF: Je me le demande!°

HORTENSE: Ils ont dit qu'ils venaient chercher quelques souvenirs.

TUBEUF: [*Sans comprendre.*] Des souvenirs?

HORTENSE: [*Montrant la cheminée.*] La pendule!

TUBEUF: [*Regardant la cheminée vide.°*] La pendule!... Ma pendule!... Où est ma pendule?

HORTENSE: Ils l'ont emportée!

TUBEUF: [*Levant les bras au ciel.*] Mais on m'a cambriolé!

VOCABULAIRE

Qu'est-ce que vous fichez ici? What are you doing here?

ivre drunk

venir de ... to have just ...

Tubeuf (proper names are invariable)

à qui? from whom?

Qu'est-ce que c'est que cette histoire? What's this all about?

prétendre to claim; allege

sortent d'ici have just left

se demander to wonder

vide empty

QUESTIONNAIRE

1. Quand Tubeuf entre-t-il dans sa villa?
2. Pourquoi est-il étonné?
3. Que dit-il à Hortense?
4. Quelle est la réponse d'Hortense?
5. Où prétend-elle être?
6. Selon Hortense, qui sont les propriétaires? Que vient-elle de faire?
7. Quelle expression de Tubeuf exprime son étonnement?
8. Selon lui, combien de Tubeuf y a-t-il?
9. Pourquoi Hortense lui dit-elle qu'il tombe mal?
10. Qu'est-ce qui étonne Hortense?
11. Pourquoi Tubeuf trouve-t-il la ressemblance normale?
12. Qu'est-ce qu'Hortense et Tubeuf commencent à se demander?
13. Quelle découverte Tubeuf fait-il enfin? Comment la fait-il?

DIALOGUE

A. Hortense est étonnée quand elle voit la photographie. Elle remarque la ressemblance.

B. Tubeuf explique pourquoi il ressemble à la photographie.

A. Hortense lui demande qui étaient les autres et ce qu'ils faisaient.
B. Tubeuf n'en sait rien.
A. Hortense lui dit ce qu'ils venaient chercher.
B. Tubeuf se rend compte qu'on l'a cambriolé.

ETUDE DE MOTS

On m'a cambriolé!	I've been robbed!
On a emporté les pendules.	The clocks have been taken away.
On a loué la villa.	The villa has been rented.
On a ouvert les fenêtres.	The windows have been opened.

EXERCICES

Stressed pronouns (**79**)

A. LE PROFESSEUR: Je suis le propriétaire.
    L'ÉTUDIANT: C'est moi qui suis le propriétaire.
    LE PROFESSEUR: Ils vont partir.
    L'ÉTUDIANT: Ce sont eux qui vont partir.

On emploie le pronom disjonctif après *c'est*. Notez qu'il est préférable de dire *ce sont* devant *elles* et *eux*, mais que *c'est* est obligatoire devant *nous* et *vous*.

1. Vous avez cambriolé ma villa?
2. Vous êtes entrés par la fenêtre?
3. Vous avez sonné?
4. Nous sommes entrés.
5. Nous avons ouvert les fenêtres.
6. Nous avons loué la villa.
7. Ils ont cambriolé la villa!
8. Ils ont emporté les pendules!
9. Ils se sont fait conduire à la gare!
10. Elle est responsable.
11. Elle les a pris pour les propriétaires.
12. Elle a voulu louer la villa.
13. Il a parlé le premier.
14. Il a payé mille francs.
15. Il sera couvert de ridicule.
16. Tu as insisté.
17. Tu as voulu la louer.
18. Tu es responsable.
19. Je suis le propriétaire.
20. J'ai posé.
21. J'ai acheté toutes ces pendules.

Imparfait (**40**)

B. Mettez ce passage au passé. Puisqu'il s'agit d'actions répétées ou habituelles sans délimitation de durée, employez l'imparfait. Notez que les terminaisons de l'imparfait s'ajoutent au radical de la forme *nous* du présent. Si vous avez de la difficulté à former l'imparfait revoyez les verbes irréguliers (**72D**).

1. Dédé est un très mauvais élève.
2. Il se rend rarement en classe.
3. Il s'y bat avec les autres élèves.
4. Il ne répond jamais.
5. Le plus souvent il dort.
6. Il sort sans permission.
7. Il ne finit jamais son travail.
8. Il lit peu.
9. Il écrit encore moins.
10. Il dit qu'il comprend mais il ment.
11. Il ne fait pas ses devoirs.
12. Il déplait à tout le monde.
13. Il ne connaît personne.
14. Il s'assied au fond de la classe.
15. On le craint.
16. Tout le monde se plaint de lui.
17. Mais il sait qu'il vaut mieux que les autres.
18. Il a un métier.
19. Il est déjà voleur.

C. Mettez ce passage au passé. Employez le passé composé pour les actions achevées qui ont eu lieu à un moment déterminé, l'imparfait pour les conditions, les états, les actions interrompues ou inachevées, et le plus-que-parfait (l'imparfait de l'auxiliaire + le participe passé) pour les événements qui ont eu lieu avant l'action du passage.

1. Tubeuf entre dans sa villa.
2. Il est étonné d'y voir Hortense.
3. Il lui demande ce qu'elle fait,
4. et elle lui dit qu'il est ivre,
5. qu'elle est chez elle,
6. dans une villa qu'elle a louée aux messieurs Tubeuf.
7. Tubeuf lui répond
8. qu'il n'y a qu'un Tubeuf,
9. et que c'est lui.
10. Elle lui dit qu'il tombe mal.
11. Mais soudain ses yeux tombent sur la photographie.
12. et elle remarque
13. qu'elle ressemble à Tubeuf.
14. Celui-ci dit que c'est normal,

15. puisque c'est lui
16. qui a posé.
17. Quand Tubeuf voit la cheminée,
18. il se rend compte
19. qu'on a cambriolé sa villa.

SUJET DE COMPOSITION

Dédé et Jojo sont dans le train. Dédé explique à Jojo ce qui arrivera probablement quand Tubeuf trouvera Hortense dans la villa.

THÈME D'IMITATION

Chief, I have been robbed. All my clocks have been taken away and there are two people here in my villa who claim that they have just rented it from the real owners. When I found the door open I wondered what was going on, but I was completely surprised when a woman, who had obviously entered (**67B**) the house during my absence, told me I was drunk and that she was in her own home. That's going too far, isn't it? Her husband claims to be a (**16A**) chief of police. You really have to be crazy to believe in a story like that. Can you come right away? I'll be waiting for you (**73C**).

PRONONCIATION

1. *i*

Contrast English *key* with French *qui*. The French is short, clipped, pure and requires more muscular tension. The English has a glide, and is much longer.

CONTRAST

English	*French*
me	mis
dee	dit
see	si
mean	mine

Some students tend to substitute the English "uh" sound for French *i*, especially in the unaccented syllables of cognates. Practice avoiding this in the following utterances. Give equal value to each *i*. Keep an even counting rhythm: 1–2–3–4.

REPEAT

l'Italie; il imagine; la timidité; l'avidité; le cri primitif

Spelling: i, î, or y

2. *u*

The French *u* has no counterpart in English. The position is approximately that of French *i* but the lips are rounded.

CONTRAST

vie	vu
pli	plu
lit	lu
fit	fut
bile	bulle

REPEAT

suffit; je conjugue; huée; c'est plus sûr; du sucre; museau; en voiture; la pendule; le culte

Spelling: *u* is the only spelling for this sound. One important exception: the vowel in the past participle of *avoir* and in other forms of *avoir* derived from it is spelled *eu* but pronounced *u.*

12

A LOUER MEUBLÉ [VI]

Gabriel d'Hervilliez

Prentout revient de la gare tout joyeux, mais quand il se rend compte que monsieur Tubeuf est le véritable propriétaire il est affolé.°

TUBEUF: C'est vous qui avez transporté mes pendules à la gare?

PRENTOUT: [*Reculant° prudemment.*] C'est ça qui est effrayant!

HORTENSE: Tu peux le dire![1]

TUBEUF: [*En fureur.*] Que la police n'arrête pas les voleurs . . . passe encore!°
   Mais qu'elle les aide à cambrioler les villas . . . ça c'est un comble!°

HORTENSE: Mon mari a cru qu'ils étaient les propriétaires. . . .

TUBEUF: Ça ne se passera pas ainsi.[2] . . . Vous allez m'accompagner chez le maire.

HORTENSE: [*A son mari.*] Ah! Tu travailles bien!°

PRENTOUT: [*Timidement.*] Mais c'est toi! . . .

HORTENSE: Comment . . . c'est moi?

PRENTOUT: Pouvais-je me douter?°

TUBEUF: Quand on est commissaire de police on devrait savoir discerner une fripouille° d'un honnête homme. . . .

HORTENSE: [*Dégageant° sa responsabilité.*[3]] Qu'on prenne un innocent pour un coupable° . . . c'est normal! Mais le contraire! . . . Non! C'est trop bête.°

PRENTOUT: [*Pour s'excuser.*] Mais, ma chérie . . . je suis en vacances. . . .

TUBEUF: Moi, dans toute cette histoire je ne vois qu'une chose! Vous avez prêté° la main au cambriolage de ma maison . . . et je vais déposer une plainte!°

PRENTOUT: Vous ne ferez pas cela!

HORTENSE: Tu vois, Alfred, dans quel pétrin° tu nous mets.

PRENTOUT: Je vais être couvert de ridicule . . . suspecté, peut-être! Je connais la police! Je suis déshonoré.

[1] You can say *that* again!
[2] *Ça ne se passera pas ainsi.*—You're not going to get away with this.
[3] absolving herself from any responsibility.

A la fin Prentout est obligé de louer la villa à quatre mille francs par an, et de rembourser le prix des "souvenirs" que Dédé et Jojo ont emportés. La comédie se termine sur cette exclamation:

PRENTOUT: Quatre mille francs!
HORTENSE: Quatre mille francs! ! !
PRENTOUT: Et la sauce.[4]

VOCABULAIRE

affolé panic-stricken
reculer to withdraw; walk backwards
passe encore I can put up with that
le comble the last straw
tu travailles bien! you've done a *fine* job!
se douter to suspect
la fripouille the knave
dégager to free; disengage, take out of hock, out of gear

coupable guilty
bête stupid
prêter to lend
déposer une plainte to prefer a charge, lodge a complaint
dans le pétrin in a fix; in the soup (colloquial); *literally*: in the kneading-trough
s'ensuivre to ensue

QUESTIONNAIRE

1. Pourquoi est-ce que Prentout est affolé?
2. Comment s'est-il fait le complice (*the accomplice*) des voleurs?
3. Que fait-il quand Tubeuf lui parle?
4. Pourquoi est-ce que Tubeuf est encore plus furieux contre Prentout qu'il ne le serait contre un autre?
5. Comment Hortense essaye-t-elle d'excuser son mari?
6. Quelle menace Tubeuf fait-il?
7. Selon Tubeuf, qu'est-ce qu'un commissaire de police devrait savoir?
8. Quelle attitude Hortense prend-elle maintenant envers Prentout? Que dit-il pour se défendre?
9. Si vous étiez accusé, voudriez-vous Hortense comme juge? Pourquoi pas?
10. Dans toute cette histoire Tubeuf ne voit qu'une seule chose. Qu'est-ce que c'est?
11. Que fera-t-il?
12. Quelle accusation Hortense fait-elle contre son mari?
13. De quoi Prentout se lamente-t-il?
14. Qu'est-ce que les Prentout sont obligés de faire à la fin?
15. Comment se termine la comédie? Quel est le sens des mots "Et la sauce!"?

[4] C'est-à-dire les querelles interminables avec sa femme qui s'ensuivront.°

DIALOGUE

A. Tubeuf demande à Prentout si c'est lui qui a transporté les cambrioleurs à la gare.

B. Prentout lui explique comment cela s'est passé.

A. Tubeuf l'accuse d'avoir prêté la main au cambriolage et lui fait des menaces.

B. Prentout lui demande d'avoir pitié. Il explique ce qui arrivera quand la police apprendra ce qui s'est passé.

A. Tubeuf lui suggère de louer la villa.

B. Prentout accepte en protestant contre le prix excessif.

ETUDE DE MOTS

1. *Ça, c'est un comble!*   That's the limit! (*ça* is for emphasis)
   Ça, c'est incroyable!   That's incredible!
   Ça, c'est trop bête!   That's too stupid for words!
   Ça, c'est une villa!   That's *some* villa!
   Ça, c'est un commissaire de police?   That's a police commissioner?

2. *Pouvais-je me douter?*   Could I suspect it (i.e., have any way of knowing that it was so)?

   Moi, je m'en doutais.   I thought so.
   Qui aurait pu s'en douter?   Who would have ever suspected it?
   Je ne me doutais de rien.   I had no idea of what was going on. I suspected nothing.

EXERCICES

Negatives (**49A, C, F; 50**)

A. LE PROFESSEUR: De quoi vous êtes-vous moqué?
   L'ÉTUDIANT: Je ne me suis moqué de rien.
   LE PROFESSEUR: Qui se moque de moi?
   L'ÉTUDIANT: Personne ne se moque de vous.

Revoyez l'emploi de *ne ... rien* et de *ne ... personne*. Notez que *rien* et *personne* peuvent suivre une préposition.

   1. A qui vous êtes-vous adressé?
   2. De quoi vous êtes-vous méfié?
   3. Qui se méfie de vous?
   4. Avec qui êtes-vous sorti?
   5. Qui avez-vous vu?
   6. Qu'est-ce que vous avez fait?
   7. Qu'est-ce que vous avez dit?

8. Qui est-ce que vous avez invité?
9. De quoi avez-vous parlé?
10. Qu'est-ce qui vous a surpris?
11. Qui vous a invité?
12. Qu'est-ce qui vous a plu?

B. LE PROFESSEUR: Avez-vous souvent récité en classe?
L'ÉTUDIANT: Non, je n'ai jamais récité en classe.

1. Etes-vous souvent allé en France?
2. Avez-vous souvent reçu les Prentout?
3. Avez-vous souvent visité cette villa?
4. Alliez-vous souvent au cinéma à l'âge de dix ans?
5. Auriez-vous dit ça?
6. Avez-vous prétendu être le propriétaire?
7. Avez-vous souvent voyagé dans l'auto du commissaire?

C. LE PROFESSEUR: Avez-vous souvent récité en classe?
L'ÉTUDIANT: Jamais je n'ai récité en classe.

Refaites l'exercice B d'après le modèle ci-dessus. On place *jamais* en tête de la phrase quand on veut le mettre en valeur.

D. LE PROFESSEUR: Peut-on visiter la villa *aujourd'hui*?
L'ÉTUDIANT: Non. Pas aujourd'hui.
LE PROFESSEUR: Est-ce *à Jojo* qu'Hortense s'adresse?
L'ÉTUDIANT: Non. Pas à Jojo.

Quand on emploie une locution négative dans une phrase incomplète il est obligatoire d'omettre le *ne*. Suivez le modèle. La négation doit porter sur les mots en italique. Notez que si le mot est précédé d'une préposition il faut répéter la préposition dans la réponse.

1. Est-ce que la villa est ouverte *aujourd'hui*?
2. Est-ce que la villa plaît *à M. Prentout*?
3. Est-il *entièrement* d'accord avec sa femme?
4. Est-il *tout à fait* content?
5. Demande-t-il le prix *à Dédé*?
6. A-t-il peur *de Jojo*?
7. Est-ce que les deux voleurs prennent *l'autobus*?
8. Est-ce que Prentout sera *vraiment* déshonoré?
9. Est-ce que Prentout sera vraiment *déshonoré*?

E. LE PROFESSEUR: De quoi vous êtes-vous moqué?
L'ÉTUDIANT: De rien.
LE PROFESSEUR: Qui se moque de moi?
L'ÉTUDIANT: Personne.

On emploie aussi *personne*, *rien*, et *jamais* dans des phrases incomplètes en omettant le *ne*. S'il y a une préposition répétez-la. Refaites les exercices A et B d'après le modèle ci-dessus.

Future (**35A, B**)

F. LE PROFESSEUR: Vous êtes toujours les bienvenus.
L'ÉTUDIANT: Vous serez toujours les bienvenus.

Revoyez les radicaux irréguliers du futur.

1. Le train part bientôt.
2. Vous avez juste le temps.
3. Il faut venir nous voir.
4. Vous venez, n'est-ce pas?
5. On vous voit bientôt.
6. Vous n'oubliez pas?
7. Nous vous envoyons une carte postale.
8. Vous voulez bien venir?
9. Vous pouvez compter sur nous.
10. Vous allez loin?
11. Vous faites un long voyage?
12. Vous savez retrouver le chemin (*find the way back*)?
13. Il vaut mieux nous téléphoner.
14. Mais nous sommes en retard!

SUJET DE COMPOSITION

Supposez que Tubeuf dépose sa plainte. Vous êtes journaliste. Vous écrivez un article intitulé: *Commissaire de police accusé de cambriolage.*

THÈME D'IMITATION

I didn't help them rob the house. After all, could I tell that they were robbers? It's not easy to tell a crook from an honest man. It is true that I am the one who took them to the station, but I'm not guilty. Go [ahead and] file a complaint if you want to. There's only one thing I see in this whole business: you would like to rent me this villa for four thousand francs a year, wouldn't you? Well, that's not the way things are going to happen (p. 74, l. 9). In spite of your threats, I'm not afraid. Let's go to the mayor's [office]. We'll see what he will say.

PRONONCIATION

ou

Contrast English *coo* with French *coup*. The French vowel, as usual, is shorter, more clipped, and is produced with more muscular tension.

CONTRAST

English	*French*
to	tout
boo	bout
sue	sous

REPEAT

louer; boulot; où; amour; ouvrage; tour; couleur; debout; fripouille; souvenir.

Contrast French *ou* and French *u*. The lips are rounded for both vowels, but for *u* the tongue is forward.

CONTRAST

ou	*u*
tout	tu
vous	vu
pour	pur
bout	bu
sous	su
court	cure
foù	fut

Spelling: *ou* (or *où*) is the only spelling for this sound.

REVIEW LESSON II
Review of Lessons 7–12

Vocabulary and Idioms

TRANSLATE
1. I can't help it.
2. What's this business all about?
3. You can say that again!
4. That's the limit!
5. to prefer a charge
6. They get paid (i.e., they get some-one to pay them).
7. I've been robbed!
8. so what?

C'est plus fort que moi.
Qu'est-ce que c'est que cette histoire?
Tu peux le dire!
Ça, c'est un comble!
déposer une plainte
Ils se font payer.

On m'a cambriolé!
et après?

REPLACE THE EXPRESSIONS IN ITALICS BY A SYNONYM
1. *rire* (colloquial)
2. *le travail* (colloquial)
3. *le visage* (colloquial)
4. *dépêchons-nous*; *hâtons-nous* (col-loquial)
5. *Comme* j'ai peur!
6. *Regardez* ce livre.
7. *voler ce qu'il y a dans* une villa
8. *informer à l'avance*
9. *le courage*
10. pris *de court*
11. venant à son *aide*
12. Rien *n'est aussi utile qu'*une bonne visite.
13. Il *n'en a aucune idée.*
14. *la personne qui loue une maison*
15. *comme quelqu'un qui a la fièvre*
16. les bras *pleins* de paquets
17. *sous l'influence de l'alcool*
18. une villa que nous *avons louée tout récemment*
19. Vous avez *aidé* au cambriolage!

rigoler
le boulot
la gueule
filons

ce que
jetez un coup d'œil sur
cambrioler
prévenir
le sang-froid
à l'improviste
secours
ne vaut

n'en sait rien
le locataire
fébrilement
encombrés
ivre
venons de louer

prêté la main

20. Je *ne trouve aucun plaisir à mon travail.*   n'ai pas le cœur à l'ouvrage.

21. Allez vous *renseigner.*   rendre compte

22. *Ne vous inquiétez pas.*   Soyez tranquille(s).

23. Vous *venez au bon moment.*   tombez bien

24. *Montez dans la voiture!*   En voiture!

25. *J'en serai responsable.*   Je m'en charge.

26. *Nous sommes toujours contents de l'accueillir.*   Il est toujours le bienvenu.

27. *Cette affaire m'occupera pendant cinq minutes.*   J'en ai pour cinq minutes.

28. Je *ne m'en soucie pas.*   m'en fiche

29. On avait écrit sur *le placard:* A Louer Meublé.   l'écriteau

30. Quelle était *l'occupation* de Dédé?   le métier

31. Tubeuf n'est pas un homme *facile à vivre.*   commode

32. *Le comportement* de Dédé est abominable.   la tenue

33. Dédé est un homme *qui hésite.*   indécis

34. Ils seront des locataires *attentifs aux soins du ménage.*   soigneux

35. Dédé veut *s'échapper.*   se dérober

36. Jojo est *terrorisé.*   affolé

37. Prentout a aidé les voleurs; c'est ça qui *lui fait peur.*   est effrayant

38. Il aurait dû *le soupçonner.*   s'en douter

39. D'après Hortense, Prentout les a mis dans *une situation très embarrassante.*   le pétrin

40. Dans la vie il ne faut pas oublier l'importance de *l'élément qu'on ne saurait prévoir.*   l'imprévu

41. Prentout s'élance pour les *aider.*   soulager

42. Vous *affirmez* que vous êtes propriétaire.   prétendez

43. "Mais alors, qui étaient ces deux jeunes hommes?" *C'est la question que je me pose.*   Je me le demande.

ANSWER BRIEFLY THE FOLLOWING QUESTIONS

1. Selon Dédé, pourquoi doivent-ils encore venir de temps en temps à la villa?   pour aérer

2. Par quoi Dédé rattrape-t-il Jojo   par le col de son veston
   quand celui-ci sent ses jambes se
   dérober sous lui?
3. Où se trouvait la lourde pendule que   sur la cheminée
   Prentout a emportée?
4. Dans quelle direction Prentout se   Il recule.
   dirige-t-il quand il entend les
   menaces de Tubeuf?
5. Quel geste poli les cambrioleurs font-   Ils s'inclinent.
   ils quand ils disent au revoir à
   Hortense?

New Grammar

1. Possessive adjectives (65)

my book	mon livre	my books	mes livres
my wife	ma femme	my daughters	mes filles
my Hortense	mon Hortense		
his villa	sa villa	her villa	sa villa
his friends	ses amis	her friends	ses amis
our friend	notre ami	our friends	nos amis
your friend	votre ami	your friends	vos amis
their villa	leur villa	their villas	leurs villas

2. Interrogative pronoun *lequel* (47B)

   Which of these boys do you know?   Lequel de ces garçons connaissez-vous?

3. Interrogative word order (45A, B, C)

   When are they going to leave?   Quand vont-ils partir?
   Are the Prentouts going to leave?   Les Prentout vont-ils partir?

4. Negatives (48A, B, C, F; 50)

   They are not afraid.   Ils n'ont pas peur.
   They are never afraid.   Ils n'ont jamais peur.
   They aren't afraid any more.   Ils n'ont plus peur.
   They aren't afraid of anyone.   Ils n'ont peur de personne.
   They aren't afraid of anything.   Ils n'ont peur de rien.
   I didn't hear anyone.   Je n'ai entendu personne.
   I didn't hear anything.   Je n'ai rien entendu.
   Nothing frightens Dédé.   Rien ne fait peur à Dédé.
   Nobody frightens Dédé.   Personne ne fait peur à Dédé.

5. Definite article (13C)

He raises his hand.	Il lève la main.
He washes his hands.	Il se lave les mains.
I wash his hands.	Je lui lave les mains.
His nose is red.	Il a le nez rouge.

6. *Faire* + infinitive (33A, B)

He had the villa built.	Il a fait construire la villa.
He had the villa built for himself.	Il s'est fait construire la villa.
He had it built.	Il l'a fait construire.

7. Stressed pronouns (79); Agreement (10)

I am the one who rang.	C'est moi qui ai sonné.
He is the one who rang.	C'est lui qui a sonné.
She is the one who rang.	C'est elle qui a sonné.
We are the ones who rang.	C'est nous qui avons sonné.
You are the ones who rang.	C'est vous qui avez sonné.
They are the ones who rang.	Ce sont eux qui ont sonné.

8. Adverbs (6C)

adjective	*adverb*
évident	évidemment
élegant	élegamment

9. Familiar form (34)

You remember.	Tu te rappelles.
Your brother is coming with you.	Ton frère vient avec toi.

10. Future (35)

Review the nineteen verbs that have irregular future stems.

Review Grammar

1. Present of irregular verbs (72D.4)

To the irregular verbs listed in Review Lesson I, add *voir, savoir, devoir, recevoir, écrire,* and *venir.*

2. *Imparfait* (40)

3. Object pronouns (59A)

4. Partitive article (17A; 18A)

13

ONDINE [I]

Jean Giraudoux

Ondine est une pièce de Jean Giraudoux, tirée° d'une vieille légende germanique qui raconte l'amour d'une ondine° et d'un chevalier.°

Ondine a quinze ans. Elle n'a ni père ni mère; un vieux pêcheur° et sa
femme l'ont adoptée.

Voici le début de la pièce:

[ACTE PREMIER: *Une cabane de pêcheurs. Orage° au dehors. Le vieil
Auguste. La vieille Eugénie.*]

AUGUSTE: [*A la fenêtre.*] Que peut-elle bien faire encore au dehors dans ce
noir!°

EUGÉNIE: Pourquoi t'inquiéter?° Elle voit dans la nuit.

AUGUSTE: Par cet orage!

EUGÉNIE: Comme si tu ne savais plus que la pluie ne la mouille° pas!

AUGUSTE: Nous sommes trop faibles avec elle, Eugénie. Une fille de quinze
ans ne doit pas courir les forêts° à pareille heure.° Je vais parler sérieusement.

EUGÉNIE: Est-ce qu'elle ne m'aide pas dans le ménage?°

AUGUSTE: Il y a beaucoup à dire là-dessus.[1]

EUGÉNIE: Que prétends-tu° encore? Elle ne lave pas les assiettes?° Elle ne
cire° pas les souliers?

AUGUSTE: Justement. Je n'en sais rien.

EUGÉNIE: Elle n'est pas propre, cette assiette?

AUGUSTE: Ce n'est pas la question. Je te dis que je ne l'ai jamais vue ni laver
ni cirer. . . . Toi non plus.° . . .

EUGÉNIE: Elle préfère travailler dehors. . . .

AUGUSTE: Oui, oui! Mais qu'il y ait trois assiettes ou douze, un soulier° ou
trois paires, cela dure le même temps. Une minute à peine, et elle revient.
Le torchon° n'a pas servi, le cirage° est intact. Mais tout est net, mais
tout brille.° . . .

---

[1] I'm not so sure about that.

VOCABULAIRE

tirer to draw
une ondine a water-sprite; spirit of a lake or a river
le chevalier the knight
le pêcheur the fisherman
un orage a storm
dans le noir in the dark
à pareille heure at such an hour
courir les forêts to go out in the forest
s'inquiéter to worry

mouiller to wet
le ménage the housework
prétendre to claim, allege
une assiette a plate
cirer to wax; polish
toi non plus neither have you
le soulier the shoe
le torchon the dish towel; rag
le cirage the shoe polish
briller to shine

QUESTIONNAIRE

1. Où Giraudoux a-t-il trouvé le sujet de cette pièce?
2. Qu'est-ce qu'elle raconte?
3. Qui est Ondine?
4. Qui sont Auguste et Eugénie?
5. Où se passe l'action? Quel temps fait-il?
6. Qu'est-ce qu'Auguste se demande?
7. Pourquoi Eugénie n'est-elle pas inquiète?
8. Qu'est-ce qu'Auguste semble avoir oublié?
9. Selon Auguste, comment Eugénie et lui ont-ils échoué (*failed*) dans leur devoir?
10. Qu'est qu'Ondine ne devrait pas faire?
11. Qu'est-ce qu'Auguste va faire?
12. Que dit Eugénie pour défendre Ondine?
13. Auguste trouve-t-il que c'est un bon argument?
14. Comment est-ce qu'Ondine aide dans le ménage, selon Eugénie?
15. Qu'est-ce qu'elle montre à Auguste pour prouver qu'Ondine l'a aidée?
16. Quelle objection Auguste fait-il encore?
17. Comment Eugénie y répond-elle?
18. Quels arguments Auguste trouve-t-il encore?

DIALOGUE

A. Auguste explique à Eugénie pourquoi il est fâché contre Ondine.
B. Eugénie la défend en lui demandant si Ondine ne l'aide pas dans le ménage.
A. Auguste exprime des doutes à ce sujet.
B. Eugénie mentionne les assiettes qu'elle lave, les souliers qu'elle cire.
A. Auguste dit qu'il ne l'a jamais vue faire ces choses-là.
B. Eugénie dit que c'est parce qu'elle préfère travailler dehors, et qu'il ne devrait pas s'inquiéter.

ETUDE DE MOTS

1. *qu'il y ait trois assiettes ou douze* — whether there are three plates or twelve
   qu'il fasse beau, qu'il fasse mauvais — rain or shine
   Qu'il vienne ou non, cela m'est indifférent. — I don't care whether he comes or not.
   Qu'on y aille seul ou bien avec d'autres personnes, on est sûr de s'amuser. — Whether you go alone or with others you are sure to have a good time.
   Qu'on prenne son temps ou qu'on se hâte, on finit toujours par arriver. — Whether you hurry or take your time, you get there sooner or later.

2. *faire le ménage* — do the housework
   un jeune ménage — a young couple
   la ménagère — the housekeeper
   déménager — to move (out)
   emménager — to move (in)

EXERCICES

Negatives (48D)

A. LE PROFESSEUR: Elle n'a pas de père. Elle n'a pas de mère.
    L'ÉTUDIANT: Elle n'a ni père ni mère.

Ni . . . ni . . . (neither . . . nor . . .) précèdent les mots qu'ils modifient. Après *ni . . . ni . . .* on omet l'article partitif. *Ne* précède le verbe.
1. Elle n'a pas de torchon. Elle n'a pas de cirage.
2. Elle n'a pas de frères. Elle n'a pas de sœurs.
3. Je ne veux pas d'asperges. Je ne veux pas de haricots.
4. Il ne boit pas de café. Il ne boit pas de thé.
5. Vous n'emportez pas de paquets? Vous n'emportez pas de pendules?

B. LE PROFESSEUR: Le vieil Auguste ne la comprend pas. La vieille Eugénie ne la comprend pas.
    L'ÉTUDIANT: Ni le vieil Auguste ni la vieille Eugénie ne la comprennent.

1. Les assiettes ne sont pas propres. Les souliers ne sont pas propres.
2. Le lac ne la mouille pas. La pluie ne la mouille pas.
3. Les orages ne lui font pas peur. Les forêts ne lui font pas peur.
4. Le cirage n'a pas servi. Le torchon n'a pas servi.

C. LE PROFESSEUR: Je ne l'ai jamais vue laver. Je ne l'ai jamais vue cirer.
    L'ÉTUDIANT: Je ne l'ai jamais vue ni laver ni cirer.
    LE PROFESSEUR: Elle n'a pas obéi à Auguste. Elle n'a pas obéi à Eugénie.
    L'ÉTUDIANT: Elle n'a obéi ni à Auguste ni à Eugénie.

1. Je ne l'ai jamais vue pleurer. Je ne l'ai jamais vue rire.
2. Je ne l'ai jamais vue se coucher. Je ne l'ai jamais vue se lever.
3. Nous ne pouvons pas avancer. Nous ne pouvons pas reculer.
4. Elle n'a pas lavé. Elle n'a pas ciré.
5. Elle ne s'est pas cachée dans la forêt. Elle ne s'est pas cachée dans le lac.
6. Je ne le trouve pas bon. Je ne le trouve pas mauvais.

Articles (13B)

D. LE PROFESSEUR: Eugénie est vieille.
L'ÉTUDIANT: On l'appelle la vieille Eugénie.
LE PROFESSEUR: Fabrice est jeune.
L'ÉTUDIANT: On l'appelle le jeune Fabrice.

L'article défini s'emploie devant un adjectif qui précède un nom propre.
1. Ondine est jolie.
2. Hortense est belle.
3. Charles est grand.
4. Jojo est gros.
5. Toto est petit.
6. Fabrice est jeune.

Adjectives (1–2)

E. LE PROFESSEUR: Ce petit bâtiment (cabane).
L'ÉTUDIANT: Cette petite cabane.

Dans cet exercice les deux mots modifiant le nom changent de forme au féminin.
1. ce beau chevalier (ondine)
2. un bon pêcheur (ménagère)
3. ce poisson délicieux (truite)
4. un livre français (pièce)
5. ce conte allemand (légende)
6. son vieux père (mère)
7. le lourd bureau (pendule)
8. mon fils adoptif (fille)
9. ce langage familier (expression)
10. le tableau rond (table)
11. son fou rire (imprudence)
12. le professeur mécontent (cliente)
13. son sang-froid parfait (tenue)

F. Dans cet exercice au moins un des mots modifiant le nom est prononcé ou écrit de la même façon au masculin qu'au féminin.
1. cet écriteau blanc (villa)
2. cet enfant terrible (femme)
3. cet orage formidable (tempête)
4. cet intérêt vif (réponse)
5. son verre plein (assiette)
6. son sentiment trop fort (émotion)
7. son haricot vert (amande)
8. son ennui visible (inquiétude)
9. son sourire gracieux (attitude)

10. mon cher Auguste (Eugénie)
11. le bel Auguste (Eugénie)
12. le vieil Auguste (Eugénie)
13. un torchon net (table)
14. un état normal (situation)

G. Les phrases de cet exercice sont au féminin, les réponses au masculin.
1. cette belle ondine (chevalier)
2. cette bonne ménagère (pêcheur)
3. cette truite délicieuse (poisson)
4. cette pièce française (livre)
5. cette légende allemande (conte)
6. sa vieille mère (père)
7. son assiette pleine (verre)
8. ma chère Eugénie (Auguste)
9. ma fille adoptive (fils)
10. cette lourde pendule (bureau)
11. cette expression familière (langage)
12. la table ronde (tableau)
13. sa folle imprudence (rire)
14. son attitude gracieuse (sourire)
15. cette cliente mécontente (professeur)
16. son émotion trop forte (sentiment)
17. sa tenue parfaite (sang-froid)
18. cette villa blanche (écriteau)
19. son amande verte (haricot)

SUJET DE COMPOSITION

Vous êtes une jeune fille comme les autres. Expliquez la différence entre votre vie et celle d'une ondine. Qu'est-ce qui vous arrive quand vous faites le ménage, quand vous sortez la nuit, etc.?

THÈME D'IMITATION

In legend one often meets people like old Auguste and old Eugénie. They live in a hut in the forest. The man works in the forest, or he is a fisherman, the woman does the housework, washes the dishes, shines the shoes. They are honest, quiet, careful. Everything is spotless in the hut; everything shines. But they have a son or a daughter who doesn't look like them. Of course it (**22C**) is someone they have adopted. In this legend it is an ondine who loves rain and storms and who is always outside. The old fisherman is worried and says he is going to have a serious talk with her.

PRONONCIATION

Open *o*

Contrast the open *o* in French *bonne* with English *bun*. The sounds are quite similar but the tongue is farther back in the French vowel.

CONTRAST

English	*French*
mutt	motte
mud	mode
cud	code
sun	sonne

REPEAT

voleur; homme; sorte; emportent; sonnette; moque; commode; comme; téléphone.

Note that open *o* is always followed by a pronounced consonant. It contrasts with closed *o* which is often (but not always) the final sound in a word. (See Lesson 6.)

CONTRAST

Closed o	*Open o*
nos	notre
hôte	hotte
sot	sotte
mot	moque
beau	bol

Be careful to pronounce short *o* correctly where force of habit sometimes produces the English rather than the French sound in cognates.

REPEAT

à la mode; le télescope; l'antilope; le téléphone; je développe; le code

Spelling: *o* in most words; *au* in a few words: Paul, Maurice

14

ONDINE [II]

Jean Giraudoux

Soudain un chevalier se présente à la porte de la cabane.

LE CHEVALIER: Je me suis permis de mettre mon cheval dans votre grange°.
Le cheval, comme chacun° sait, est la part la plus importante du chevalier. . . . Je peux m'asseoir?

AUGUSTE: Vous êtes chez vous, seigneur.°

LE CHEVALIER: Quel orage! Depuis midi, l'eau me ruisselle° dans le cou.°
C'est ce que nous craignons le plus en armure,° nous autres, chevaliers.
. . . La pluie. . . . La pluie, et une puce.°

Le chevalier s'assied. Eugénie va dans la cuisine lui préparer une truite
au bleu.[1] Ondine entre.

ONDINE: [*De la porte où elle est restée immobile.*] Comme vous êtes beau!

AUGUSTE: Que dis-tu, petite effrontée?°

ONDINE: Je dis: comme il est beau!

AUGUSTE: C'est notre fille, seigneur. Elle n'a pas d'usage.°

ONDINE: Je dis que je suis bien heureuse de savoir que les hommes sont aussi
beaux. . . . Mon cœur n'en bat plus.° . . .

AUGUSTE: Vas-tu te taire!°

ONDINE: J'en frissonne!°

AUGUSTE: Elle a quinze ans, chevalier. Excusez-la. . . .

ONDINE: Je savais bien qu'il devait y avoir une raison pour être fille. La
raison est que les hommes sont aussi beaux. . . .

AUGUSTE: Tu ennuies° notre hôte.° . . .

ONDINE: Je ne l'ennuie pas du tout. . . . Je lui plais. . . . Vois comme il me
regarde. . . . Comment t'appelles-tu?

AUGUSTE: On ne tutoie° pas un seigneur, pauvre enfant!

LE CHEVALIER: Je m'appelle Hans. . . .

[*Eugénie revient avec son plat.°*]

---

[1] *Truite au bleu*—Trout cooked alive in boiling water; said to preserve the delicacy of the
flavor better than any other cooking method, and therefore prized by gourmets.

VOCABULAIRE

la grange the barn
chacun each one; every one
le seigneur the lord
ruisseler to run; trickle
le cou the neck
l'armure (*f.*) the armor
la puce the flea
effronté shameless; impudent
avoir de l'usage to know the ways of
   society; to be well bred.

mon cœur n'en bat plus it makes my
   heart stop beating
se taire to be still, quiet
frissonner to shiver; shudder
ennuyer to bore; bother
un hôte a guest (also means host)
tutoyer to say *tu* to
le plat the dish (contents of)

QUESTIONNAIRE

1. Qui voit-on à la porte?
2. Qu'est-ce que le chevalier s'est permis de faire?
3. Que dit-il au sujet du cheval?
4. Que dit Auguste pour lui indiquer qu'il est le bienvenu chez eux?
5. Pourquoi le chevalier n'aime-t-il pas l'orage?
6. Les chevaliers, que pensent-ils de la pluie et des puces? Pourquoi?
7. Que fait Eugénie?
8. Que fait Ondine quand elle voit le chevalier? Que dit-elle?
9. Que dit Auguste à Ondine? Et au chevalier?
10. Quel effet la vue du chevalier a-t-elle sur Ondine?
11. Quel âge a-t-elle? Semble-t-elle avoir vu beaucoup d'hommes?
12. Elle dit qu'elle a découvert quelque chose. Qu'est-ce qu'elle a découvert?
13. Comment sait-elle qu'elle n'ennuie pas le chevalier?
14. Pourquoi ne devrait-elle pas lui dire "comment t'appelles-tu?"
15. Comment s'appelle-t-il?

DIALOGUE

A. Ondine dit à Hans qu'il est beau.
B. Auguste dit à Hans que c'est leur fille et qu'elle n'a pas d'usage.
A. Ondine dit qu'elle est heureuse de savoir que les hommes sont beaux et explique l'effet que cela a sur elle.
B. Auguste dit à Hans quel âge elle a, et lui demande de l'excuser.
A. Ondine dit qu'elle a trouvé la raison pour être fille, et explique quelle est cette raison.
B. Auguste lui dit de se taire.

ETUDE DE MOTS

1. Prepositions:
   permettre à (de)   *je suis heureux de*

2. *nous autres chevaliers*   we knights
   nous autres Américains   we Americans
   vous autres Français   you French
   nous autres étudiants   we students
   vous autres professeurs   you professors

3. *J'en frissonne.*   It makes me tremble. *En* sometimes
                                     means "because of it," referring to no
                                     definite antecedent.

   J'en ai la chair de poule.   It gives me goose pimples.
   Ils trouvent un chevalier à la porte; ils   They find a knight at the door; they are
   en sont tout étonnés.   quite astonished by this.

EXERCICES

Comparative and superlative forms (26)

A. LE PROFESSEUR: Ondine et Eugénie: Ondine + belle.
   L'ÉTUDIANT: Ondine est plus belle qu'Eugénie.
   LE PROFESSEUR: Eugénie − jolie.
   L'ÉTUDIANT: Eugénie est moins jolie qu'Ondine.
   LE PROFESSEUR: Ondine = grande.
   L'ÉTUDIANT: Ondine est aussi grande qu'Eugénie.

   1. Ondine = intelligente
   2. Ondine − âgée
   3. Eugénie + sage
   4. Eugénie + sérieuse
   5. Eugénie = charmante
   6. Ondine − polie
   7. Ondine − vieille
   8. Eugénie + sympathique

B. LE PROFESSEUR: Ondine, Eugénie et Auguste. Ondine + belle.
   L'ÉTUDIANT: Ondine est la plus belle.
   LE PROFESSEUR: Auguste − sentimental
   L'ÉTUDIANT: Auguste est le moins sentimental.

   1. Ondine − sérieuse
   2. Eugénie + vieille
   3. Auguste + inquiet

4. Ondine + indépendante
5. Auguste − commode
6. Ondine + difficile à comprendre

C. LE PROFESSEUR: La truite au bleu est un *plat*.
L'ÉTUDIANT: La truite au bleu est un bon plat.
LE PROFESSEUR: Le chevalier est *servi*.
L'ÉTUDIANT: Le chevalier est bien servi.

Bon est un adjectif. Les adjectifs modifient les noms. *Bien* est un adverbe. Les adverbes modifient les verbes, les adjectifs, ou les autres adverbes. Le mot à modifier dans cet exercice est en italique. L'adverbe suit le verbe, mais précède le participe passé.
1. Celle-ci est une *villa*.
2. Elle est *construite*.
3. *J'aime* cette villa.
4. Celle-ci est une *pièce*.
5. Giraudoux *écrit*.
6. La pièce est *écrite*.
7. Si nous étions dans un *restaurant* on nous servirait un *vin*.
8. Nous *mangerions*.

D. LE PROFESSEUR: La truite au bleu est un *plat*.
L'ÉTUDIANT: La truite au bleu est un meilleur plat.
LE PROFESSEUR: Le chevalier est *servi*.
L'ÉTUDIANT: Le chevalier est mieux servi.

Le comparatif de *bon* est *meilleur*; le comparatif de *bien* est *mieux*. Puisque la traduction des deux mots est la même (*better*), il faut faire attention de ne pas les confondre. Refaites l'exercice C en suivant le modèle ci-dessus.

E. LE PROFESSEUR: La truite au bleu est un *plat*.
L'ÉTUDIANT: La truite au bleu est le meilleur plat.
LE PROFESSEUR: Le chevalier est *servi*.
L'ÉTUDIANT: Le chevalier est le mieux servi.

Le superlatif de *meilleur* est *le meilleur*; le superlatif de *mieux* est *le mieux*. Refaites l'exercice C en suivant le modèle ci-dessus.

Infinitive (**42**)

F. LE PROFESSEUR: Il y a une raison. (There is a reason.)
L'ÉTUDIANT: Il doit y avoir une raison. (There must be a reason.)

Commencez chaque phrase par: Il doit (*ou* Elle doit) + infinitif.
1. Il est beau.
2. Il s'assied.
3. Elle a quinze ans.
4. Elle l'ennuie.

5. Mais non, elle lui plaît.
6. Il s'appelle Hans.
7. Elle revient.
8. Il y a une truite sur l'assiette.
9. Il le sait.

Present of verbs not ending in -*er* (**72D**)

G. LE PROFESSEUR: Je m'assieds.

    L'ÉTUDIANT: Vous vous asseyez? Tant mieux! (*ou,* Tant pis!)

1. Je vis dans la forêt.
2. Je me tais.
3. Je crains la pluie.
4. Je me plains du temps.
5. Je m'ennuie.
6. Je prépare une truite.
7. Je prends l'assiette.
8. Je sers la truite.
9. Je me sens mieux.
10. Je dois sortir.
11. Je sors.
12. Mais je reviens.

SUJET DE COMPOSITION

Auguste parle sérieusement à Ondine. Il lui dit ce qu'il faut dire et ce qu'il ne faut pas dire quand on rencontre un chevalier, et lui donne d'autres conseils.

THÈME D'IMITATION

Auguste is scandalized by what Ondine says to the knight. He tells her to keep quiet and asks the knight to excuse her. But, as everyone knows, when you (*on*) say to a man, "How handsome you are!" you are not boring him. Ondine is only fifteen years old, she has no familiarity with the ways of society. She addresses a lord in the familiar form the first time she meets him, but she knows she isn't boring him. Giraudoux must have (*a dû*) liked the situation in which a young girl says to a man, "How handsome you are!" He comes back to it in "L'Apollon de Bellac."

PRONONCIATION

1. *ou* + vowel

    ou + vowel forms a single syllable. The *ou* represents a sound similar to English *w* but the change of articulatory position from the *w* to the vowel following is much more rapid in French.

REPEAT
  louer; jouer; Louis; oui; ouest

oi represents the *w* sound followed by the vowel usually represented by *a.*

REPEAT
  toi; moi; bois; soir; voir; tutoie; savoir

oin represents the *w* sound followed by nasal *in*:

REPEAT
  loin; moins; coin; point

2. *u* + vowel

u + vowel forms a single syllable. The articulatory position is the same as for
final *u* or *u* + consonant, but just as in *ou* + vowel, the change of position to the
vowel following is very rapid.

CONTRAST *u* WITH *u* + VOWEL.

nu	nuage
tu	tué
su	suer

ui represents *u* followed rapidly by *i* (*i* is the vowel which most frequently
follows *u*).

CONTRAST *u* WITH *ui*.

lu	lui
nu	nuit
su	suis

CONTRAST *ou* + VOWEL WITH *u* + VOWEL.

Louis	lui
bouée	buis
nouage	nuage

REPEAT
  truite; fruit; ennuie; cuire; pluie; cuiller; huit; ensuite; ruisselle

Spelling: As indicated, but note that *u* after *g* simply indicates that the *g* is hard.
Like the *u* following *q* it does not indicate a sound itself. Thus *gué* and *gai* are
homonyms.

15

ONDINE [III]

Jean Giraudoux

EUGÉNIE: Voici votre truite au bleu, seigneur. Mangez-la. Cela vous vaudra
mieux° que d'écouter notre folle.° . . .

ONDINE: Sa truite au bleu!

LE CHEVALIER: Elle est magnifique!

ONDINE: Tu as osé° faire une truite au bleu, mère! . . .

EUGÉNIE: Tais-toi. En tout cas, elle est cuite.° . . .

ONDINE: O ma truite chérie, toi qui depuis ta naissance° nageais° vers l'eau
froide!

AUGUSTE: Tu ne vas pas pleurer pour une truite!

ONDINE: Ils se disent mes parents. . . . Et ils t'ont prise. . . . Et ils t'ont
jetée vive dans l'eau qui bout!°

LE CHEVALIER: C'est moi qui l'ai demandé, petite fille.

ONDINE: Vous? J'aurais dû m'en douter. . . . A vous regarder de près tout
se devine.° . . . Vous êtes une bête,° n'est-ce pas?

EUGÉNIE: Excusez-nous, seigneur!

ONDINE: Vous ne comprenez rien à rien,° n'est-ce pas? C'est cela la chevalerie, c'est cela le courage! . . . Vous cherchez des géants qui n'existent
point,° et si un petit être vivant saute dans l'eau claire, vous le faites cuire
au bleu!

LE CHEVALIER: Et je le mange, mon enfant! Et je le trouve succulent!

ONDINE: Vous allez voir comme il est succulent. . . . [*Elle jette la truite par
la fenêtre.*] Mangez-le maintenant. . . . Adieu. . . .

EUGÉNIE: Où t'en vas-tu° encore, petite!

ONDINE: Il y a là, dehors, quelqu'un qui déteste les hommes et veut me dire
ce qu'il sait d'eux. . . . Toujours j'ai bouché° mes oreilles, j'avais mon
idée.° . . . C'est fini, je l'écoute. . . .

VOCABULAIRE

cela vous vaudra mieux it will be better
    for you
la folle the crazy girl
oser to dare

cuire to cook
la naissance the birth
nager to swim
il bout (*bouillir*) it boils

97

tout se devine it's all so obvious   *ne . . . point* not at all
deviner to guess   *s'en aller* to go away
la bête the beast   *tu t'en vas* you are going away
ne rien comprendre à rien not to under-   *boucher* to stop up
     stand a thing   *avoir son idée* to have one's own idea

QUESTIONNAIRE

1. Que dit Eugénie au chevalier au sujet de la truite?
2. Et que dit Ondine à sa mère adoptive?
3. De qui Ondine a-t-elle pitié?
4. Que dit Eugénie à Ondine pour la persuader d'accepter le fait accompli?
5. Selon Ondine, que faisait la truite depuis sa naissance?
6. Et comment la truite est-elle morte?
7. A qui Ondine en veut-elle (*to be angry at*) d'abord?
8. Qu'est-ce qu'ils ont fait de la truite?
9. Que dit le chevalier?
10. Comment Ondine lui répond-elle?
11. De quelle manière son opinion du chevalier a-t-elle changé?
12. Quelle opinion a-t-elle de sa chevalerie et de son courage?
13. Que dit-elle des géants qu'il cherche?
14. Selon Ondine, que font les chevaliers quand ils trouvent "un petit être vivant"?
15. Que fait Ondine pour punir le chevalier?
16. Qui va-t-elle retrouver dehors?
17. Qu'est-ce que cette personne va lui dire?
18. Pourquoi ne l'a-t-elle pas écoutée jusqu'à maintenant?

DIALOGUE

A. Eugénie apporte la truite au bleu à Hans et lui dit de la manger.
B. Ondine fait des reproches à sa mère.
A. Eugénie lui dit de se taire et explique pourquoi il est trop tard pour se lamenter.
B. Ondine parle à la truite. Elle lui dit pourquoi elle l'admire.

ETUDE DE MOTS

1. *Il nageait depuis sa naissance*   He *had been swimming* since his birth
   (*mais maintenant il est mort*).   (but now he is dead).
   Il nage depuis sa naissance.   He *has been swimming* since his birth.
   Je travaillais depuis septembre.   I had been working since September.
   Il était fatigué parce que depuis le   He was tired because he had been cross-
   matin il traversait la forêt.   ing the forest since morning.

2. *A vous regarder tout se devine.*   It's all so obvious now that I look at you.
   A le voir, je comprends pourquoi vous   Now that I see him, I understand why
   ne l'aimez pas.   you don't like him.

3. *Elle fait cuire la truite.*   She cooks the trout. (transitive)
   La truite cuit.   The trout is cooking. (intransitive)
   Elle fait la cuisine.   She cooks (i.e., does the cooking).
   Similarly: *L'eau bout.*   The water boils. (intransitive)
   Elle fait bouillir la truite.   She boils the trout. (transitive)

EXERCICES

A. Répétez ces phrases en modifiant les mots en italique par l'adverbe *mal*, ou par l'adjectif *mauvais*, selon le cas.
   1. C'est un *élève.*
   2. Il *parle.*
   3. Il a honte de ses *compositions.*
   4. Il est *préparé.*
   5. Il *répond.*
   6. C'est un *exemple* pour les autres.

B. Répétez ces phrases en modifiant les mots en italique par l'adverbe *peu*, ou par l'adjectif *petit*, selon le cas. (Notez la différence entre *peu*, qui veut dire *little, seldom,* et *un peu*, qui veut dire *a little, some.*)
   1. C'est une *pièce.*
   2. Elle est *connue.*
   3. On la *lit.*
   4. Elle a eu un *succès.*
   5. Les *enfants* l'ont applaudie.
   6. Les grandes personnes l'ont *appréciée.*

Past participle (**63**); *Etre* verbs (**32A, B**)

C. LE PROFESSEUR: Ils voient un chevalier.
    L'ÉTUDIANT: Ils ont vu un chevalier.

Revoyez les participes passés et les verbes conjugués avec *être.* Chacune des actions dans la narration suivante étant achevée (*completed*), employez le passé composé.
   1. Ondine part.
   2. Auguste et Eugénie s'inquiètent.
   3. On ne la voit jamais ni laver ni cirer.
   4. Le torchon ne sert pas.
   5. Le chevalier entre.
   6. Il s'assied.

  7. Ondine reste immobile.
  8. Eugénie va dans la cuisine.
  9. Ondine plaît au chevalier.
 10. Elle le tutoie.
 11. Eugénie ose faire une truite au bleu.
 12. Ondine prend la truite.
 13. Et elle la jette dans l'eau.
 14. Hans ne comprend rien.
 15. Ondine ouvre la porte.
 16. Elle sort.
 17. Le chevalier ne dit rien.
 18. Il ne la suit pas.
 19. Mais à la fin elle revient.

Pluperfect (64)

D. LE PROFESSEUR: Ils voient un chevalier.
L'ÉTUDIANT: Ils avaient vu un chevalier.
Mettez les phrases de l'exercise C au plus-que-parfait. Le plus-que-parfait
indique un fait qui a eu lieu avant un autre fait passé. N'oubliez pas que certains
verbes prennent l'auxiliaire *être*.

SUJET DE COMPOSITION

Ondine explique pourquoi elle aime les truites et pourquoi elle s'est mise en
colère contre ses parents adoptifs et contre le chevalier.

THÈME D'IMITATION

We have a hard job, we fishermen. In this job you have to have your heart in your
work. Rain or shine, we go out, and when I go out in the rain the water trickles down
my neck and soon I am wet through (*jusqu'aux os*). It gives me the shivers. I don't
like to be outside at night either, because there are a lot of sudden storms in this
region and it is hard to see them coming at night. But my wife tells me I complain
too much. She says it is a lot harder to stay home and (**78E**) do the house work than
(**78E**) to go fishing. I'm not so sure about that (p. 84, l. 17).

PRONONCIATION

Liaison

In liaison a final consonant joins the initial vowel of the following word to form a
syllable. *Vous êtes* is pronounced vou-zèt. Liaison occurs only between words
belonging to the same sense group; *d* is pronounced *t* in liaison.

REPEAT

un mauvais élève	mal élevé
il n'est pas entré	ils ont applaudi
quand il vient	très intéressant
c'est intéressant	dont il parle
six ans	nous sommes heureux
un grand homme	les heureuses années

s vs z

S between two vowels is pronounced *z*. The *s* in liaison is also pronounced *z*.
S that does not come between two vowels and double *s* between two vowels are pronounced *s*. The distinction must be clearly made because meaning often depends on it.

CONTRAST

poison	poisson
ils ont	ils sont
vous allez	vous salez
les hommes	les sommes
nous ôtons	nous sautons
ils aiment	ils s'aiment
elle les aide	elle les cède
phase	fasse
vise	vice
bise	bis
base	basse

Aspirate *h*

The initial *h* is often not pronounced in French. In many words liaison and elision occur before it just as if it were a vowel: c'est horrible; l'homme; mon hôtel.
Some words, however, begin with aspirate *h*. There is no liaison and no elision before such words: le huit; en haut; les huées; les haricots.

16

ONDINE [IV]

Jean Giraudoux

Ondine revient.

ONDINE: Moi, on m'appelle Ondine.

LE CHEVALIER: C'est un joli nom.

ONDINE: Hans et Ondine. . . . C'est ce qu'il y a de plus joli au monde comme noms, n'est-ce pas?

LE CHEVALIER: Ou Ondine et Hans.

ONDINE: Oh non! Hans d'abord. C'est le garçon. Il passe le premier. Il commande. . . . Ondine est la fille. . . . Elle est un pas° en arrière. . . . Elle se tait.

LE CHEVALIER: Elle se tait! Comment diable° s'y prend-elle?°

ONDINE: Hans la précède partout d'un pas. . . . Aux cérémonies. . . . Chez le roi. . . . Dans la vieillesse. Hans meurt le premier. . . . C'est horrible. . . . Mais Ondine le rattrape° vite. . . . Elle se tue. . . .

LE CHEVALIER: Que racontes-tu là!

ONDINE: Il y a un petit moment affreux° à passer. La minute qui suit la mort de Hans. . . . Mais ça n'est pas long. . . .

LE CHEVALIER: Heureusement cela n'engage° à rien de parler de la mort à ton âge. . . .

ONDINE: A mon âge? . . . Tuez-vous pour voir. Vous verrez si je ne me tue pas. . . .

LE CHEVALIER: Jamais je n'ai eu moins envie° de me tuer. . . .

ONDINE: Dites-moi que vous ne m'aimez pas! Vous verrez si je ne me tue pas. . . .

LE CHEVALIER: Tu m'ignorais° voilà° un quart d'heure, et tu veux mourir pour moi? Je nous croyais brouillés,° à cause de la truite?

ONDINE: Oh tant pis° pour la truite! C'est un peu bête,° les truites. Elle n'avait qu'à éviter° les hommes, si elle ne voulait pas être prise. Moi aussi je suis bête. Moi aussi je suis prise. . . .

VOCABULAIRE

le pas the step
comment diable how in the devil
s'y prendre to go about it
rattraper to catch up with

affreux frightful
engager to involve; commit
  (opposite of dégager)
avoir envie de to want to; feel like

ignorer not to know
voilà ago
brouillés mad at each other

tant pis too bad
bête silly; stupid
éviter to avoid

QUESTIONNAIRE

1. Que dit Ondine au sujet des noms Ondine et Hans?
2. Pourquoi met-elle Hans d'abord?
3. Où est-ce que la fille doit se tenir quand elle est avec le garçon?
4. Qu'est-ce qu'elle doit faire?
5. Est-ce que Hans croit que la fille peut se taire facilement? Qu'est-ce qu'il se demande à ce sujet?
6. Où est-ce que Hans doit précéder Ondine?
7. Qu'est-ce qui est horrible?
8. Comment est-ce qu'Ondine rattraperait Hans s'il mourait?
9. Quel moment affreux y aurait-il à passer pour elle?
10. Qu'est-ce qui montre que le chevalier ne prend pas Ondine au sérieux (*seriously*)?
11. Que dit Ondine pour prouver qu'elle est sérieuse?
12. Qu'est-ce qu'il y a d'illogique dans sa suggestion?
13. Est-ce que le chevalier a envie de se tuer?
14. Qu'est-ce qu'il n'a qu'à dire s'il veut qu'Ondine se tue?
15. Pourquoi est-ce que le chevalier est étonné par l'attitude d'Ondine?
16. Quelle opinion Ondine a-t-elle des truites maintenant?
17. Qu'est-ce que la truite aurait dû faire?
18. De quelle manière est-ce qu'Ondine se compare à la truite?

DIALOGUE

A. Ondine se présente au chevalier.
B. Le chevalier lui fait un compliment sur son nom.
A. Ondine dit que leurs deux noms sont jolis.
B. Le chevalier dit que la fille doit passer la première.
A. Ondine le contredit. Elle explique ce que la fille doit faire.

ETUDE DE MOTS

1. ce qu'*il y a de plus joli*
   Qu'est-ce qu'*il y a de bon?*
   Quoi *de nouveau?*

the prettiest there is
What's good?
What's new?

rien *de nouveau*	nothing new
personne *d'intéressant*	no one interesting
quelqu'un *de très bien*	a very fine person
quelque chose *d'autre*	something else

2. *comme noms*
   for names

   Qu'est-ce que vous voulez comme dessert?
   What do you want for dessert?

   Qu'est-ce que vous suivez comme cours?
   What courses are you taking?

   Comme professeur j'ai monsieur Dupont.
   I have Mr. Dupont for professor.

3. *Comment s'y prend-elle?*
   How does she manage?

   Il s'y prend mal.
   He goes about it the wrong way.

   Voilà comment je m'y suis pris.
   That's how I went about it.

   Comment vous y prenez-vous?
   How do you go about it?

4. *Elle n'avait qu'à éviter les hommes.*
   All she had to do was avoid men.

   Vous n'avez qu'à sonner.
   All you have to do is ring; just ring.

   Si vous ne voulez pas le faire, vous n'avez qu'à le dire.
   If you don't want to do it, just say so.

EXERCICES

Object pronouns (54); Avoiding dependent clauses (20B)

A. LE PROFESSEUR: Nous ne sommes pas brouillés.

L'ÉTUDIANT: Vraiment? Je nous croyais brouillés, moi. (*Really? I thought we were angry at each other.*)

LE PROFESSEUR: Le chevalier n'est pas encore parti.

L'ÉTUDIANT: Vraiment? Je le croyais parti, moi. (*Really? I thought he had left.*)

1. Auguste n'est pas jeune.
2. La truite n'est pas assez grande.
3. Ondine n'est pas folle.
4. Le cheval n'est pas important.
5. Il n'est pas riche.
6. Ondine n'est pas petite.
7. Comme plat, ce n'est pas très succulent.
8. Ondine, ces assiettes ne sont pas propres!
9. Ces souliers ne sont pas cirés!
10. Ce torchon n'est pas mouillé!

B. LE PROFESSEUR: Eugénie n'est pas vieille.

L'ÉTUDIANT: Moi, je la trouve vieille.

Refaites l'exercice A en suivant le modèle ci-dessus.

Conditional (**27–28**)

C. LE PROFESSEUR: Il ne pleut pas. Elle sortirait ...
L'ÉTUDIANT: Elle sortirait s'il pleuvait.

On emploie l'imparfait après *si* quand la proposition principale est au conditionnel.
1. Elle ne sort pas. Ils s'inquiéteraient ...
2. Ils n'insistent pas. Elle obéirait ...
3. Elle ne les cire pas. Ils brilleraient ...
4. Vous n'entrez pas. Vous pourriez vous asseoir ...
5. Je ne veux pas. J'irais ...
6. Il ne meurt pas. Elle se tuerait ...
7. Elle ne se tait pas. Il serait étonné ...
8. Elle ne le craint pas. Elle ne dirait pas ces choses ...
9. Elle ne part pas. Il serait triste ...
10. Elle ne revient pas tout de suite. Le chevalier serait content ...

D. LE PROFESSEUR: Elle ne sort pas. Mais s'il pleuvait ...
L'ÉTUDIANT: S'il pleuvait, elle sortirait.

On emploie le conditionnel dans la proposition principale, quand la proposition
introduite par *si* est à l'imparfait.
1. Ils ne s'inquiètent pas. Mais si elle sortait ...
2. Elle n'obéit pas. Mais s'ils insistaient ...
3. Ils ne brillent pas. Mais si elle les cirait ...
4. Elles ne sont pas propres. Mais si elle les lavait ...
5. Vous ne pouvez pas vous asseoir. Mais si vous entriez ...
6. Vous ne savez pas nager. Mais si vous habitiez ici ...
7. Nous n'allons pas. Mais si nous voulions ...
8. Il ne la fait pas cuire. Mais s'il trouvait une truite ...
9. Elle ne comprend pas les hommes. Mais si elle l'écoutait ...
10. Elle ne se tue pas. Mais s'il mourait ...

Orthographic changing verbs (**60A, B, C**)

E. LE PROFESSEUR: Quand vous travaillez sérieusement, achevez-vous la leçon?
L'ÉTUDIANT: Oui, je l'achève.
LE PROFESSEUR: Appelez-vous Ondine?
L'ÉTUDIANT: Oui, je l'appelle.

Les verbes qui se terminent en *e* (ou *é*) + consonne + *-er* changent de prononciation devant un *e* muet. Ce changement est indiqué soit par un *è*: *Achevez-vous?*
J'achève, soit par le redoublement de la consonne: *Appelez-vous? J'appelle.*
1. Préférez-vous les truites?
2. Achetez-vous les truites au marché?
3. Jetez-vous la truite dans l'eau qui bout?

4. Vous levez-vous de bonne heure?
5. Emmenez-vous le commissaire à la gare?
6. Quand vous mangez quelque chose de bon, vous léchez-vous les doigts?
7. Quand vous sortez du lac, ruisselez-vous?
8. Quand vous êtes en danger, appelez-vous "Au secours!"
9. Quand vous êtes le premier, précédez-vous?
10. Est-ce que vous vous inquiétez?
11. Est-ce que vous espérez, cependant, que tout ira bien?
12. Est-ce que vous vous le répétez fréquemment?

SUJET DE COMPOSITION

Ondine va trouver la personne "qui déteste les hommes," mais au lieu de l'écouter, c'est elle qui parle, comme toujours. Elle lui dit ce qu'une femme devrait faire quand elle aime un homme.

THÈME D'IMITATION

MONSIEUR: I'd like something good for lunch today. A live boiled trout, for example.
MADAME: I'm the one who does the cooking, and I say no.
MONSIEUR: They say it's the most delicious fish there is and it's not a difficult dish to (à) make if one knows how to go about it. All you have to do is to throw the trout into boiling water. There is that frightful moment to go through when the trout is still alive but it doesn't last long.
MADAME: I can't help it. I could (pourrais) never put a little living being into boiling water. It gives me goose pimples. But if someone else did it, I would eat it willingly.
MONSIEUR: Now that I think of it, I'd prefer something else.

PRONONCIATION

Closed e

Contrast French *ses* with English *say*. The French is short and pronounced with considerable muscular tension, the English is longer and has a glide.

CONTRAST

English	*French*
may	mes
allay	allez
gray	gré
tay	thé

REPEAT

cérémonie; éviter; idée; géant; écouter

Spelling: This sound may be spelled *e* as in guetter, *é* as in été, *ai* as in j'allai, *ez* as in vous allez, *es* as in mes, *er* as in aller, *et* as in buffet.

Open *e*

Contrast English *less* and French *laisse*. The vowels are quite similar, but the French is a little shorter and has no glide.

CONTRAST

English	*French*
less	laisse
bell	belle
sell	selle
mess	messe

REPEAT

père; mère; appelle; ruisselle; net; jette; claire; bête; être

Note that open *e* (like open *o*) usually occurs before a final consonant or in a syllable ending with a consonant. However, it may occur in final syllables as well, as in forêt, il allait, and so on.

Spelling: *e* as in jette, *è* as in achète, *ê* as in bête, *ei* as in neige, *ai* as in aime.

17

ONDINE [V]

Jean Giraudoux

Le chevalier demande Ondine en mariage à son père adoptif, Auguste.

AUGUSTE: Seigneur, vous nous demandez Ondine. C'est un honneur pour nous. Mais nous vous donnerions ce qui n'est pas à nous. . . .

LE CHEVALIER: Tu soupçonnes° quels sont ses parents?

AUGUSTE: Il ne s'agit pas° de parents. C'est justement qu'avec Ondine, la question des parents est vaine. Si nous n'avions pas adopté Ondine, elle aurait trouvé sans nous le moyen° de grandir, de vivre. Elle n'a jamais eu besoin de nos caresses, Ondine, mais dès qu'il pleut, impossible de la retenir° à la maison. Elle n'a jamais eu besoin de lit, mais combien de fois l'avons-nous surprise endormie sur le lac. La nature d'Ondine est la nature même: il y a de grandes forces autour d'Ondine![1]

LE CHEVALIER: Où veux-tu en venir?° Que je la demande en mariage au lac?

AUGUSTE: Ne plaisantez° pas!

LE CHEVALIER: Que tous les lacs du monde soient mes beaux-pères,° les fleuves° mes belles-mères, j'accepte avec joie. Je suis très bien avec° la nature.

AUGUSTE: Méfiez-vous!° C'est vrai que la nature n'aime pas se mettre en colère contre l'homme. Elle a un préjugé° en sa faveur. Elle est fière° d'une belle maison, d'une belle barque,° comme un chien de son collier.° Mais si l'homme a déplu° une fois à la nature, il est perdu!

LE CHEVALIER: Et je lui déplairais en épousant Ondine? Vous ne lui avez pas déplu, vous, en l'adoptant? Donnez-moi Ondine, mes amis!

Hans épouse Ondine. Mais Auguste avait raison; ce mariage d'un homme avec une ondine finit tragiquement.

VOCABULAIRE

soupçonner to suspect
il s'agit de it's a question of
trouver le moyen to find a way

retenir to hold back
Où veux-tu en venir? What are you getting at?

[1] Ondine's nature is nature itself; there are great forces around her (the forces of nature).

plaisanter to joke
le beau-père the father-in-law
le fleuve the river
je suis très bien avec I am on good terms with
se méfier to be suspicious; watch out

le préjugé the prejudice
fier proud
la barque the boat; bark
le collier the collar; necklace
déplaire à to displease

QUESTIONNAIRE

1. Quelle demande Hans fait-il à Auguste?
2. Pourquoi Auguste ne veut-il pas lui donner Ondine?
3. Qu'est-ce que Hans lui demande ensuite?
4. Que dit Auguste au sujet des parents d'Ondine?
5. Qu'est-ce qu'Ondine aurait fait, s'ils ne l'avaient pas adoptée?
6. Qu'est-ce qui montre son indépendance?
7. Qu'est-ce qu'elle fait quand il pleut? Où dort-elle?
8. Quelle est sa nature?
9. A qui donc faudrait-il la demander en mariage, selon le chevalier?
10. Qu'est-ce que le chevalier accepte avec joie? Pourquoi?
11. Selon Auguste, quelle est l'attitude de la nature envers l'homme?
12. De quoi est-elle fière?
13. Mais qu'est-ce qui arrive si l'homme lui déplaît?
14. Pourquoi est-ce que le chevalier croit qu'il ne déplairait pas à la nature en épousant Ondine?
15. Qu'est-ce qui montre qu'Auguste avait raison?

DIALOGUE

A. Le chevalier demande Ondine en mariage à Auguste.
B. Auguste explique pourquoi ils ne peuvent pas lui donner Ondine.
A. Le chevalier lui demande s'il sait qui sont ses parents.
B. Auguste dit qu'il ne s'agit pas de ça. Il lui explique quand elle aime sortir, et où elle aime dormir.
A. Le chevalier lui demande de lui donner Ondine quand même.

ETUDE DE MOTS

1. *le moyen*   the way
   Il trouve toujours le moyen de m'agacer.   He always knows how to annoy me.
   Il a trouvé le moyen de réussir.   He has found out how to succeed.
   Il n'y a pas moyen.   There isn't any way.

Il n'y a pas moyen de le comprendre.	It's incomprehensible.
Il en a les moyens.	He has the money (for it), the means.

2. *Où veux-tu en venir?*   What are you getting at?

   J'en viens à me demander si. . . .   The whole thing makes me wonder if. . . .

   Ils en sont venus aux coups.   They came to blows.

EXERCICES

Imparfait (**40**)

A. Mettez la narration suivante à l'imparfait. Notez qu'il s'agit de faits d'habitude dans le passé sans aucune délimitation de durée. (Ainsi on dit "A l'âge de six ans je buvais du lait" à l'imparfait mais "Jusqu'à l'âge de six ans j'ai bu du lait" au passé composé car *jusqu'à* délimite la durée.) Notez aussi que la plupart des verbes sont des verbes en *é* (ou *e*) + consonne + *-er* et qu'à l'imparfait ces verbes ne se terminent pas en *-e* muet.

1. On m'appelle Toto.
2. Je me lève toujours de bonne heure.
3. Mon père m'emmène quelquefois au marché.
4. Il précède, moi, je le suis.
5. J'achète des bonbons.
6. C'est ce que je préfère.
7. Je les mange.
8. Puis, je me lèche les doigts.
9. J'aime beaucoup les bonbons.

Adjectives (**1–5**); The Partitive *de* (**18C**)

B. LE PROFESSEUR: Il y a des forces autour d'Ondine. (grand)
    L'ÉTUDIANT: Il y a de grandes forces autour d'Ondine.

1. Il y a des lacs dans la région. (beau)
2. Il y a des barques sur le lac. (beau)
3. Ce sont des pêcheurs. (vieux)
4. Ils attrapent des poissons. (gros)
5. Il y a des moments à passer. (mauvais)
6. Des orages s'élèvent soudain. (vilain)
7. Il y a des montagnes. (haut)
8. On y voit des cabanes isolées. (petit)
9. On peut y faire des promenades. (long)
10. On y fait des repas. (bon)
11. Maintenant des routes traversent la forêt. (nouveau)
12. Où trouve-t-on des régions si pittoresques? (autre)

C. LE PROFESSEUR: une belle ondine; ma truite chérie
L'ÉTUDIANT: de belles ondines; mes truites chéries

Mettez les expressions suivantes au pluriel. N'oubliez pas de faire la liaison
devant les mots qui commencent par une voyelle.

1. une belle histoire
2. une belle femme
3. mon petit oiseau
4. mon petit chat
5. une belle asperge
6. un beau fromage
7. ce grand officier
8. ce grand capitaine
9. une bonne année
10. une bonne pluie
11. un autre invité
12. un autre chevalier
13. une truite magnifique
14. un sourire gracieux
15. un moment terrible
16. ma nouvelle assiette
17. notre hôte distingué
18. mon pauvre enfant
19. un petit être vivant

Conditional (28)

D. LE PROFESSEUR: Le chevalier épouse Ondine. Il déplaît à la nature.
L'ÉTUDIANT: Si le chevalier épousait Ondine, il déplairait à la nature.

Notez que les phrases données ci-dessous expriment *ce qui arrive*; les réponses
doivent exprimer *ce qui arriverait si* . . .

1. Auguste l'appelle. Elle revient.
2. Il craint la pluie. Il le dit.
3. Elle a vingt ans. Elle sait répondre.
4. Elle est jolie. Elle lui plaît.
5. Il meurt. Ondine se tue.

E. LE PROFESSEUR: Le chevalier a épousé Ondine. Il a déplu à la nature.
L'ÉTUDIANT: Si le chevalier avait épousé Ondine, il aurait déplu à la nature.

Notez que les phrases données ci-dessous expriment *ce qui est arrivé*; les réponses doivent exprimer *ce qui serait arrivé si* . . .

1. Ondine a écouté. Elle a compris.
2. Il est parti. Elle a pleuré.
3. Elle les a cirés. Ils ont brillé.
4. Elle a osé faire une truite. Ondine s'est mise en colère.
5. Ils ont insisté. Elle a obéi.
6. On me l'a dit. Je ne l'ai pas cru.
7. Auguste l'a appelée. Elle est revenue.
8. Il a craint la pluie. Il l'a dit.
9. Il est mort. Ondine s'est tuée.

SUJET DE COMPOSITION

Imaginez la fin tragique de la légende. Quelle doit être la vie d'une ondine à la
cour? Que veut-elle faire?

THÈME D'IMITATION

My daughter always finds a way of getting out. It is impossible to keep her home. I wonder what she is doing. She shouldn't be outside at such an hour [of the night]. If I had spoken to her seriously when she was younger, she would obey now that she is fifteen. But she has always made fun of me and of everything that stands for constraint. I don't like to get angry at her. Auguste says that I am prejudiced in her favor. I don't know. It is true that I am proud of her. She is so pretty and graceful! And she helps me with the housework. But as soon as she gets back, I am going to talk to her seriously.

PRONONCIATION

Closed *eu*

There is no near equivalent to this sound in English. One can move from *é* to closed *eu*, however, by keeping the tongue in the same position while rounding the lips.

CONTRAST

dé	deux
et	eux
fée	feux

Closed *eu* should also be distinguished from *u*. The lips remain rounded but the tongue is lowered and moved back.

bu	bœufs (*f* is silent)
pu	peu
ému	émeut
eu	œufs (*f* is silent)

REPEAT

il pleut; on peut; au bleu; vieux; je veux; un peu

Spelling: usually *eu*. Occasionally *œu*, as in *les œufs*. Once *ai*, in *faisons*.

Open *eu*

There is no near equivalent to this sound in English. One can move from *è* to open *eu*, however, by rounding the lips slightly without changing the position of the tongue.

CONTRAST

père	peur
mère	meurt
Le Caire	le cœur
mêle	meule

REPEAT

il meurt; le pêcheur; faveur; un quart d'heure; leur bonheur; elle pleure

Note that open *eu* like open *o* and open *e* normally occurs before a final consonant or in a syllable ending with a consonant. Thus it contrasts with closed *eu* which is usually not followed by a consonant.

CONTRAST

Open	*Closed*
ils peuvent	je peux
ils veulent	il veut
peur	peu
sœur	ceux
le bœuf	les bœufs

Spelling: usually *eu*. Occasionally *œu* as in *œuf*, *œ* as in *œil*, and *ue* as in *cueille*.

Vocabulary and Idioms

TRANSLATE

1. I knew there must be a reason.
Je savais (bien) qu'il devait y avoir une raison.

2. I should have suspected it.
J'aurais dû m'en douter.

3. He wants to tell me what he knows about them.
Il veut me dire ce qu'il sait d'eux.

4. It doesn't take long.
Ça n'est pas long.

5. They call me Ondine.
On m'appelle Ondine.

6. It's all over.
C'est fini.

7. What are you getting at?
Où voulez-vous en venir?

8. That's the prettiest thing there is.
C'est ce qu'il y a de plus joli.

9. Something pretty.
Quelque chose de joli.

10. I think it's delicious.
Je le trouve succulent (ou délicieux).

11. I thought we were angry at each other.
Je nous croyais brouillés.

12. we Americans
nous autres Américains

13. There isn't any way.
Il n'y a pas moyen.

14. What do you have by way of meat?
Qu'est-ce que vous avez comme viande?

15. That's what courage is.
C'est cela le courage.

REPLACE THE EXPRESSIONS IN ITALICS BY A SYNONYM

1. Nous *avons peur de* la pluie.
craignons

2. Elle a *eu le courage de* faire une truite au bleu.
osé

3. *Ondine* est une *œuvre dramatique*.
pièce

4. Ondine *est orpheline*.
n'a ni père ni mère

5. Nous sommes trop *indulgents* avec elle.
faibles

6. Vous êtes *dans votre maison*.
chez vous

7. Vous êtes *un animal*.
une bête

8. quelqu'un qui *n'aime pas* les hommes
déteste

9. J'ai *mis mes deux mains sur* mes oreilles.
bouché

10. Il *ne veut pas* se tuer.
n'a pas envie de

11. Tu *ne me connaissais pas.*   m'ignorais
12. *Il y a* un quart d'heure.   Voilà
13. C'est un peu *stupide*, les truites.   bête
14. *Tout ce qu'elle devait faire c'était*   Elle n'avait qu'à
    *d'*éviter les hommes.
15. Ce qui n'est pas *le nôtre.*   à nous
16. Tu *te doutes de* l'identité de ses   soupçonnes
    parents.
17. Il *n'est pas question de* parents.   ne s'agit pas de
18. *quand il commence à pleuvoir*   dès qu'il pleut
19. La nature n'ose pas *se fâcher.*   se mettre en colère
20. C'est un moment *horrible* à passer.   affreux
21. Quand il fait froid je *tremble.*   frissonne
22. Le chien qui porte un beau collier est   fier
    orgueilleux.
23. Vous *dites des choses amusantes.*   plaisantez
24. J'entends l'eau qui *coule.*   ruisselle
25. Il a plu; je suis tout *trempé d'eau.*   mouillé
26. Elle prépare la truite, puis elle la   fait cuire
    laisse dans un four (oven) *chaud*
    pendant vingt minutes.
27. Hans part le premier, mais Ondine le   rattrape
    rejoint bientôt.
28. Je ne l'aime pas. Je *tâche de ne pas le*   l'évite
    rencontrer.
29. Quand Ondine voulait sortir, il était   retenir
    impossible de la *garder à la maison.*
30. Elle n'est pas impartiale. Elle a *une*   un préjugé
    opinion déjà formée.
31. Cette histoire est bête; elle m'*endort.*   ennuie

ANSWER BRIEFLY THE FOLLOWING QUESTIONS

1. Qu'est-ce qu'il faut laver après le   les assiettes
   repas?
2. Avec quoi essuie-t-on (*wipe*) les   avec un torchon
   assiettes?
3. Comment Ondine aide-t-elle Eu-   dans le ménage
   génie?
4. La pluie mise à part (*apart from the*   une puce
   rain) que craignent les chevaliers?
5. Où le chevalier a-t-il mis son   dans la grange
   cheval?
6. Que faisait la truite depuis sa nais-   Elle nageait.
   sance?

7. Où Ondine se tiendra-t-elle quand   un pas en arrière
   elle accompagnera Hans aux céré-
   monies?

8. Qu'est-ce qu'un chien porte autour   un collier
   du cou?

9. La truite est dans le four. Que fait- Elle cuit.
   elle?

10. Eugénie met la truite dans le four.   Elle fait cuire la truite.
    Que fait Eugénie?

New Grammar

1. Adjectives (1–5)

2. Comparative and superlative forms (26)

the least easy	le moins facile
less easy	moins facile
as easy	aussi facile
easier	plus facile
the easiest	le plus facile
a better student	un meilleur étudiant
the best student	le meilleur étudiant
He writes better.	Il écrit mieux.
He writes the best.	Il écrit le mieux.

3. Conditional (28E)

If you come, he will speak.	Si vous venez, il parlera.
If you came, he would speak.	Si vous veniez, il parlerait.
If you had come, he would have spoken.	Si vous étiez venu, il aurait parlé.

4. Orthographic changing verbs (60A, B, C)

Espérez-vous?	J'espère.
Emmenez-vous?	J'emmène.
Appelez-vous?	J'appelle.

5. Negatives (48D)

| You don't have any beans or aspar-agus? | Vous n'avez ni haricots ni asperges? |

6. Articles (13B)

| big Charles | le grand Charles |

7. Distinguishing adverbs from adjectives

a bad student	un mauvais étudiant
He writes badly.	Il écrit mal.
a little student	un petit étudiant
He writes a little.	Il écrit un peu.
He writes seldom.	Il écrit peu.
a good student	un bon étudiant
He writes well.	Il écrit bien.

8. Pluperfect (64)

She had spoken.	Elle avait parlé.
She had gone.	Elle était allée.

9. Avoiding dependent clauses (20B)

I thought he was rich.	Je le croyais riche.

10. The Partitive *de* (18C); Adjectives (5B)

There are some beautiful lakes.	Il y a de beaux lacs.

Review Grammar

1. Present of irregular verbs (72D.4)

2. Past participles (63)

3. *Etre* verbs (32A, B)

4. Object pronouns (54)

5. Infinitive (42)

6. *Imparfait* (40)

18

ORNIFLE [I]

Jean Anouilh

Ornifle est une comédie de Jean Anouilh. Ornifle est un Don Juan très égoïste. Fabrice, un étudiant en médecine, est son fils naturel.° Ils ne se sont jamais rencontrés. Fabrice arrive chez Ornifle, se présente, et révèle son identité. Ornifle demeure calme jusqu'à ce que Fabrice dise:

FABRICE: Je suis venu pour vous tuer.

ORNIFLE: [*Sursaute.*°] Vous voulez rire?°

FABRICE: [*Toujours calme.*] Non. Si vous croyez que c'est drôle d'avoir à tuer quelqu'un! Seulement voilà.[1] Je l'ai juré.° A dix ans. Et j'ai l'habitude de tenir ma parole.°. . .

ORNIFLE: [*Marche sur lui, furieux.*] Mais bougre de galopin,°. . . on n'a pas le droit de venir faire des scènes pareilles chez les gens!° C'est ridicule, d'abord!° J'ai séduit° votre maman. Bon.[2] Elle a eu un enfant. Bon. Mais enfin il y a vingt-cinq ans de cela!° Qu'est-ce qui vous prend[3] à tomber de la lune comme un aérolithe au bout de vingt-cinq ans?

FABRICE: Je n'avais pas votre adresse. Je n'ai su votre nom qu'à la mort de maman.

ORNIFLE: Et qui vous prouve d'abord que votre mère n'a pas eu d'autre amant° que moi en vingt-cinq ans?

FABRICE: [*Doucement.*] L'honneur. Maman avait beaucoup d'honneur. Et je vous ai déjà dit qu'elle se considérait comme mariée devant Dieu.

ORNIFLE: [*Ricane.*°] L'honneur. . . . L'honneur. . . . C'est trop facile.

FABRICE: [*Grave et un peu comique.*] Non. C'est difficile. C'est même bigrement° difficile, croyez-moi. Si vous vous figurez que je n'ai pas mieux à faire dans la vie, moi, que de vous tuer! J'allais me marier et j'ai encore des examens à passer.°

VOCABULAIRE

le fils naturel the illegitimate son

sursauter to leap up

vous voulez rire? are you kidding?

jurer to swear

[1] *Seulement voilà.*—But this is how it is.
[2] *Bon*—O.K.; granted.
[3] *Qu'est-ce qui vous prend?*—What's got into you? By what right do you . . . ?

la parole the word
bougre de galopin young scamp (a term of abuse)
chez les gens in people's houses
d'abord in the first place
séduire to seduce

de cela since then
un amant a lover
bigrement terribly (colloquial)
ricaner to snicker
passer un examen to take an exam

QUESTIONNAIRE

1. Qui est Ornifle? Quelle sorte de personne Don Juan était-il?
2. Qui est Fabrice? Que fait-il?
3. Pourquoi Ornifle sursaute-t-il?
4. Qu'est-ce que Fabrice a juré? Quelle habitude a-t-il?
5. Quelle est la réaction d'Ornifle?
6. Qu'est-ce qu'il admet?
7. Pourquoi cette scène lui semble-t-elle ridicule? D'où Fabrice semble-t-il tomber?
8. Pourquoi Fabrice n'est-il pas venu avant?
9. Quelle objection Ornifle fait-il ensuite? (Pourquoi la fait-il?)
10. Comment Fabrice sait-il que sa mère n'a pas eu d'autre amant?
11. Qu'est-ce qu'elle se considérait?
12. Quelle opinion Ornifle a-t-il de l'honneur?
13. Et Fabrice, qu'est-ce qu'il en pense?
14. A-t-il d'autres choses à faire dans la vie? Quoi, par exemple?
15. Pourquoi veut-il tuer son père?
16. Est-ce que cette scène vous semble comique ou sérieuse?

DIALOGUE

A. Fabrice explique à Ornifle pourquoi il est venu le tuer.
B. Ornifle se moque de lui et lui demande pourquoi il a attendu vingt-cinq ans.
A. Fabrice explique pourquoi.
B. Ornifle lui demande comment il sait que sa mère n'a pas eu d'autre amant.
A. Fabrice explique pourquoi cela aurait été impossible.

ETUDE DE MOTS

1. *Qu'est-ce qui lui prend (à faire une chose pareille)?*
   Je ne sais pas ce qui vous prend.

   What makes him (do such a thing)?

   I don't know what's got into you.

2. *Votre mère n'a pas eu d'autre amant que moi.*

   Your mother has had no lover except me.

N'y a-t-il pas d'autre restaurant que celui-ci?	Isn't there any other restaurant except this one?
J'ai autre chose à faire que ça.	I have other things to do besides that.
J'ai mieux à faire que ça.	I have better things than that to do.

EXERCICES

Object pronouns (**54–59**)

A. LE PROFESSEUR: *Ornifle* appelle-t-il *ses domestiques?*
　　L'ÉTUDIANT:　　Oui, il les appelle.

Revoyez les pronoms compléments *le, la, lui, en,* et *y.*
1. *Fabrice* voit-il *Ornifle?*
2. Est-il *son fils naturel?*
3. *Fabrice* répond-il *à son père?*
4. *Ornifle* fait-il *des plaisanteries?*
5. *Fabrice* met-il *son père* en colère?
6. *Ornifle* parle-t-il *à son fils?*
7. *Fabrice* fait-il peur *à son père?*
8. *Fabrice* défend-il *la mémoire de sa mère?*
9. *Ornifle* va-t-il *à un bal masqué?*
10. *Ornifle* persuade-t-il *son fils?*
11. *Fabrice* fait-il une *scène?*
12. *Ornifle* se défend-il *de ses accusations?*
13. *Fabrice* répond-il *à son père?*

Prepositions (**68**)

B. LE PROFESSEUR: Ornifle se hâte. Il appelle les domestiques.
　　L'ÉTUDIANT:　　Ornifle se hâte d'appeler les domestiques.
　　LE PROFESSEUR: Fabrice se plaît. Il étonne Ornifle.
　　L'ÉTUDIANT:　　Fabrice se plaît à étonner Ornifle.
　　LE PROFESSEUR: Ornifle aime. Il parle de ses conquêtes.
　　L'ÉTUDIANT:　　Ornifle aime parler de ses conquêtes.

Etudiez la liste des verbes qui peuvent prendre un infinitif comme complément. Notez les trois catégories: sans préposition, avec *à,* et avec *de.*
1. Fabrice veut. Il voit Ornifle.
2. Fabrice prétend. Il est son fils naturel.
3. Fabrice se dépêche. Il répond à son père.
4. Ornifle cesse. Il fait des plaisanteries.
5. Fabrice réussit. Il met son père en colère.
6. Ornifle tente. Il parle à son fils.
7. Fabrice veut. Il fait peur à son père.

8. Personne ne l'aide. Il défend la mémoire de sa mère.
9. Ornifle a envie. Il va à un bal masqué.
10. Ornifle croit. Il persuade son fils.
11. Fabrice regrette. Il fait une scène.
12. Ornifle ne néglige pas. Il se défend de ces accusations.
13. Fabrice sait. Il répond à son père.

C. LE PROFESSEUR: Ornifle se hâte. Il appelle les domestiques.
L'ÉTUDIANT: Ornifle se hâte de les appeler.
LE PROFESSEUR: Fabrice se plaît. Il étonne Ornifle.
L'ÉTUDIANT: Fabrice se plaît à l'étonner.
LE PROFESSEUR: Ornifle aime. Il parle de ses conquêtes.
L'ÉTUDIANT: Ornifle aime en parler.

Refaites l'exercice B d'après le modèle ci-dessus. Notez que l'infinitif est précédé directement par son complément.

Demonstrative adjectives and pronouns (**29**–**30**); Orthographic changing verbs (**60**)

D. LE PROFESSEUR: Quel pays préférez-vous?
L'ÉTUDIANT: Je préfère ce pays-ci (*ou*, ce pays-là).

Etudiez les adjectifs démonstratifs *ce, cet, cette, ces*. En répondant employez alternativement -*là* et -*ci*. (Notez aussi que les verbes dans cet exercice prennent l'*è* ou redoublent la consonne quand ils se terminent en -*e* muet.)
1. Quel cours préférez-vous?
2. Quel livre achevez-vous?
3. Quels poissons achetez-vous?
4. Quel écriteau enlevez-vous?
5. Quels numéros appelez-vous?
6. De quel côté vous promenez-vous?
7. Quelle théorie rejetez-vous?
8. Quelles objections soulevez-vous?
9. Quel oiseau préférez-vous?
10. Quelle jeune fille emmenez-vous?

E. LE PROFESSEUR: Quelle comédie aimez-vous le mieux?
L'ÉTUDIANT: Celle-ci (*ou*, celle-là).

Revoyez les pronoms démonstratifs; *celui-ci, celle-ci, ceux-ci, celles-ci*.
En répondant employez alternativement -*là* et -*ci*.
1. Quel plat préférez-vous?
2. Quel écriteau lisez-vous?
3. Quelles pièces lisez-vous?
4. Quelles leçons apprenez-vous?
5. Quels auteurs lisez-vous?

6. Quels livres utilisez-vous?
7. Quelle truite choisissez-vous?
8. Quelle pendule emportez-vous?

F. LE PROFESSEUR: Préférez-vous les pièces que vous lisez ou les pièces que vous
     voyez?
   L'ÉTUDIANT: Celles que je vois (*ou*, celles que je lis).

Lorsque le pronom démonstratif n'est pas suivi de -*ci* ou de -*là*, il doit être suivi
d'un pronom relatif ou d'une préposition.

1. La scène entre le chevalier et Ondine ou la scène entre Fabrice et Ornifle?
2. Les exercices que nous faisons maintenant, ou les exercices que nous faisions
   hier?
3. La leçon du général ou la leçon du curé?
4. Le cours que vous avez suivi l'année dernière, ou le cours que vous suivez
   maintenant?
5. Les étudiants qui posent des questions ou les étudiants qui se taisent?
6. Les pièces qui vous amusent ou les pièces qui vous instruisent?
7. Les sujets de Jacques Prévert ou les sujets de Jean Giraudoux?
8. Les personnes qui vous flattent ou les personnes qui vous disent la vérité?
9. Le poème dont nous parlions hier ou le poème dont nous parlons maintenant?

SUJET DE COMPOSITION

Dispute entre Fabrice et sa fiancée, Marguerite. Celle-ci lui dit qu'il ne devrait
pas essayer de tuer son père.

THÈME D'IMITATION

Fabrice is a medical student who still has exams to take and he wants to get
married, but when he was ten he swore to kill Ornifle and that is what he has come
to do. At first Ornifle thinks Fabrice is joking, but when he realizes that the boy is
going to keep his word he strides over to him furiously and asks him what has got
into him. Fabrice quietly tells him that he has better [things] to do, but that a
question of honor is involved. Ornifle doesn't understand much about (*à*) honor,
but he doesn't lie to his son. He simply tells him that nobody has the right to kill
another person.

PRONONCIATION

l

The French *l* is produced with the tip of the tongue against the teeth. In English
the tongue is further back.

REPEAT

la lune; lui; le lit; légende; le lac; lentement; livre; liberté

When *l* is in final position it is important to follow it with a clearly audible release (see Lesson 8):

facile; parole; horrible; impossible; Ornifle; naturel; difficile

Spelling: l (or *ll*).

r

There is no near equivalent in English for the French *r*. To produce it keep the tip of the tongue pressed against the lower teeth and raise the back of the tongue toward the rear of the palate. Air passing through the narrow passage thus created produces the French *r*. Remember to keep the tip of the tongue pressed against the lower teeth. This will help you to avoid producing an English *r*. (The English *r* is an entirely different sound.)

REPEAT

ridicule	révèle	rire
mort	d'abord	tort
l'honneur	la peur	il meurt
parole	aérolithe	aérer
marier	bigrement	encore
terrible	faire	demeure

Spelling: r (or *rr*).

Allons, enlevez-la cette perruque

19

ORNIFLE [II]

Jean Anouilh

La scène continue:

ORNIFLE: [*Lui prend le bras.*] Eh bien, mon garçon, vous allez me faire le plaisir de vous marier d'abord; ce qui est toujours une bonne chose, de passer ensuite vos examens et de ne plus penser à toutes ces fariboles!° Vous avez besoin d'argent?

FABRICE: Non.

ORNIFLE: De quoi avez-vous besoin alors?

FABRICE: [*Aussi simplement que possible.*] D'honneur. Reculez-vous, je ne veux pas vous tuer à bout portant.° Et enlevez votre perruque.[1] Je ne veux pas non plus° que vous ayez l'air ridicule, mort. Vous êtes mon père, après tout. [*Il crie soudain.*] Allons, enlevez-la cette perruque, c'est dans votre propre° intérêt! Je ne peux plus attendre, moi. Vous ne voulez pas l'enlever? Eh bien, je vais vous tuer comme ça. Tant pis pour vous! Vous serez ridicule!

[*Il tire° un pistolet de sa poche, le braque° sur Ornifle et tire. Le coup ne part pas.[2] Il tire encore nerveusement. . . . Ornifle regarde faire sans bouger,° puis s'écroule° soudain.*]

FABRICE: [*Lui crie:*] Attendez! Je n'ai pas encore tiré! [*Il regarde son pistolet.*] Je me demande bien où sont passées les balles?[3] C'est encore un coup de Marguerite![4]

[*Il jette son pistolet, furieux, voit Ornifle inanimé par terre.*]

FABRICE: [*Murmure.*] Il n'a pas le cœur solide cet homme-là.[5]

[*Il relève Ornifle, l'étend° sur le canapé,° écoute son cœur longuement.*]

FABRICE: Pas de doute, c'est la maladie de Bishop.[6] Il a eu de la chance d'avoir affaire à° un médecin. . . . Je vais lui faire une piqûre.°

---

[1] *La perruque*—the wig. Ornifle, the frivolous fellow, was on his way to a fancy dress ball when Fabrice made his unexpected call.

[2] *Le coup ne part pas.*—The gun doesn't go off.

[3] *Où sont passées les balles?*—What has become of the bullets?

[4] He guesses, correctly, that his fiancée, Marguerite, took the bullets out of the gun.

[5] *Il n'a pas le cœur solide.*—He has a weak heart.

[6] Bishop's disease; a kind of heart disease.

VOCABULAIRE

[*réussir à l'examen* to pass the exam]
[*échouer à l'examen* to fail the exam]
la faribole the piece of nonsense
les fariboles nonsense
à bout portant point-blank
non plus neither
propre own
tirer to take out

tirer sur to shoot at
braquer to aim
bouger to move, budge
s'écrouler to collapse
étendre to stretch out
le canapé the couch
avoir affaire à to be dealing with
la piqûre the injection
[*une crise cardiaque* a heart attack]

QUESTIONNAIRE

1. Quels conseils Ornifle donne-t-il à Fabrice? Quelles questions lui pose-t-il?
2. De quoi Fabrice a-t-il besoin?
3. Pourquoi veut-il qu'Ornifle recule?
4. Pourquoi veut-il qu'Ornifle enlève sa perruque?
5. Qu'est-ce qu'il lui dit de faire? Que fait Ornifle?
6. Que fait Fabrice avec son pistolet?
7. Pourquoi Ornifle n'est-il pas tué?
8. Que fait Ornifle d'abord? Et ensuite?
9. Que dit Fabrice quand il le voit s'écrouler?
10. Qu'est-ce que les spectateurs doivent probablement se demander à ce moment-là?
11. Qu'est-ce que Fabrice se demande?
12. Pourquoi le pistolet est-il vide?
13. Que dit Fabrice quand il voit Ornifle étendu par terre?
14. Que fait-il ensuite?
15. Quel est son diagnostic?
16. Pourquoi Ornifle "a-t-il de la chance?"

DIALOGUE

A. Ornifle dit à Fabrice de se marier et de passer ses examens. Il lui demande s'il a besoin d'argent.
B. Fabrice répond négativement.
A. Ornifle demande à Fabrice de quoi il a besoin.
B. Fabrice lui dit qu'il a besoin d'honneur. Il lui dit de reculer et d'enlever sa perruque. Ornifle s'écroule, et Fabrice dit qu'il n'a pas le cœur solide.

ETUDE DE MOTS

1. *le coup*	This is a very useful word. Two of its meanings are included in this lesson:
(*a*) *un coup de pistolet*	a pistol shot
un coup d'épée	a thrust with a sword
un coup de vent	a gust of wind
(*b*) *encore un coup de Marguerite*	another one of Marguerite's tricks (or deeds)
un sale coup	a dirty trick
Quel coup!	What a brilliant stroke!
un coup de théâtre	a "trick" arranged by the dramatist which surprises the audience. Fabrice's pistol being unloaded but Ornifle collapsing anyhow is an excellent *coup de théâtre*.

EXERCICES

Subjunctive (**80**)

A. LE PROFESSEUR: Parlez français.

   L'ÉTUDIANT: (*à un autre étudiant*) Il veut que vous parliez français.

   LE PROFESSEUR: Ecoutons en classe.

   L'ÉTUDIANT: (*à un autre étudiant*) Il veut que nous écoutions.

Sauf quelques exceptions (**80D, E**), les formes *nous_____* et *vous_____* sont identiques à l'imparfait et au subjonctif: les terminaisons -*ions* et -*iez* sont ajoutés au radical de la forme *nous* _____ du présent.

Exemples

  Présent: nous prenons

  Imparfait et subjonctif: nous prenions

  Présent: vous buvez

  Imparfait et subjonctif: vous buviez

  1. Apprenez la leçon.

  2. Ecrivons lisiblement.

  3. Lisez à haute voix.

  4. Ouvrons la porte.

  5. Partez.

  6. Traduisons ce passage.

  7. Venez.

  8. Disons la vérité.

  9. Prenez des notes.

  10. Répondons à la question.

B. LE PROFESSEUR: Moi, je ne bois pas.

L'ÉTUDIANT: Oui, mais les autres boivent.

UN AUTRE ÉTUDIANT: Alors, il faut que je boive aussi.

LE PROFESSEUR: Moi, je ne pars pas.

L'ÉTUDIANT: Oui, mais les autres partent.

UN AUTRE ÉTUDIANT: Alors, il faut que je parte aussi.

Sauf quelques exceptions (**80 C, D, E**), les formes *je* _____, *tu* _____, *il* _____, et *ils* _____ du subjonctif se prononcent de la même façon que la forme *ils*_____ du présent. (Les terminaisons sont *-e, -es, -e* et *-ent*.)

1. Moi, je ne comprends pas.
2. Moi, je n'entends rien.
3. Moi, je ne me bats pas.
4. Moi, je n'écris rien.
5. Moi, je ne lis pas.
6. Moi, je ne mens jamais.
7. Moi, je ne m'en sers pas.
8. Moi, je ne viens pas.
9. Moi, je ne suis pas ce cours.
10. Moi, je ne ris pas.
11. Moi, je n'y tiens pas.
12. Moi, je ne le crains pas.
13. Moi, je n'en reçois pas.
14. Moi, je ne sors pas.
15. Moi, je ne dors pas.
16. Moi, je ne pars pas.
17. Moi, je ne le dis pas.
18. Moi, je ne finis jamais.

Subjunctive (**81C**)

C. LE PROFESSEUR: Je crois qu'il comprend.

L'ÉTUDIANT: Je ne suis pas certain qu'il comprenne.

On emploie le subjonctif après les expressions qui expriment un doute. Commencez chaque phrase par: je ne suis pas certain que . . .

1. Je crois qu'il boit.
2. Je crois qu'il ment.
3. Je crois qu'il bat ses enfants.
4. Je crois qu'elle lui plaît.
5. Je crois qu'elle sort la nuit.
6. Je crois qu'elle craint ses parents.
7. Je crois qu'elle ennuie notre hôte.
8. Je crois qu'elle s'appelle Ondine.
9. Je crois qu'elle travaille trop.

Subjunctive (**80C, D, E; 81A.1**)

D. LE PROFESSEUR: Je ne suis pas malade.

L'ÉTUDIANT: Je suis heureux que vous ne soyez pas malade.

On emploie le subjonctif après les expressions qui expriment une émotion. Revoyez le subjonctif des verbes suivants: aller, vouloir, valoir, faire, pouvoir, savoir, être, et avoir. Commencez chaque phrase par: je suis heureux que vous . . .

1. Je fais des progrès en classe.
2. Je peux comprendre.

3. Je sais la réponse.
4. Je suis préparé.
5. J'ai grande confiance.
6. Je veux réussir.
7. Je vaux mieux qu'on ne le croit.
8. Je vais en France.
9. Mon père le veut.
10. Il va en France aussi.

SUJET DE COMPOSITION

Racontez cette scène au passé dans le style indirect, c'est-à-dire sans citations. Apportez-y des changements, d'autres détails si vous le voulez.

THÈME D'IMITATION

Fabrice did not know he was dealing with a man who had a weak heart. He was astonished to see his father collapse when he aimed the pistol at him. He fired two times but the gun did not go off because of Marguerite's trick. She had taken the bullets out of ("to take out" = *enlever*) the gun. Fabrice realized what Marguerite had done and, furious, threw [away] his pistol. He stretched his father out on the couch and he listened to his heart. Fabrice had not taken all his exams yet, but he was able to recognize his father's disease, and decided to give him an injection.

PRONONCIATION

p—t—qu

These consonants are known as unvoiced stops. They are usually aspirated in English, that is, they are produced with a slight puff of air. In French they are not aspirated. In English they are nonaspirated when preceded by *s*. Compare *top* and *stop*, *kin* and *skin*, *pool* and *spool*. Try to pronounce *p*, *t*, and *qu* in French as if they were preceded by *s* in English. You may hold a sheet of paper before your mouth to see if you are aspirating or not. If you are not aspirating the paper will move very little.

REPEAT
plaisir; passer; penser; père; le coup; part; encore; il écoute son cœur; quelle comédie; tant pis; tuer; tomber; tirer

Spelling:
p (or *pp*)
t (or *tt*)
qu as in *quelle*; *c* before *a*, *o* and *u* as in *car*, *cœur*, and *cueille*; *ch* as in *chrétien*; *q* as in *cinq*.

20

ORNIFLE [III]

Jean Anouilh

Fabrice, qui est venu tuer son père, reste pour le soigner.° Sa fiancée, Marguerite, l'attendait en bas dans l'automobile. Il descend la chercher, mais revient bientôt, affolé.° Elle s'est sauvée!° Ornifle, qui trouve Fabrice vraiment très gentil garçon après tout, vient à son aide.

ORNIFLE: Ne t'affole donc pas, mon garçon. On voit bien que tu en es à tes débuts![1] Elle est partie parce qu'elle avait trop froid dans la voiture ou qu'elle s'ennuyait tout simplement. Les femmes ont horreur d'attendre. C'est un supplice° qu'elles nous réservent.

FABRICE: Non. C'est plus grave. Marguerite est partie pour toujours. Elle m'a laissé une lettre, sur le volant.°

ORNIFLE: Montre-moi ça. [*Il parcourt la lettre des yeux.*°] Mon pauvre garçon, elle est très gentille cette lettre: Elle te dit qu'elle te déteste. . . . Dans les vraies lettres de rupture,° on se dit qu'on restera bons amis toute sa vie et on ne se revoit jamais. Si elle te hait,° c'est qu'elle te reverra demain.

FABRICE: Non. Demain elle sera partie.

ORNIFLE: Où?

FABRICE: En Afrique du Sud!

ORNIFLE: Décidément, la situation s'embrouille!° Où as-tu été dénicher° une fille qui, à la moindre contrariété,° s'en va bouder° en Afrique du Sud?

FABRICE: Son père ne voulait pas que je l'épouse. Il l'envoie passer deux ans chez son oncle qui est établi° là-bas. Il lui a pris son billet.° Mais Marguerite m'aimait. Elle devait° se sauver° de chez elle plutôt que d'obéir. Nous nous serions cachés un an: le temps° qu'elle soit majeure.°. . .

ORNIFLE: [*Ravi.*°] Plus de doute. C'est bien mon fils![2] J'ai enlevé° comme ça une demi-douzaine de jeunes filles que je devais épouser un an plus tard.

---

[1] It's easy to see that you are just beginning, i.e., that you don't know anything about women.
[2] He's my son, all right!

VOCABULAIRE

soigner to take care of
affolé panic-stricken
se sauver to run off
le supplice the torture
le volant the steering wheel
parcourir des yeux to glance through
la rupture the breaking off (of a friend-
   ship, a love affair)
haïr to hate
s'embrouiller to get confused
dénicher to discover (colloquial)

la contrariété the vexation
bouder to pout
établi settled
prendre un billet to buy a ticket
elle devait she was supposed to
se sauver to run away
le temps de . . . time enough to . . .
majeur of age
ravi delighted
enlever to abduct; carry away

QUESTIONNAIRE

1. Pourquoi Fabrice reste-t-il?
2. Où était Marguerite? Qu'a-t-elle fait?
3. Ornifle croit-il que Fabrice connaît bien les femmes?
4. Comment Ornifle explique-t-il le départ de Marguerite?
5. Qu'est-ce les femmes n'aiment pas faire? Quel est le supplice qu'elles réservent aux hommes?
6. Pourquoi Fabrice croit-il que Marguerite est partie pour toujours?
7. Que dit Marguerite dans sa lettre?
8. Selon Ornifle, pourquoi est-ce que ce n'est pas une vraie lettre de rupture?
9. Qu'est-ce qu'Ornifle est étonné d'apprendre?
10. Quelle question pose-t-il à Fabrice?
11. Pourquoi le père de Marguerite lui avait-il pris un billet pour l'Afrique du Sud?
12. Qu'est-ce qu'elle devait y faire?
13. Qu'est-ce qu'elle allait faire plutôt que d'obéir à son père?
14. Qu'est qu'ils auraient fait pendant un an? Pourquoi un an et pas deux?
15. Pourquoi Ornifle est-il certain maintenant que Fabrice est son fils?
16. Fabrice semble-t-il vraiment être un Don Juan comme son père?

DIALOGUE

A. Ornifle essaie de consoler Fabrice en lui suggérant les raisons pour lesquelles Marguerite est probablement partie.
B. Fabrice dit que c'est plus grave et lui montre la lettre, en expliquant où il l'a trouvée.
A. Ornifle lui explique pourquoi c'est une lettre gentille, et non pas une lettre de rupture.
B. Fabrice dit qu'elle ira en Afrique du Sud. Il explique pourquoi.

ETUDE DE MOTS

1. *le temps qu'elle soit majeure* long enough for her to come of age
   Le temps de prendre mes livres et I'll be ready as soon as I get my books.
   je suis prêt.
   Vous serez long? Non—le temps de Will you take long? No—only as long as
   m'habiller. it takes me to get dressed.
   Le temps de prendre son passeport et on As soon as you get your passport you
   part. leave.
   le temps de prendre les clefs as soon as I get the keys

2. *Plus de doute!* There's no more doubt about it!
   Plus de vin! There's no more wine!
   Encore du vin! More wine!
   Plus d'étudiants! No more students!
   Il y a plus d'étudiants que l'année der- There are more students than last year.
   nière.

3. *La situation s'embrouille.* The situation is getting confused.
   Tout cela vous embrouille? Does all that get you mixed up?
   Je me suis embrouillé. I got mixed up.

4. Note idiomatic omission of article:
   Il le trouve très gentil garçon. He thinks he's a very nice boy.
   · *Ils restent bons amis.* They remain good friends.

EXERCICES

Subjunctive (81)

A. LE PROFESSEUR: Croyez-vous?
   L'ÉTUDIANT: Croyez-vous qu'il vienne?
   LE PROFESSEUR: Je suis certain que ...
   L'ÉTUDIANT: Je suis certain qu'il viendra.

Revoyez les expressions suivies du subjonctif. Notez qu'il n'y a pas de forme spéciale du subjonctif pour marquer le futur. Complétez chaque phrase par *il vienne* ou *il viendra*.

1. Je doute qu' ...
2. Je crois qu' ...
3. J'espère qu' ...
4. J'attends jusqu'à ce qu' ...
5. Il se peut qu' ...
6. Il est important qu' ...
7. Je sais qu' ...

8. Cela m'étonnerait qu' ...
9. Je veux qu' ...
10. On m'a dit qu' ...
11. Je suis content qu' ...
12. Je suis content parce qu' ...
13. J'irai aussi puisqu' ...

B. LE PROFESSEUR: Vous savez la réponse. Je veux.
L'ÉTUDIANT: Je veux que vous sachiez la réponse.
LE PROFESSEUR: Vous savez la réponse. Je crois.
L'ÉTUDIANT: Je crois que vous savez la réponse.

1. Fabrice est médecin. Ornifle a de la chance.
2. Fabrice est médecin. Ornifle ne sait pas.
3. Fabrice lui fait une piqûre. Il a fallu.
4. Fabrice peut le guérir. Je doute.
5. Fabrice pourra le guérir. Je crois.
6. Fabrice veut le guérir. Ça m'étonne.
7. Fabrice a fait des études de médecine. Ornifle a de la chance.
8. Maintenant Fabrice et Ornifle sont réconciliés. C'est étonnant.
9. Ils peuvent se comprendre. Je suis content.
10. Il n'y a pas de balles dans le pistolet. Il est vrai.
11. Il n'y a pas de balles dans le pistolet. C'est heureux.
12. Fabrice va chercher Marguerite. Il faut.

C. 1. LE PROFESSEUR: Elle *avait fait le projet de* l'épouser.
L'ÉTUDIANT: Elle devait l'épouser.
2. LE PROFESSEUR: Elle *a été obligé de* l'épouser.
L'ÉTUDIANT: Elle a dû l'épouser.
3. LE PROFESSEUR: Elle a un anneau au doigt. Elle *l'a probablement épousé.*
L'ÉTUDIANT: Elle a dû l'épouser.
4. LE PROFESSEUR: Il *a une dette de* cent francs.
L'ÉTUDIANT: Il doit cent francs.
5. LE PROFESSEUR: *Il faut qu'elle l'épouse.*
L'ÉTUDIANT: Elle doit l'épouser.
6. LE PROFESSEUR: Il avait promis. Il *aurait été plus honnête s'il l'avait épousée.*
L'ÉTUDIANT: Il aurait dû l'épouser.
7. LE PROFESSEUR: Il *paraît qu'il va* l'épouser.
L'ÉTUDIANT: Il doit l'épouser.

Exprimez la pensée des mots en italique dans les phrases ci-dessous par une forme convenable du verbe *devoir*.
1. *Il faut que je travaille.*
2. Mes parents comptent sur moi. *C'est mon devoir de* travailler. (Mais le ferais-je?)

3. Au début de l'année je *m'étais arrangé pour* me spécialiser en français. (Mais maintenant ça paraît douteux.)
4. Marie a très bien répondu. Elle a *probablement étudié*.
5. On lui a dit que si elle ne travaillait pas on la renverrait. Alors elle a *bien été obligée de* travailler.
6. *D'après ce que j'ai entendu dire, elle part.*
7. Et elle *est tenue de me payer* cinq dollars!

D. LE PROFESSEUR: Feignez-vous de vous endormir?
    L'ÉTUDIANT: Oui, je feins de m'endormir.
    LE PROFESSEUR: Soulignez-vous les phrases?
    L'ÉTUDIANT: Oui, je souligne les phrases.

Distinguez entre les verbes comme *craindre, peindre*, etc., et les verbes réguliers en *-er*. Faites attention d'employer le pronom réfléchi convenable.
1. Peignez-vous beaucoup?
2. Signez-vous vos peintures?
3. Craignez-vous les critiques trop sévères?
4. Vous plaignez-vous de l'incompréhension des critiques?
5. Enseignez-vous la peinture aux débutants?
6. Atteignez-vous rarement le but que vous vous proposez?
7. Vous soignez-vous quand vous êtes malade?
8. Eteignez-vous avant de vous coucher?

Demonstrative pronouns (30)

E. LE PROFESSEUR: Voici deux livres. Lequel préférez-vous?
    L'ÉTUDIANT: Celui-là (*ou*, celui-ci).
    LE PROFESSEUR: Le livre que j'ai à la main?
    L'ÉTUDIANT: Oui, celui que vous avez à la main.

1. Voici les trois pièces que nous avons lues. Laquelle était la plus facile? La pièce que nous avons lue au début?
2. Regardez cette liste de mots. Lesquels comprenez-vous? Les mots que nous avons souvent répétés?
3. Lisez ces expressions difficiles. Lesquelles ignorez-vous? Les expressions que nous n'avons pas répétées?
4. Songez aux auteurs que nous avons lus. Lequel vous plaît? L'auteur que vous connaissez le mieux?
5. Voici deux photographies. Laquelle préférez-vous? La photographie de la jeune fille?
6. Admirez cette boîte de bonbons. Lesquels choisissez-vous? Les bonbons que vous avez déjà goûtés?
7. Regardez toutes ces truites. Lesquelles ferai-je cuire? Les truites qui sont encore vivantes?
8. Ecoutez ces oiseaux. Lequel voudriez-vous emporter? L'oiseau qui chante le plus joliment?

SUJET DE COMPOSITION

Ecrivez un monologue pour Marguerite qui attend dans l'automobile. Elle s'impatiente. Elle écrit la lettre. Elle s'en ira. Où? En Afrique du Nord?

THÈME D'IMITATION

Marguerite knew that Fabrice would not kill Ornifle. After all, she had removed all the bullets from his gun! Yet when he went down to get her, he found she had run away. Why? Not because women hate to wait or simply because she was bored, but because she was angry. She had tried to tell Fabrice to forget all that nonsense, but he would not (28) listen to what she was saying. He would always say that women don't understand much about questions of honor. Marguerite said she would run away rather than marry a man who had wanted to kill his father, and that is what she did.

PRONONCIATION

Pronounced final consonants

Most final consonants are not pronounced in French. The consonants of the word *careful*, that is *c*, *r*, *f*, and *l* are usually pronounced in final position. (Note that *r* is silent in the infinitive ending *-er*; *aller*; *parler*.)

REPEAT

sac; lac; bref; pour; bol; maladif; par; mal; tic; chacal; pal; naïf

Final *e* is an indication that the preceding consonant is pronounced.

CONTRAST

plat	plate
bas	base
fin	fine

j and *ch*

The sound usually represented by *j* has a near equivalent in English in the second consonant of *leisure*.

REPEAT

je; majeure; Jean; jouer; joie; gifle; gigot; gens; geste

Contrast with *ch* which has a near equivalent in English in the initial sound of *shoe*.

ch	*j*
des chats	déjà
chaque	Jacques
champ	Jean
chéri	j'ai ri

Spelling: Ch is spelled *ch* as in *Charles. J* is spelled *j* or *g* followed by *e* as in *général* or *i* as in *gifle*. (*G* is pronounced like English hard *g*, as in *guess*, when followed by *a*, *o*, or *u*.)

21

ORNIFLE [IV]

Jean Anouilh

Ornifle fait venir Marguerite. Il voudrait la réconcilier avec Fabrice.

FABRICE: Marguerite. . . .

MARGUERITE: [*Recule.°*] Ne me touche pas! Tu ne me toucheras plus jamais! Tes mains d'assassin me font horreur.°. . .

FABRICE: [*Gémit.°*] Mais puisque je n'ai pas tué mon père! . . .

MARGUERITE: [*Hausse les épaules.°*] Je le sais bien que tu ne l'as pas tué, ton père, j'avais enlevé les balles du pistolet! Mais tu as préféré le faire et risquer de me perdre. Entre lui et moi c'est lui que tu as choisi! C'est ça que je ne pourrai jamais te pardonner. . . . Demain à cette heure-ci je serai dans l'avion,° toute seule, le cœur brisé.° J'essaierai de dormir. Je ne le pourrai pas. D'ailleurs, l'avion capotera° peut-être. . . .

FABRICE: [*Crie, se tordant les mains:°*] Marguerite!

MARGUERITE: [*Lointaine déjà.[1]*] Les autres hurleront° de peur. Pas moi. Après tout ce que j'aurai souffert, cela m'apparaîtra comme une déliv-rance. Je sourirai, étonnant tout le monde par mon calme. . . . Malheur-eusement, il n'y aura pas de survivants et on ne pourra pas venir te dire: "Au moment où l'avion piquait° vers les flots° sombres, elle souriait." J'aurais voulu que cette vision empoisonne à jamais ta vie! Adieu, Fabrice!

[*Elle sort très noble.*]

FABRICE: [*Se redresse° et hurle, se précipitant:°*] Marguerite!

ORNIFLE: N'aie pas peur. C'est la salle de bain.[2] Elle va revenir. . . . Sont-ils bêtes! Et dire que° c'est ça l'amour.

Marguerite revient et tout finit bien.

[1] Already in another world.
[2] Marguerite ruins her grand exit by going out the wrong door.

Adieu, Fabrice !

VOCABULAIRE

reculer to draw back

faire horreur to horrify

gémir to moan

hausser les épaules to shrug one's shoulders

un avion an airplane

briser to break

capoter to crash

se tordre les mains to wring one's hands

hurler to yell

piquer to dive, go down

les flots the billows

se redresser to stand up, straighten up

se précipiter to rush forward

dire que . . . ! to think that . . . !

QUESTIONNAIRE

1. Pourquoi Ornifle fait-il venir Marguerite?
2. Pourquoi recule-t-elle? Qu'est-ce qui lui fait horreur?
3. Comment Fabrice s'excuse-t-il?
4. Pourquoi Marguerite sait-elle que Fabrice n'a pas tué son père?
5. Pourquoi est-elle fâchée (*angry*)?
6. Qu'est-ce qu'elle "ne pourra jamais pardonner"?
7. Où sera-t-elle demain? Qu'est-ce qu'elle y fera?
8. Pourquoi Fabrice se tord-il les mains?
9. Que feront les autres dans l'avion?
10. Quelle sera l'attitude de Marguerite?
11. Comment étonnera-t-elle tout le monde?
12. Pourquoi Fabrice ne saura-t-il pas ce qui s'est passé?
13. Qu'est-ce que Marguerite aurait voulu?
14. Qu'est-ce qu'il y a de mélodramatique dans cette scène imaginaire?
15. Que fait Fabrice quand Marguerite sort?
16. Qu'est-ce qui gâte (*ruins*) sa sortie?
17. Quelle opinion Ornifle a-t-il de ces jeunes gens?

ETUDE DE MOTS

1. *Il a des mains d'assassin.*　　He has hands like an assassin.

   Il a des yeux de lynx.　　He has eyes like a lynx (lynx-eyes).

   Il a une tête de boxeur.　　He has a head like a boxer.

   Elle a des jambes de ballerine.　　She has legs like a ballerina.

2. *Dire que c'est ça l'amour!*　　To think that *that* is love!

   Dire qu'il y a deux heures il voulait le tuer!　　To think that just two hours ago he wanted to kill him!

   Dire que c'est vous mon père!　　To think that *you* are my father!

EXERCICES

Future (36)

A. LE PROFESSEUR: Si elle va en avion, elle aura peur.
 L'ÉTUDIANT: Quand elle ira en avion, elle aura peur.

On emploie le futur dans une proposition subordonnée introduite par *quand, lorsque, dès que,* ou *aussitôt que* si le verbe de la proposition principale est au futur. (Notez qu'en anglais on emploie le présent dans la proposition subordonnée: *She'll be afraid when she goes in the plane.*)

  1. Si elle part, il sera fâché.
  2. Tu prendras ça, si tu as peur.
  3. Si elle revient, il faudra lui parler.
  4. Il pourra lui parler, si elle est calme.
  5. S'il voit le garçon dont il a peur, Toto courra.
  6. Si l'avion capote, les passagers hurleront.
  7. Elle pourra sortir, si elle veut.
  8. Ornifle sourira, s'il se rappelle cette scène.
  9. Fabrice sera étonné, si elle apparaît.
  10. S'ils se réconcilient, il y aura une scène touchante.

Subjunctive (81)

B. LE PROFESSEUR: Nous allons partir_____. Il pleut. Avant qu'
 L'ÉTUDIANT: Nous allons partir avant qu'il [ne] pleuve.[3]
 LE PROFESSEUR: Nous allons partir_____. Il pleut. Ne voyez-vous pas?
 L'ÉTUDIANT: Nous allons partir. Ne voyez-vous pas qu'il pleut?

  (1) Nous allons partir_____. Il pleut.

parce qu'	de peur qu'
puisqu'	de crainte qu'

  (2) Nous allons rester_____. Il pleut.

jusqu'à ce qu'	en attendant qu'
bien qu'	à moins qu'
quoi qu'	mais nous craignons qu'

  (3) Nous allons rester_____. Il fera beau.

pourvu qu'	puisqu'
nous sommes certains qu'	il est possible qu'
jusqu' à ce qu'	mais nous tenons à ce qu'

  (4) Nous allons rester_____. Vous resterez aussi.

nous voulons que	promettez-nous que
nous espérons que	il faut que
se peut-il que . . . ?	afin que

---

[3] Le *ne* explétif après *de peur que, de crainte que, à moins que, avant que* peut être omis.

C. LE PROFESSEUR: Je suis heureux que vous veniez.
    L'ÉTUDIANT: Je suis heureux de venir.

Dans la phrase du professeur les deux verbes ont des sujets différents; on emploie une proposition subordonnée. Dans la phrase de l'étudiant les deux verbes ont le même sujet; on emploie l'infinitif.

1. Je voulais que vous veniez.
2. Je tenais à ce que vous veniez.
3. Je suis charmé que vous veniez.
4. Je ne croyais pas que vous puissiez venir.
5. Je voulais téléphoner avant que vous ne veniez.
6. J'ai tout arrangé pour que vous veniez.
7. J'aurais préféré que vous veniez plus tôt.

Imperative (41)

D. LE PROFESSEUR: Il faut les aider.
    L'ÉTUDIANT: Aidez-les.

Revoyez l'impératif. Remarquez que les verbes *être*, *vouloir*, *avoir*, et *savoir* ont le même radical à l'impératif qu'au subjonctif.

1. Il faut le savoir.
2. Il faut être prudent.
3. Il faut avoir du courage.
4. Il faut en avoir.
5. Quel beau film! Il faut le voir.
6. Mais il faut y être à l'heure.
7. Et il faut savoir le programme.
8. Il faut avoir la patience d'attendre.
9. Il faut emmener les enfants.
10. Il faut le leur expliquer.

E. LE PROFESSEUR: Il faut les aider.
    L'ÉTUDIANT: Aide-les.

Refaites l'exercice D d'après le modèle ci-dessus.

SUJET DE COMPOSITION

Racontez un voyage dangereux que vous avez fait par avion. Il y a eu un atterrissage forcé (*a forced landing*). Qu'est-ce qui est arrivé?

THÈME D'IMITATION

Tomorrow I am leaving for South America. My father has already bought the tickets. The others are leaving, so I have to leave too. My family is like that. The others fight, so I have to fight too. The others lie, so I have to lie too. I am horrified by all that. That is why I wanted to run away with Fabrice. Fabrice swore he would marry me and he has the habit of keeping his word, but my father does not want me to marry him, and I am not yet of age. We were going to hide (for) a year. But now the situation is getting confused. Fabrice wouldn't listen to me and I am angry. What will I do? I've got it! I will ask Fabrice's father to help me. He is so nice!

PRONONCIATION

Mute *e*

e as in *le, ce, me,* and *petit,* is often called mute *e*. Its pronunciation is similar to closed *eu*. Its distinctive feature is that in normal speech it is often dropped. Practice varies from one speaker to another. The following are utterances in which the mute *e* is very likely to be dropped:

pas de café; beaucoup de vin; un peu de bière; mademoiselle; doucement; lentement

The rule of three consonants. The mute *e* is never dropped when dropping it would create a combination of three consonants with no vowel intervening. Thus the mute *e* is pronounced in *appartement.* Repeat the following utterances dropping the mute *e* except where the rule of three consonants forbids it.

vivement
légèrement
ils viennent de parler
il comprend le français
bigrement

ils comprennent le français
il vient de parler
appelez-vous?
je parlerai

Vocabulary and Idioms

TRANSLATE

1. He strides up to him (menacingly).   Il marche sur lui.
2. What's got into you?   Qu'est-ce qui vous prend?
3. The gun (shot) doesn't go off.   Le coup ne part pas.
4. He has a weak heart.   Il n'a pas le cœur solide.
5. He is just beginning (in life, in business, in affairs of the heart).   Il en est à ses débuts.
6. He bought her her ticket.   Il lui a pris son billet.
7. No more doubt about it!   Plus de doute!
8. He's my son, all right!   C'est bien mon fils!
9. She shrugs her shoulders.   Elle hausse les épaules.
10. He wrings his hands.   Il se tord les mains.
11. And to think that that's what love is!   Et dire que c'est ça l'amour!
12. You don't know who you are dealing with.   Vous ne savez pas à qui vous avez affaire.

REPLACE THE EXPRESSION IN ITALICS BY A SYNONYM

1. J'ai l'habitude de *garder mes promesses.*   tenir ma parole
2. *le bâtard*   le fils naturel
3. *amusant*   drôle
4. des scènes *comme* celle-ci   pareilles à
5. Ne pense plus à ces *choses frivoles*   fariboles
6. Soudain Ornifle *parle très haut.*   crie
7. Soudain Ornifle *tombe par terre.*   s'écroule
8. Il l'étend sur un *sofa.*   canapé
9. Il *s'occupe de sa santé.*   le soigne
10. Les femmes *détestent* attendre.   ont horreur d'
11. *la torture*   le supplice
12. une bouteille que je *garde pour vous*   vous réserve
13. *la division entre deux amis, deux amants*   la rupture
14. Elle te *déteste.*   hait

15. *se compliquer*	s'embrouiller
16. *trouver*	dénicher
17. *le mécontentement, l'obstacle*	la contrariété
18. Elle devait se sauver de *sa maison*	chez elle
19. *très heureux*	ravi
20. *cassé*	brisé
21. Vous *plaisantez?*	voulez rire
22. Il prend la lettre et il *y jette un coup d'œil*.	la parcourt des yeux
23. *Nous étions d'accord qu'elle allait* se sauver.	elle devait
24. Il doit *se présenter à* un examen.	passer
25. Servez la truite *comme premier plat*.	d'abord
26. Ornifle est *allongé* sur le canapé.	étendu
27. Fabrice ne veut pas tirer sur son père *de très près*.	à bout portant
28. Fabrice crie, mais Ornifle ne *se remue* pas.	bouge
29. Marguerite *n'a pas vingt-et-un ans*.	n'est pas majeure
30. L'oncle de Marguerite *demeure* en Afrique du Sud.	est établi

ANSWER BRIEFLY THE FOLLOWING QUESTIONS

1. Qu'est-ce qu'Ornifle porte au bal masqué?	une perruque
2. Quel traitement Fabrice donne-t-il à Ornifle après son diagnostic?	Il lui fait une piqûre.
3. Où Marguerite a-t-elle laissé sa lettre de rupture?	sur le volant
4. Qu'est-ce que Marguerite avait ôté du pistolet?	les balles
5. Qu'est-ce que Marguerite prendra pour aller en Afrique du Sud?	un avion
6. D'après Marguerite que fera l'avion?	Il capotera.

New Grammar

1. Prepositions (**68**)

2. Demonstrative adjectives (**29**)

this waiter	ce garçon-ci
this girl	cette fille-ci
that man	cet homme-là
these persons	ces personnes-ci

3. Demonstrative pronouns (**30**)

(*a*) Quel auteur?

This one?	Celui-ci?
That one?	Celui-là?

(*b*) Quelle scène?

This one?	Celle-ci?
That one?	Celle-là?
The one by Anouilh?	Celle par Anouilh?
The one we are reading?	Celle que nous lisons?

(*c*) Quels auteurs?

these	ceux-ci
those	ceux-là
the ones we are reading	ceux que nous lisons
the ones in the book	ceux dans le livre

(*d*) Quelles scènes?

These?	Celles-ci?
Those?	Celles-là?

4. Subjunctive (**80–81**)

I want him to come.	Je veux qu'il vienne.
He must come.	Il faut qu'il vienne.
I am certain he will come.	Je suis certain qu'il viendra.
It is not certain that he will come.	Il n'est pas certain qu'il vienne.
I am happy he is coming.	Je suis heureux qu'il vienne.
It is astonishing that he is coming.	C'est étonnant qu'il vienne.
I am not coming unless he comes.	Je ne viens pas à moins qu'il ne vienne.
I am coming provided he comes.	Je viens pourvu qu'il vienne.
I am leaving before he comes.	Je pars avant qu'il ne vienne.
I am leaving because he is coming.	Je pars parce qu'il vient.

5. Future (**36**)

When she leaves, he will be sad.	Quand elle partira, il sera triste.

6. Imperative (**41**)

Review Grammar

1. Object pronouns (**54–59**)

2. Orthographic changing verbs (**60A, B**)

3. Present (**72**), especially *craindre* and verbs like it, and *nous*_____ and *ils*_____forms for subjunctive stems.

Part Two

22

L'HURLUBERLU[1] [I]

Jean Anouilh

Dans *L'Hurluberlu* de Jean Anouilh, un général en retraite° enseigne° le courage à son fils Toto, un garçon de douze ans.

LE GÉNÉRAL: Il te fait peur, le fils du laitier?°

TOTO: Oui.

LE GÉNÉRAL: Et qu'est-ce que tu fais, quand tu as peur?

TOTO: Je me sauve.°

LE GÉNÉRAL: Dans quelle direction?

TOTO: Par derrière.°

LE GÉNÉRAL: Ecoute-moi bien, ce n'est pas difficile. La prochaine fois, quand tu auras peur, au lieu de te sauver par-derrière, sauve-toi par-devant.° Devant ou derrière, qu'est-ce que ça peut bien te faire° à toi, pourvu que° tu coures?... Seulement, comme ça, c'est lui qui aura peur. Il n'y a pas d'autre secret. Au combat, tout le monde a peur. La seule différence est dans la direction qu'on prend pour courir.

TOTO: Et s'il n'a pas peur?

LE GÉNÉRAL: Si tu cours vite, il aura sûrement peur. Tu sais ce que c'est que du mininistafia?[2]

TOTO: Non.

LE GÉNÉRAL: Je vais t'en donner un morceau. [*Il va fouiller° dans le tiroir de son bureau et finit par trouver un morceau de buvard° rouge.*] Tiens! Ça fera l'affaire.° Il n'est plus d'aussi bonne qualité que celui d'avant-guerre,° mais ça agit° quand même. Voilà. Je ne t'en donne pas un grand morceau. Le mininistafia se fait rare° de nos jours.° Il faut l'économiser. Quand tu sens que tu vas avoir peur, tu en croques° un tout petit bout.°

VOCABULAIRE

en retraite in retirement	*se sauver* to run away
enseigner to teach	*par-derrière* behind; the back way
le laitier the dairyman	*par-devant* the front way; ahead

[1] *Un hurluberlu* is an excitable person who is always going off in all directions. The general is *un hurluberlu*. The play was presented on Broadway under the title *The Fighting Cock*.

[2] a made-up word; a magic word for a magic substance.

qu'est-ce que ça peut (bien) te faire? what do you care?

pourvu que provided that

fouiller to search; rummage

le buvard the blotting-paper

faire l'affaire to do the trick

d'avant-guerre prewar

agir to work; take effect

quand même anyhow

se faire rare to get scarce

de nos jours nowadays

croquer to munch

un bout a bit; a little

QUESTIONNAIRE

1. Que fait le général dans cette scène?
2. Qui fait peur à Toto?
3. Qu'est-ce qu'il fait quand il a peur?
4. Qu'est-ce que Toto devrait faire au lieu de se sauver par-derrière?
5. Comment le général essaye-t-il de persuader Toto qu'il est aussi facile de se sauver par-devant que par-derrière?
6. Au combat quelle est la différence entre les "braves" et les "lâches" (*cowards*)?
7. Quelle objection Toto fait-il? Comment le général y répond-il?
8. Qu'est-ce que c'est que le mininistafia?
9. Que fait le général pour le trouver?
10. Quelle vertu le mininistafia a-t-il?
11. Pourquoi ne lui en donne-t-il qu'un petit bout?
12. De quelle qualité est-il?
13. Que fait-on quand on a peur?
14. Le général semble-t-il croire que les hommes et les choses de notre époque valent ceux d'autrefois? Justifiez votre réponse.

DIALOGUE

A. Toto dit à son père, le général, que le fils du laitier lui fait peur et qu'il se sauve quand il a peur.

B. Le général lui dit de se sauver par-devant, et lui explique la seule différence entre les braves et les lâches (*cowards*) au combat.

A. Toto lui demande ce qu'on doit faire si l'autre n'a pas peur.

B. Le général lui dit qu'on prend du mininistafia, et lui explique ce que c'est.

ETUDE DE MOTS

Il finit par trouver.	He finally finds.
Il finit par ne plus avoir peur.	At the end he isn't frightened any more.
J'ai fini par comprendre.	I finally understood.
Dites donc, vous finirez par m'agacer.	(If you keep that up) I'm going to get irritated.
Il finit par l'épouser.	He finally marries her.

EXERCICES

Demonstrative pronouns (30)

A. LE PROFESSEUR: Préférez-vous le buvard d'avant-guerre ou le buvard d'aujourd'-
hui?

L'ÉTUDIANT: Je préfère celui d'avant-guerre.

Répondez par une phrase complète en employant le pronom démonstratif
convenable.

1. Croyez-vous au système du général ou au système de son fils?
2. Suivez-vous l'exemple du général ou l'exemple de son fils?
3. Préférez-vous la pièce par Giraudoux ou la pièce par Anouilh?
4. Lisez-vous les poésies de Prévert ou les poésies d'Aragon?
5. Aimez-vous mieux le fils du général ou le fils du laitier?
6. Suivez-vous le conseil de votre père ou le conseil de votre mère?
7. Répétez-vous les exercices de la fin du livre ou les exercices du début?
8. Craignez-vous l'examen du mi-semestre ou l'examen de la fin du semestre?

B. Traduisez les expressions suivantes. L'antécédent est indiqué en français.
Notez les différentes expressions en anglais qui se traduisent par le pronom
démonstratif en français.

Ce buvard est meilleur que . . .
1. that one
2. this one
3. the general's
4. the prewar kind
5. the one you have

Je préfère cette truite-ci à . . .
1. this one
2. that one
3. Eugénie's
4. the one from the lake
5. the one she is preparing

Object pronouns (57B, C)

C. LE PROFESSEUR: Je te donne un morceau *de mininistafia.*

L'ÉTUDIANT: Je t'en donne un morceau.

En remplace le nom précédé de *de* ou d'un adjectif numéral.
Observez le contraste entre l'anglais et le français:

Anglais	*Français*
He has five.	Il en a cinq.

1. Je te donne un peu *de mininistafia*.
2. Je ne te donne pas beaucoup *de mininistafia*.
3. Je te donne trois *morceaux*.
4. Tu croques un tout petit bout *de mininistafia*.
5. Il ne reste plus beaucoup *de buvard de bonne qualité*.
6. Nous avons commandé deux *truites*.
7. Elle nous a apporté trois *truites*.
8. Je vous offre une *de ces truites*.
9. Elle nous a apporté trop *de truites*.
10. Nous ne mangeons pas beaucoup *de poisson*.

D. LE PROFESSEUR: J'ai *des livres* excellents.
    L'ÉTUDIANT: J'en ai d'excellents.

On peut conserver l'adjectif et remplacer le nom qu'il modifie par *en*. En ce cas il est normal d'employer *de*, devant l'adjectif (mais *du, de la, des, de l'* ne sont pas défendus). Notez la traduction de ces phrases:

Anglais	*Français*
I have excellent ones.	J'en ai d'excellents.
I have an excellent one.	J'en ai un excellent.

1. Ils ont de belles *truites*.
2. On m'a servi une petite *truite*.
3. J'ai mangé une meilleure *truite*.
4. Vous me racontez de bonnes *histoires*.
5. Vous avez souvent des *plats* délicieux.
6. Je connais des *chants* immortels.

Object pronouns (**54–58, 59F**)

E. LE PROFESSEUR: Je vais parler *à ton père*.
    L'ÉTUDIANT: Je vais lui parler.

Le pronom complément précède l'infinitif dont il est le complément. Revoyez les pronoms compléments: *le, la, les*, compléments d'objet directs, *lui, leur*, compléments d'objet indirects, *y* remplaçant un nom de chose précédé par *à* ou une préposition de lieu, et *en* remplaçant un nom précédé par *de*.

1. Il veut faire peur *au fils du laitier*.
2. Il faut manger *le mininistafia*.
3. Il faut manger un peu *de mininistafia*.
4. Toto a l'intention d'aller *chez le laitier*.
5. Il veut battre *le fils du laitier*.
6. Il va surprendre *tous ses amis*.
7. Il veut parler *à tous ses amis*.
8. Il veut parler *de son secret*.
9. Il faut économiser *le mininistafia*.
10. Il vaudra mieux regarder *dans le tiroir*.

Negatives (49)

F. LE PROFESSEUR: N'admets pas *que tu as peur*.
    L'ÉTUDIANT: Il dit de ne pas l'admettre.
    LE PROFESSEUR: Ne mange plus *de bonbons*.
    L'ÉTUDIANT: Il dit de ne plus en manger.

Quand la négation s'applique à l'infinitif *ne pas* (ou *ne jamais, ne plus, ne rien*) précèdent l'infinitif. Le pronom complément se place entre le négatif et l'infinitif.

1. Ne prends pas *cette direction-là*.
2. Ne fouille pas *dans ce tiroir*.
3. Ne mange pas *de mininistafia*.
4. N'oublie jamais *ce que je te dis*.
5. Ne va pas *dans la forêt*.
6. Ne déplais pas *à ta maman*.
7. Ne mens jamais *à ton papa*.
8. Ne croque plus *de chocolat*.
9. Ne tutoie plus *les domestiques*.
10. Ne néglige pas *tes leçons*.

SUJET DE COMPOSITION

Toto explique à sa sœur, Marie-Christine, comment il a appris à ne pas avoir peur. Qu'est-ce qui arrivera la prochaine fois qu'il verra le fils du laitier?

THÈME D'IMITATION

The general's son runs away when he sees the milkman's son. He is afraid. The general tells him, "Provided you run in the right direction, the other [fellow] will be afraid and he will run away. All you have to do is to munch a little bit of red blotting paper." Men have always believed that they needed something like mininistafia when they went into combat. They have always believed that there are great forces around man that can help him. Of course if these forces were too accessible (*accessibles*), they (9) wouldn't work. You have to economize them. And they don't suffice. You have to have courage and nerve first.

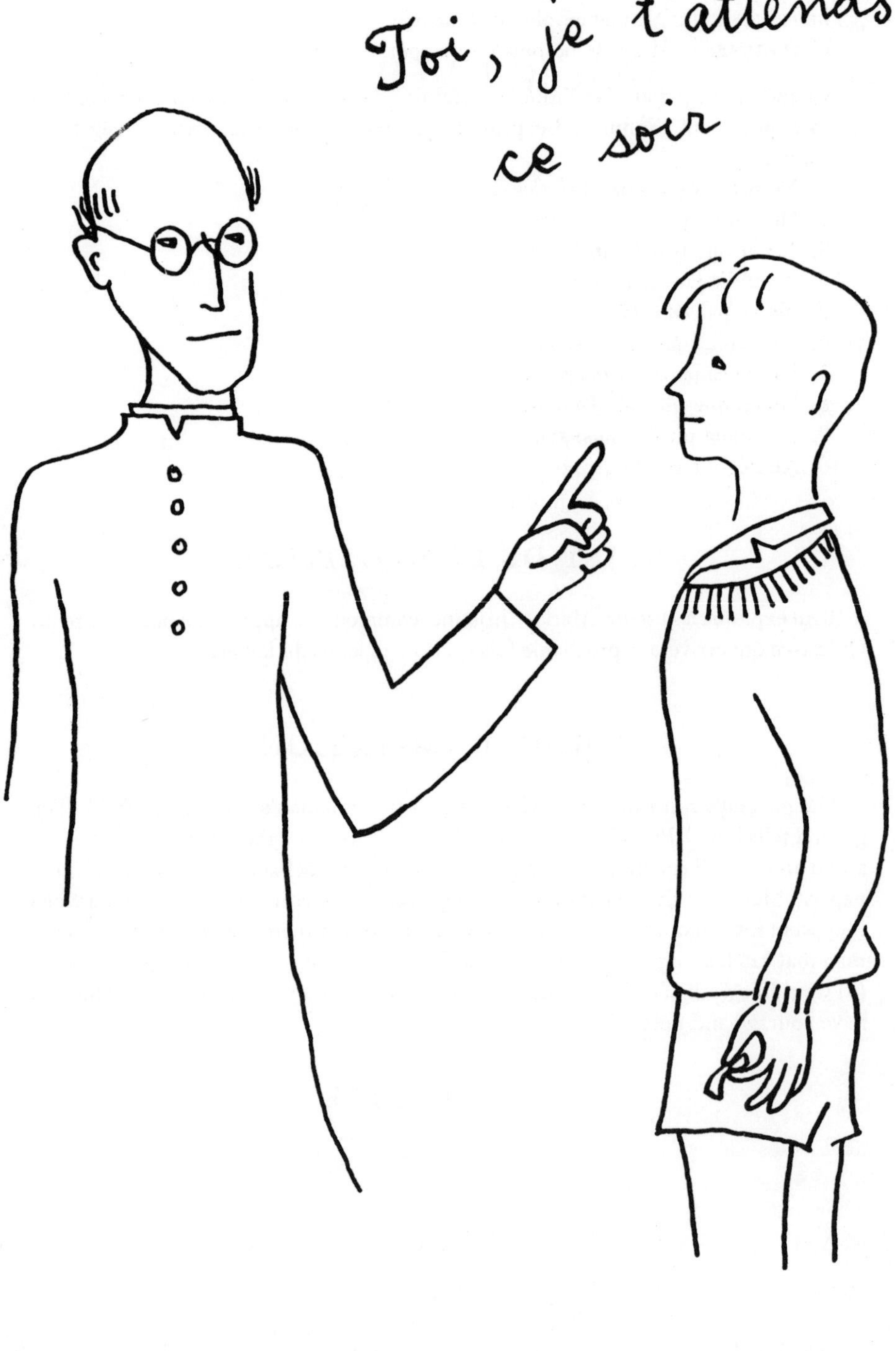
Toi, je t'attends
ce soir

23

L'HURLUBERLU [II]

Jean Anouilh

Toto prend le "mininistafia" et demande:

TOTO: Et je l'avale?°

LE GÉNÉRAL: Oui.

TOTO: Maman dira que c'est sale.°

LE GÉNÉRAL: Les femmes ne comprennent pas grand-chose° aux histoires de mininistafia. Il vaudra mieux° ne pas lui en parler.

TOTO: Et si elle me dit: "Qu'est-ce que tu as dans la bouche?"

LE GÉNÉRAL: Tu avales d'abord, et tu lui réponds: "Rien."

TOTO: Ça sera un mensonge.° La dernière fois que tu m'as expliqué l'honneur, tu m'as dit que l'honneur commandait de ne pas mentir.

LE GÉNÉRAL: Oui. Mais quand il s'agit d'une question d'honneur, précisément, on prend ça sur soi[1] et on ment quand même. Bon Dieu, que tout est difficile! Dépêche-toi de grandir. Je t'expliquerai. Mais désormais,° puisque tu ne risques plus rien, maintenant que tu as du mininistafia, sauve-toi par-devant!

[*Entre le curé.*°]

LE GÉNÉRAL: Bonjour, Monsieur le Curé!

LE CURÉ: Mon général, il est cinq heures!

LE GÉNÉRAL: [*A Toto:*] Laisse-nous, fiston.° Nous avons, Monsieur le Curé et moi, à discuter de graves questions paroissiales.°

LE CURÉ: [*A Toto:*] Toi, je t'attends ce soir avec ta leçon de catéchisme, sue° cette fois! Et si tu bafouilles° encore, gare à° tes fesses!°

[*Toto le regarde calmement en face, mange un morceau de mininistafia et sort dignement.*°]

VOCABULAIRE

avaler to swallow	*il vaut mieux* it is better
sale dirty	*le mensonge* the lie
pas grand-chose not much	*désormais* henceforth

[1] You make your mind up to do it, you take the responsibility for it.

le curé the priest
fiston son; kid (colloquial)
paroissial concerning the parish
su known
bafouiller to stammer; talk nonsense

gare à watch out for
les fesses the bottom; the behind; the buttocks
[*la fessée* the spanking]
dignement with dignity; worthily

QUESTIONNAIRE

1. Pourquoi Toto hésite-t-il à avaler le morceau de buvard?
2. Pourquoi le général dit-il de ne pas en parler à sa maman?
3. Mais, selon Toto, quelle question lui posera-t-elle?
4. Selon le général, comment est-ce que Toto devrait répondre?
5. Quelle objection Toto fait-il? Comment le général semble-t-il se contredire (*to contradict himself*)?
6. Mais dans les questions d'honneur, que fait-on quand même?
7. Quand est-ce que le général expliquera tout ça à Toto?
8. Qu'est-ce que Toto doit faire désormais? Pourquoi?
9. Pourquoi le général dit-il à Toto de s'en aller?
10. Quelle recommandation le curé fait-il à Toto? Et quelle menace?
11. Comment Toto accueille-t-il (*greet*) cette menace?
12. Pourquoi n'a-t-il pas peur du curé?

DIALOGUE

A. Toto dit que s'il avale le mininistafia sa mère dira que c'est sale.
B. Le général lui dit de ne pas en parler à sa mère.
A. Toto lui demande ce qu'il doit dire si elle lui demande ce qu'il a dans la bouche.
B. Le général lui dit d'avaler d'abord et de répondre "Rien."
A. Toto lui dit que ça serait un mensonge, et explique comment cela contredit ce qu'il lui a dit, la dernière fois qu'il lui a expliqué l'honneur.

ETUDE DE MOTS

1. *Elles ne comprennent pas grand-chose à ces histoires.*
   They don't understand much about these matters.
   Je n'y comprends rien.
   I don't understand anything about it.
   Je ne comprends rien à la philosophie.
   I don't understand anything about philosophy.
   Vous ne comprenez rien à rien.
   You don't understand anything at all.

2. *pas grand-chose*
   not much
   Qu'est-ce que vous avez mangé?
   Pas grand-chose.
   What did you eat? Not much.
   Qu'est-ce qu'il y a comme vins?
   Pas grand-chose.
   What is there in the way of wine? Not much.

EXERCICES

Interrogatives (47C)

A. LE PROFESSEUR: Prenez *un comprimé.*

    L'ÉTUDIANT: Qu'est-ce que c'est qu'un comprimé?

La question *qu'est-ce que c'est que* demande une définition ou une explication comme réponse. Demandez une explication de chacun des mots en italique.

1. Dessinez-moi *un paon.*
2. Le général est *un hurluberlu.*
3. Le chevalier a épousé *une ondine.*
4. Selon Ornifle, Fabrice est *un galopin.*
5. Il porte *une perruque.*
6. Regardez *ce livre.*
7. Il lui enseigne *l'honneur.*
8. Il a *un pistolet.*

Relative pronouns (77F)

B. LE PROFESSEUR: Prenez un comprimé.

    L'ÉTUDIANT: Je ne sais pas ce que c'est qu'un comprimé.

Refaites l'exercice A en suivant le modèle ci-dessus. Commencez chaque phrase par: je ne sais pas ce que c'est que ...

Future perfect (37)

C. LE PROFESSEUR: Toto va grandir. Quand est-ce que le général expliquera?

    L'ÉTUDIANT: Quand Toto aura grandi.

    LE PROFESSEUR: Le train va arriver. Quand est-ce qu'on montera?

    L'ÉTUDIANT: Quand le train sera arrivé.

Le futur antérieur exprime une action qui sera déjà achevée quand une autre action aura lieu.

1. Le curé va arriver. Quand est-ce que Toto s'en ira?
2. Toto va avaler le buvard. Quand est-ce qu'il aura du courage?
3. Toto va battre le fils du laitier. Quand est-ce qu'il sera fier?
4. Toto va se battre. Pourquoi sera-t-il fier?
5. Toto va partir. Quand est-ce que le curé et le général commenceront leur conversation?
6. Toto va étudier son catéchisme. Quand fera-t-il sa communion?
7. Il va apprendre toutes les réponses. Pourquoi répondra-t-il bien?
8. Il va réussir aux examens. Quand passera-t-il dans la classe supérieure?
9. Son père va le lui expliquer. Quand comprendra-t-il?
10. Il va revenir de l'école. Quand est-ce qu'ils reprendront leur conversation?

D. Refaites l'exercice C en substituant successivement pour *quand* les expressions suivantes qui doivent être également suivies du futur antérieur : *lorsque, dès que, aussitôt que.*

E. Traduisez les expressions suivantes par le futur antérieur : Toto sera content . . .
1. when the priest has left.
2. when he has beaten the milkman's son.
3. when he has learned the answers.
4. when he has returned from school.

Prepositions (**68**)

F. LE PROFESSEUR : Tu grandis. Dépêche-toi.
    L'ÉTUDIANT :   Dépêche-toi de grandir.
    LE PROFESSEUR : Toto part. Il veut.
    L'ÉTUDIANT :   Toto veut partir.

Parmi les verbes qui peuvent être suivis par un infinitif il faut distinguer entre ceux qui sont suivis directement par l'infinitif, ceux qui sont suivis par *à* + infinitif, et ceux qui sont suivis par *de* + infinitif.
1. J'étudie. Pouvez-vous m'aider?
2. Il se bat. Il aime.
3. Toto a peur. Il cesse.
4. Je ne mens pas. L'honneur commande.
5. Toto reste calme. Son père le persuade.
6. Toto n'en parle pas. Il vaut mieux.
7. Toto comprend. Il commence.
8. Le général comprend. Il essaye.

SUJET DE COMPOSITION

Scène entre le général et sa femme. Elle est mécontente. Toto s'est battu avec le fils du laitier; de plus, il ne fait pas ses devoirs. Comment le général répond-il?

THÈME D'IMITATION

THE MOTHER : What do you have in your mouth, Toto?
TOTO :   Nothing, mother.
THE MOTHER : Don't tell lies. I can see that you just swallowed something. What is it?
TOTO :   It's mininistafia.
THE MOTHER : What's that?
TOTO :   It's a piece of red blotting paper. If you eat a little bit of it you're never frightened. I am not afraid of the priest anymore when I mess up my catechism lesson. In spite of his threats, I [just] look him square in the face.
THE MOTHER : It's your father who gives you these ideas. I've told you not to listen to him. From now on listen to me.

24

LES CARNETS DU MAJOR THOMPSON [I]

Pierre Daninos

Le major Thompson est un personnage inventé par l'humoriste français, Pierre Daninos. C'est un Anglais qui demeure en France; ses carnets° sont une série d'observations sur la vie française. Ses observations sont censées° être celles d'un Anglais typique. Il dit, par exemple, que les Français ne sont pas vraiment polis. C'est-à-dire qu'ils ne se conduisent pas comme des Anglais.

Voici ce qu'il dit:

A la vérité, on ne saurait considérer que des gens
    qui gesticulent en parlant,
    qui parlent en mangeant, et souvent de ce qu'ils mangent,
    qui se croient obligés de faire la cour à° votre femme,
    qui jugent incorrect d'arriver à 8 h 30 quand ils sont priés° à 8 h 30,
    qui s'embrassent en public,
    qui s'embrassent entre hommes . . .
    qui essaient de passer devant les autres dans une file d'attente,°
    qui parlent de la maîtresse d'un monsieur avant de parler de sa femme,
    qui rient des pieds du Président de la République s'ils sont trop grands
        (voire° de ceux de la Présidente),
    qui utilisent des cure-dents° à table, ce qui pourrait passer inaperçu° s'ils
        ne se croyaient obligés de mettre leur main gauche en paravent°
        devant leur bouche,
    enfin qui mettent leurs habits neufs le dimanche,
on ne saurait dire que ces gens soient véritablement civilisés ou même polis, du moins° dans le sens anglais du mot, c'est-à-dire le bon.°
Je n'en prendrai pour preuve finale que leur comportement à l'égard des° femmes: quand un Anglais croise° une jolie femme dans la rue, il la voit sans la regarder et ne se retourne jamais; très souvent, quand un Français croise une jolie femme dans la rue, il regarde d'abord ses jambes pour voir si elle est

aussi bien° qu'elle en a l'air, se retourne pour avoir une meilleure vue de la question, et, *eventually*,[1] s'aperçoit qu'il suit le même chemin qu'elle.

Polis les Français? Plutôt galants!

VOCABULAIRE

le carnet the notebook
censé supposed
faire la cour à to court; show special attention to
priés invited
la file d'attente the waiting line
voire even
le cure-dent the toothpick

inaperçu unnoticed
en paravent (*m.*) as a screen
du moins at least
le bon the right one
à l'égard de with respect to
croiser to pass (in the street)
bien good-looking

QUESTIONNAIRE

1. Le major Thompson existe-t-il vraiment?
2. Que sont ses carnets?
3. Selon le major, comment est-ce que les Français devraient se conduire?
4. Que dit-il de leur façon de parler?
5. de leur comportement à table?
6. de leurs idées sur la ponctualité?
7. de leur comportement avec les femmes?
8. de ce qu'ils font en public? dans une file d'attente?
9. de leurs sujets de conversation?
10. de ce qui les fait rire?
11. Pourquoi est-ce que leur utilisation de cure-dents ne passe pas inaperçu?
12. Comment s'habillent-ils le dimanche?
13. Quel sens du mot *poli* est le bon, selon le major?
14. Qu'est-ce qu'il prend comme preuve finale?
15. Que fait un Anglais quand il croise une jolie femme dans la rue?
16. Pourquoi un Français regarde-t-il ses jambes?
17. Pourquoi se retourne-t-il?
18. Et de quoi s'aperçoit-il enfin?

ETUDE DE MOTS

1. *On ne saurait dire.*   One could scarcely say.
   Je ne saurais vous le dire.   I couldn't tell you.
   Sauriez-vous l'expliquer?   Could you explain it?

[1] The major uses an English word from time to time.

2. *Elle est aussi bien qu'elle en a l'air.*	She is as pretty as she seems.
Est-il aussi poli qu'il en a l'air?	Is he as polite as he seems?
Est-il anglais? Il en a l'air.	Is he English? He seems to be.
Il fait plus froid qu'il n'en a l'air.	It's colder than it seems.

EXERCICES

Present (**72**); *Passé Composé* (**62**)

A. LE PROFESSEUR: Je prends des leçons.

    L'ÉTUDIANT: Vraiment? Vous prenez des leçons?

Etudiez la différence entre le verbe irrégulier *prendre* (ou préfixe + *prendre*) et les verbes réguliers comme *rendre*.

1. J'apprends la leçon.
2. Je comprends la leçon.
3. J'entends un oiseau.
4. Je vends des livres.
5. J'apprends le métier.
6. Je me rends en ville.

B. LE PROFESSEUR: Je prends des leçons.

    L'ÉTUDIANT: Les autres prennent des leçons aussi.

1. J'apprends le métier.
2. Je me rends compte.
3. J'entends.
4. Je comprends.
5. Je prétends comprendre.
6. Nous reprenons du café.

C. LE PROFESSEUR: Je prends des leçons.

    L'ETUDIANT: J'ai pris des leçons.

Refaites l'exercice B d'après le modèle ci-dessus.

Reflexive verbs (**76**)

D. LE PROFESSEUR: Il a regardé *les autres.*

    L'ÉTUDIANT: Il s'est regardé.

    LE PROFESSEUR: J'ai parlé *aux autres.*

    L'ÉTUDIANT: Je me suis parlé.

Dans les réponses de cet exercice le verbe est changé en verbe pronominal réfléchi. Le verbe pronominal réfléchi représente une action exercée par le sujet sur lui-même. Aux temps composés il se conjugue avec l'auxiliaire *être*.

1. Il a présenté *sa femme.*
2. Il a tué *son père.*

3. J'ai reculé *ma chaise*.
4. Il a étendu *son père* sur le canapé.
5. Il a écouté parler *son père*.
6. J'ai permis *à mon fils* de répondre.
7. J'ai lavé les mains *aux enfants*.
8. Il a toujours admiré *les Anglais*.
9. J'ai servi du café *à mes invités*.
10. J'ai retourné *la carte*.

E. LE PROFESSEUR: Fabrice a embrassé Marguerite.
                    Marguerite a embrassé Fabrice.
   L'ÉTUDIANT: Ils se sont embrassés.

Le verbe pronominal réciproque représente une action exercée par plusieurs sujets les uns sur les autres. Commencez chaque phrase par: Ils se sont...
1. Fabrice a regardé Marguerite. Marguerite a regardé Fabrice.
2. Fabrice a dit bonjour à Marguerite. Marguerite a dit bonjour à Fabrice.
3. Fabrice a parlé à Marguerite. Marguerite a parlé à Fabrice.
4. Fabrice a trouvé Marguerite aimable. Marguerite a trouvé Fabrice aimable.
5. Fabrice a donné la main à Marguerite. Marguerite a donné la main à Fabrice.
6. Fabrice a quitté Marguerite. Marguerite a quitté Fabrice.
7. A la fin Fabrice a retrouvé Marguerite. Marguerite a retrouvé Fabrice.

F. LE PROFESSEUR: *J'ai remarqué* que je suivais le même chemin.
   L'ÉTUDIANT: Je me suis aperçu que je suivais le même chemin.

Dans les verbes pronominaux non réfléchis comme *s'apercevoir* le pronom conjoint *me, te, se*, etc., est comme incorporé au verbe et ne joue aucun rôle de complément d'objet. Il ne se traduit pas. (Notez qu'au contraire dans les verbes pronominaux réfléchis ces pronoms se traduisent souvent par *myself, yourself, himself*, ou, si l'action est réciproque comme dans l'exercice E, par *each other*.) Voici une liste de verbes pronominaux non réfléchis:

s'apercevoir (de)	se moquer (de)
s'attendre (à)	se plaindre
se douter (de)	se promener
s'échapper	se repentir
s'écrier	se sauver
s'en aller	se tromper
s'évanouir	se taire
se lamenter	s'y prendre
se méfier	se souvenir (de)

Substituez un des verbes ci-dessus pour chacun des verbes en italique dans les phrases suivantes.
1. *Vous avez soupçonné* la vérité.
2. Je *garde la mémoire* des jours anciens.

3. Vous *gardez le silence.*
4. Ornifle *a perdu connaissance.*
5. Tout le monde peut *faire erreur.*
6. Marguerite *a pris la fuite.*
7. Ils *rient* des pieds du Président.
8. Ornifle ne semble pas *regretter son acte.*
9. *J'ai fait un grand cri.*
10. Vous *partez* déjà?
11. Je *n'ai pas confiance en* lui.

THÈME D'IMITATION

According to the major, the typical Englishman passes unnoticed in a waiting line or at table because his behavior in public is always polite, in the English meaning of the word, which—again according to the major—is the only right one. He never speaks when he is eating; he never laughs at others; and he always puts on his old clothes on Sunday. The major seems to be shocked by French gallantry. He talks about it a lot. He says that Frenchmen court other men's wives, and that when they meet a pretty girl in the street they turn around to get a better look, and if they like what they see they suddenly notice that they are going the same way as she [is]. Is he right? I couldn't tell you.

SUJET DE COMPOSITION

Vous êtes Française (ou Français). Vous écrivez au major Thompson pour attaquer (ou pour défendre) son opinion sur le comportement des Français avec les femmes. Inventez des détails, des expériences personnelles.

25

LES CARNETS DU MAJOR THOMPSON [II]

Pierre Daninos

Environné d'ennemis comme l'Anglais d'eau,[1] le Français, on le comprendra aisément, demeure sur ses gardes.

Il est méfiant.°

Il naît méfiant, grandit méfiant, se marie méfiant, et meurt d'autant plus méfiant que, comme ces timides qui ont des accès d'audace, il a souvent été victime d'attaques foudroyantes de crédulité.[2]

De quoi donc se méfie le Français? *Yes, of what exactly?*

De tout.

Dès qu'il s'assied dans un restaurant, lui qui vit dans le pays où l'on mange les meilleures choses du monde, M. Taupin[3] commence par se méfier de ce qu'on va lui servir. Des huîtres, oui.

"Mais, dit-il au maître d'hôtel, sont-elles vraiment bien?° Vous me les garantissez?"

Je n'ai encore jamais entendu un maître d'hôtel répondre:

"Non, je ne vous les garantis pas!" En revanche,° il peut arriver° de l'entendre dire: "Elles sont bien . . . Mais (et là il se penche en confident° vers son client) . . . pas pour vous,° monsieur Taupin . . .," ce qui constitue, surtout si M. Taupin est accompagné, une très flatteuse consécration.[4]

D'ailleurs, M. Taupin sait très bien que, si les huîtres sont annoncées sur la carte,° c'est qu'elles sont fraîches, mais il aime qu'on le rassure.

M. Taupin se méfie même de l'eau: il demande de l'eau fraîche comme s'il existait des carafes° d'eau chaude ou polluée. Il veut du pain frais, du vin qui ne soit pas frelaté.°

"Est-ce que votre pomerol° est bien? . . . On peut y aller?° . . . Ce n'est pas de la piquette,° au moins!"

---

[1] surrounded by enemies as an Englishman is by water.

[2] all the more suspicious since, like those timid people who have sudden fits of audacity, he has often been the victim of overwhelming attacks of gullibility.

[3] M. Taupin is a friend of the major's, a typical Frenchman.

[4] *consécration:* a flattering compliment to his taste as a gourmet.

Que serait-ce dans un pays comme le mien[5] où se mettre à table peut être une si horrible aventure!

Ayant ainsi fait un bon petit repas, M. Taupin refait mentalement l'addition.

"Par principe," me dit-il. S'il ne trouve pas d'erreur, il semble déçu°. S'il en déniche° une, il est furieux. Après quoi, il s'en va, plus méfiant que jamais, dans la rue.

VOCABULAIRE

méfiant suspicious
bien good; all right
en revanche (*f.*) on the other hand
il peut arriver it can happen
en confident confidentially
pas pour vous not good enough for you
la carte the menu

la carafe the pitcher
frelater to adulterate
pomerol a red wine
on peut y aller? is it safe to order it?
la piquette cheap, sour wine
déçu disappointed
dénicher to discover; unearth (colloquial)

QUESTIONNAIRE

1. Pourquoi le Français demeure-t-il sur ses gardes?
2. Est-ce que les timides sont *toujours* timides?
3. Est-ce que les méfiants sont *toujours* méfiants?
4. De quoi donc se méfie le Français?
5. Quelle opinion le major a-t-il de la cuisine française? Et de la cuisine anglaise?
6. De quoi M. Taupin se méfie-t-il dans le restaurant?
7. Comment le maître d'hôtel peut-il flatter M. Taupin?
8. Quelle sorte de pain, d'eau, de vin M. Taupin veut-il?
9. Que fait-il à la fin du repas?
10. Pourquoi est-il déçu quelquefois après avoir refait mentalement l'addition?
11. Et qu'est-ce qui le rend furieux?
12. En quelle humeur est-il quand il s'en va dans la rue?

DIALOGUE

A. M. Taupin demande au maître d'hôtel si les huîtres sont fraîches, et s'il les garantit.
B. Le maître d'hôtel répond affirmativement, mais dit qu'elles ne sont pas pour lui.
A. M. Taupin exprime sa méfiance du pomerol.
B. Le maître d'hôtel dit qu'il est bien, mais qu'il a un vin extraordinaire qu'il a gardé pour monsieur Taupin et qu'il lui garantit.

[5] The major is from England, a country reputed to have very bad cooking.

ETUDE DE MOTS

1. *en confident*   literally, as a confidant, a person you can
                                                 confide in
   en paravent   as a screen
   Je vous parle en ami.   I am talking to you as a friend.
   Je vais au bal en pirate.   I am going to the dance as a pirate.
2. *Il aime qu'on le rassure.*   He likes to be reassured.
   Il aime qu'on le flatte.   He likes to be flattered.
   Il aime qu'on lui parle.   He likes to be spoken to.

EXERCICES

Present (72)

A. LE PROFESSEUR: en convenir
    L'ÉTUDIANT: J'en conviens, mais les autres n'en conviennent pas.
    LE PROFESSEUR: le garantir
    L'ÉTUDIANT: Je le garantis, mais les autres ne le garantissent pas.

Etudiez la différence entre les verbes irréguliers *venir* et *tenir* (ou préfixe + *venir*
ou *tenir*) et les verbes réguliers se terminant en *-ir*.

1. revenir   5. y appartenir
2. se souvenir   6. y tenir
3. finir   7. agir
4. grandir   8. réussir

B. LE PROFESSEUR: en convenir
    L'ÉTUDIANT: Vous en convenez.

Refaites l'exercice A en suivant le modèle ci-dessus.

Reflexive verbs (76B)

C. LE PROFESSEUR: *se présenter*. Je voudrais.
    L'ÉTUDIANT: Je voudrais me présenter.
    LE PROFESSEUR: Nous allons.
    L'ÉTUDIANT: Nous allons nous présenter.

Faites attention d'employer le pronom convenable devant le verbe pronominal à
l'infinitif.

    se méfier de tout le monde
1. Les Français ont l'habitude de
2. Nous avons appris à
3. Vous avez tort de
4. Tu devrais
5. M. Taupin semble

se mettre à table
1. Allons
2. Veux-tu?
3. Elle refuse de
4. Ils vont
5. J'aime

se marier
1. Ces deux jeunes gens vont
2. Quand est-ce que vous allez?
3. J'hésite à
4. Nous avions l'intention de
5. Veux-tu?

D. LE PROFESSEUR: Dites-moi de me promener.
    L'ÉTUDIANT: Promenez-vous.
    LE PROFESSEUR: Dites-moi de venir.
    L'ÉTUDIANT: Venez.

A l'impératif positif faites attention d'employer le pronom seulement après le verbe pronominal.
1. Dites-moi de me méfier.
2. Dites-moi de me marier.
3. Dites-moi de revenir.
4. Dites-moi de me souvenir.
5. Dites-moi d'y tenir.
6. Dites-moi de m'échapper.
7. Dites-moi de regarder.
8. Dites-moi de me retourner.

E. LE PROFESSEUR: Dites-moi de me promener.
    L'ÉTUDIANT: Promenez-vous.
    LE PROFESSEUR: Demandez-moi si je parle.
    L'ÉTUDIANT: Parlez-vous?
    LE PROFESSEUR: Demandez-moi si je me promène.
    L'ÉTUDIANT: Vous promenez-vous?

Notez la différence entre la forme interrogative avec inversion du sujet et l'impératif.
1. Dites-moi de m'approcher.
2. Demandez-moi si je m'approche.
3. Dites-moi de me présenter.
4. Demandez-moi si je comprends.
5. Demandez-moi si je me conduis bien.
6. Dites-moi de me méfier.
7. Demandez-moi si je viens.

8. Demandez-moi si je me souviens.
9. Demandez-moi si je me méfie.
10. Dites-moi de me sauver.
11. Demandez-moi si je me rends.

F. LE PROFESSEUR: Dis-moi de me promener.
　　L'ÉTUDIANT:　　Promène-toi.
　　LE PROFESSEUR: Demande-moi si je me promène.
　　L'ÉTUDIANT:　　Te promènes-tu?

Refaites l'exercice E d'après le modèle ci-dessus.

THÈME D'IMITATION

You are lucky that M. Taupin has invited you [to] Chez Joseph for tonight. You can get the best things in the world there if you know how to go about it like M. Taupin. He distrusts everything, and this puts the headwaiter on guard. He knows that he will be the victim of a withering attack if the oysters are not perfectly fresh—as can happen from time to time—or if he serves cheap, sour wine. He also knows that M. Taupin likes to be flattered and he leans toward him confidentially to tell him what is good (*Etude de mots*, p. 103) on the menu that day. "That wine . . . it's good . . . but not good enough for you. On the other hand, this one, this 1947 pomerol, I guarantee it. . . ." M. Taupin is certain that if he were less suspicious he would eat less well.

SUJET DE COMPOSITION

M. Taupin vous a invité(e) à dîner dans un restaurant. Quelle impression a-t-il faite sur vous? Qu'est-ce qui est arrivé? Ne copiez pas le texte de la leçon.

26

LES CARNETS DU MAJOR THOMPSON [III]

Pierre Daninos

Il y a quelque temps, comme je me rendais° gare d'Austerlitz pour aller dans une petite ville du Sud-Ouest avec M. Taupin, celui-ci° m'a averti° qu'il ferait une courte halte dans une pharmacie pour acheter un médicament dont il avait besoin.

"*Too bad!* . . . Vous êtes souffrant?° ai-je demandé.

—Non, pas du tout, mais je me méfie de la nourriture° gasconne.°

—Ne pouvez-vous acheter votre médecine sur place?°

—On ne sait jamais, dans ces petites villes. . . . Je serai plus tranquille si je la prends° à Paris."

A ma grande surprise, notre taxi a dépassé plusieurs pharmacies, en lesquelles M. Taupin ne semblait pas avoir confiance. J'ai compris alors le sens de cette inscription française qui m'avait toujours laissé perplexe: En vente dans toutes les bonnes pharmacies. Celles que je venais de voir, évidemment, c'étaient les autres.

Enfin, nous nous sommes arrêtés devant la bonne. En revenant à la voiture, un petit flacon° à la main, M. Taupin m'a dit, comme pour s'excuser:

"Je me méfie plutôt° de tous ces médicaments qui ne servent strictement à rien.[1] Mais ma femme, elle, y croit. . . ."

Comme nous gagnions° la gare, j'ai remarqué que M. Taupin, inquiet, jetait de temps en temps un coup d'œil sur sa montre. Il devait° se méfier de "son heure,"° car il a fini par demander au chauffeur s'il avait l'heure exacte. Il a paru tranquillisé par l'heure du taxi qui ne différait pas sensiblement° de la sienne. Mais, arrivé à la gare, il a fait une ultime° vérification dans la cour° en m'expliquant que les horloges extérieures des gares avancent toujours de trois minutes pour que les gens se pressent. M. Taupin a donc mis sa montre à l'heure de la gare moins trois minutes, plus une minute d'avance pour le principe, ce qui lui a fait perdre au moins soixante secondes.

---

[1] *Ils ne servent strictement à rien.*—They are completely useless.

Nous nous sommes dirigés ensuite vers notre train et nous nous sommes installés à deux coins-fenêtre.[2] Puis nous sommes descendus faire quelques pas° sur le quai,° mais, auparavant,° il a marqué trois places de son chapeau, de son parapluie et de mon waterproof.

"Nous ne sommes que deux, lui ai-je fait observer.

—C'est plus sûr, m'a-t-il dit, les gens sont tellement sans gêne!"°

Quant au° train, je pensais M. Taupin rassuré puisqu'il avait consulté l'indicateur;° pourtant, avisant° un employé, il lui a demandé:

"On ne change pas,[3] n'est-ce pas, vous êtes sûr?"

Et, se tournant vers moi:

"Avec ces indicateurs, je me méfie. . . ."

VOCABULAIRE

se rendre to go	*sensiblement* perceptibly
celui-ci the latter	*ultime* last
avertir to warn	*la cour* the court (in this case, an open area in front of the station)
souffrant not feeling well	
la nourriture the food	*faire quelques pas* to stroll
gascon from Gascogne	*le quai* the platform
sur place on the spot; locally	*auparavant* beforehand
prendre to buy	*sans gêne* free and easy; inconsiderate
le flacon the little bottle	*quant à* as for
plutôt rather	*un indicateur* a timetable
gagner to reach	*aviser* to catch sight of
il devait he must have	
"*son heure*" his time (i.e., what his watch said)	

QUESTIONNAIRE

1. Où le major allait-il avec M. Taupin?
2. Où se sont-ils arrêtés? Pourquoi?
3. Pourquoi M. Taupin a-t-il besoin d'un médicament?
4. Pourquoi ne l'achète-t-il pas sur place?
5. Qu'est-ce qui a surpris le major?
6. Quelle inscription française l'avait toujours laissé perplexe?
7. Quelle supposition fait-il au sujet des pharmacies qu'ils dépassent?
8. Quelle attitude M. Taupin a-t-il envers les médicaments? Et sa femme?
9. Comment le major savait-il que M. Taupin se méfiait de "son heure"?

---

[2] *coins-fenêtre*—corner seats by the window in the compartment.
[3] *On ne change pas.*—We won't have to change trains.

10. Pourquoi était-il tranquillisé par l'heure du taxi?
11. En quoi les horloges extérieures des gares diffèrent-elles des autres?
12. Qu'est-ce qui a fait perdre soixante secondes à M. Taupin?
13. Où se sont-ils installés?
14. Pourquoi sont-ils descendus?
15. Comment M. Taupin a-t-il marqué les places?
16. Pourquoi en a-t-il marqué trois?
17. Pourquoi le major pensait-il que M. Taupin était rassuré quant au train?
18. Pourquoi ne l'était-il pas?
19. Quelle question a-t-il posée à un employé?

DIALOGUE

A. M. Taupin dit qu'ils vont faire une courte halte dans une pharmacie.
B. Le major lui demande pourquoi.
A. M. Taupin lui en donne la raison.
B. Le major lui demande s'il est souffrant.
A. M. Taupin répond négativement, et explique pourquoi il achète le médicament.
B. Le major lui demande s'il ne peut pas l'acheter sur place.
A. M. Taupin explique pourquoi il préfère l'acheter à Paris.

ETUDE DE MOTS

1. *Ils ne servent à rien.*   They are useless. They serve no purpose.

   A quoi ça sert?   What good is it? What's it for?
   Les règles servent à mesurer.   Rulers are used for measuring.

2. *Il devait se méfier.*   He must have been suspicious.
   Il doit étonner le major.   He must astonish the major.
   Pourtant, il a dû lire l'indicateur.   Yet he must have read the timetable.
   Regardez-le. Il doit être Anglais.   Look at him. He must be an Englishman.

EXERCICES

Reflexive verbs (**76**)

A. Notez la différence entre le verbe transitif et le verbe pronominal.
We stopped.   Nous nous sommes arrêtés.
We stopped the train.   Nous avons arrêté le train.

Souvent un verbe se traduit d'une façon s'il est transitif, et d'une autre s'il est pronominal.

| We wondered. | Nous nous sommes demandés. |
| We asked. | Nous avons demandé. |

Traduisez en employant le verbe indiqué soit comme verbe pronominal, soit comme verbe transitif.

tromper
1. We deceived him.
2. We made a mistake.

diriger
3. We directed.
4. We headed toward Paris.

promener
5. We walked the dog.
6. We took a walk.

rendre
7. We went to Paris.
8. We gave back the car.

laver
9. We washed the car.
10. We washed.

charger
11. We loaded the car.
12. We took care of it.

Gender (38)

B. LE PROFESSEUR: *intéressant.* idée
    L'ÉTUDIANT: une idée intéressante
    LE PROFESSEUR: exemple
    L'ÉTUDIANT: un exemple intéressant

Revoyez les règles qui peuvent vous aider à déterminer le genre des noms.

intéressant
1. observation
2. comportement
3. femme
4. ville
5. maître

grand
1. taxi
2. salle
3. quai
4. pharmacie
5. capitaine

Possessive pronouns (66)

C. LE PROFESSEUR: C'est ma montre.
    L'ÉTUDIANT: C'est la mienne.
    LE PROFESSEUR: C'est votre médicament.
    L'ÉTUDIANT: C'est le vôtre.

Substituez le pronom possessif à l'adjectif possessif + nom. Faites attention au genre des noms.

1. C'est mon restaurant.
2. C'est sa table.
3. C'est votre place.
4. C'est son imperméable.
5. C'est ton indicateur.
6. C'est leur train.
7. C'est ma montre.
8. C'est notre taxi.
9. Ce sont mes médicaments.
10. Ce sont vos huîtres.
11. Ce sont ses carnets.
12. Ce sont ses observations.

D. LE PROFESSEUR: Moi, j'ai mes idées sur la politesse, et eux . . .
L'ÉTUDIANT: . . . ils ont les leurs.
LE PROFESSEUR: Moi, j'ai mon idée, et toi . . .
L'ÉTUDIANT: tu as la tienne.

1. Les Français ont leurs médicaments favoris, et nous . . .
2. Vous, vous préférez votre médecine, et moi . . .
3. Lui, il a sa pharmacie favorite, et sa femme . . .
4. Sa femme a son idée sur les médicaments, et lui . . .
5. Moi, j'ai mon restaurant favori, et toi . . .
6. Moi, je me méfie de ma montre, et vous . . .
7. Moi, je me méfie de mon indicateur, et vous . . .
8. Le major croit à son système, et M. Taupin . . .
9. Le major croit à ses idées, et M. Taupin . . .
10. Nous, nous avons nos principes et eux . . .
11. Le major parle de son dernier voyage, et M. Taupin . . .
12. Nous, nous nous méfions quelquefois de nos médicaments, et eux . . .
13. Vous, vous ôtez votre chapeau, et moi . . .
14. Moi, je consulte mon indicateur, et elle . . .

SUJET DE COMPOSITION

Décrivez les préparatifs du voyage de M. Taupin. Mme Taupin lui dit de se dépêcher, d'écrire souvent, de ne pas faire de bêtises, etc. (Elle se méfie aussi.)

THÈME D'IMITATION

If you are one of those who do not like to hurry you should leave at three o'clock when you have a train at 4:18. In the first place (p. 118, l. 16) it is not easy to find a taxi in Paris. One thing has always left me perplexed: often the taxi [driver] asks you with a suspicious look where you are going. He will take you along with him only if your destination is on his way. Do not forget that there are several railroad stations in Paris. Be certain to go to the right one. Take a look at the railroad clock when you get there. If you have the time you can stroll along the platform before the train leaves (**20D**), after having saved a seat by the window with your hat or your raincoat.

27

LES CARNETS DU
MAJOR THOMPSON [IV]

Pierre Daninos

Quand un Anglais rencontre un autre Anglais, il lui dit: "Comment allez-vous?" et on lui répond: "Comment allez-vous?"

Quand un Français rencontre un Français, il lui dit: "Comment allez-vous?" et l'autre commence à lui donner des nouvelles de sa santé.

A première vue, la méthode britannique paraît loufoque.° Mais à la réflexion elle est peut-être plus rationnelle que la méthode française. En effet, dans le premier cas, personne n'écoute personne.° Mais dans le second, le Français n'écoute pas ce qu'on lui répond. Ou° il est en bonne santé, et la santé des autres lui importe peu; ou° il est grippé, et sa grippe seule est importante. Exemple:

"Toujours° ma sciatique.°...

—Ah!... la sciatique! Figurez-vous° que moi, c'est le long de la jambe gauche.... En 1951 j'avais été voir un spécialiste... encore un!° Vous ne savez pas ce qu'il me dit?..."

... Et le Français qui souffre, souffre davantage encore d'avoir à taire sa sciatique '54[1] pour écouter la névrite° '51 de l'autre....

S'étant ainsi enquis° de leur santé respective, de celle de leurs proches,° et des enfants (Photos?... Superbes!... Mais je vais vous montrer les miens...), les Français passent au: Qu'est-ce que vous devenez?

A l'encontre des° Anglais, qui ne se posent jamais une question aussi angoissante,° les Français veulent absolument savoir ce qu'ils deviennent. C'est-à-dire qu'en une minute il faut leur dire si l'on ne divorce pas, si l'on n'a pas déménagé° et surtout si l'on est...

... toujours au Crédit Lyonnais...

... ou aux Assurances Réunies...

... ou à la Compagnie des Pétroles...

Comme si l'interlocuteur s'étonnait de ce que l'on vous y garde aussi longtemps.[2]

---

[1] To have to keep quiet about the sciatica he had in '54.
[2] That is, as if he were surprised that they hadn't fired you yet.

Après cet inventaire, au cours duquel on n'a pas manqué° de se lamenter sur le mauvais sort qui vous poursuit[3] et la bonne fortune qui atteint les autres, il est d'usage de faire un rapide retour sur° la santé avec un: "Enfin, vous avez la santé, c'est le principal, allez!"

La conversation continue pendant quelques instants encore pour se terminer sur le non moins traditionnel: "Il faut que je me sauve.[4]... Allez, au revoir, allez!"

J'ai demandé à plusieurs autochtones° la raison de l'emploi quasi° rituel du mot "Allez!" Personne n'a pu m'éclairer° vraiment. Je pense qu'il s'agit d'une sorte de moyen de locomotion invisible sur lequel le Français aime partir en quittant un autre Français. *Really most peculiar....*

VOCABULAIRE

loufoque (colloquial) crazy
personne n'écoute personne nobody listens
    to anyone
ou ... ou either ... or
toujours still
la sciatique sciatica
figurez-vous que imagine; fancy
encore un! yet another one!
la névrite neuritis
enquis enquired

les proches the relatives
à l'encontre de unlike
angoissant agonizing
déménager to move (out)
manquer de to fail to
faire un rapide retour sur come quickly
    back to
un autochtone a native
quasi almost
éclairer to enlighten

QUESTIONNAIRE

1. Que répond l'Anglais à la question "Comment allez-vous?"? Et le Français?
2. Pourquoi la méthode britannique est-elle peut-être plus rationnelle?
3. Quel est l'inconvénient de la méthode française?
4. S'il est en bonne santé quel intérêt l'interlocuteur a-t-il à la santé des autres?
5. Et qu'est-ce qui l'intéresse s'il est grippé?
6. Que dit votre interlocuteur au sujet de sa sciatique à lui? (*about his own sciatica*)
7. Pourquoi celui qui souffre souffre-t-il alors davantage?
8. De quoi les deux interlocuteurs s'enquièrent-ils ensuite?
9. Qu'est-ce qu'ils se montrent l'un l'autre?
10. Quelle est la question angoissante que les Anglais ne se posent jamais?
11. Qu'est-ce que les Français veulent savoir quand ils vous demandent ce que vous devenez?
12. Pourquoi la demande si on est toujours au Crédit Lyonnais, aux Assurances Réunies, semble-t-elle assez impolie au major?

[3] the evil fate which pursues one (*vous* is the object pronoun form of *on*).
[4] I must be running along.

13. Sur quoi ne manque-t-on pas de se lamenter au cours de cet inventaire?
14. Comment fait-on un rapide retour sur la santé à la fin?
15. Quelle est la terminaison traditionelle de toutes les conversations?
16. Qu'est-ce que personne n'a pu expliquer au major?
17. Quelle explication le major offre-t-il de l'emploi quasi rituel du mot "Allez"?

DIALOGUE

A. demande à B comment il va.
B. dit qu'il a toujours sa sciatique.
A. l'interrompt pour parler de sa propre sciatique.
B. l'interrompt pour lui montrer des photos de sa famille.
A. les admire, puis dit qu'il doit se sauver.
B. termine la conversation de la façon traditionnelle.

ETUDE DE MOTS

1. *Il faut que je me sauve.*   I must be running along.
   Quand il a peur il se sauve.   When he's afraid he runs away.
   Sauve qui peut!   Every man for himself!

2. *La santé des autres lui importe peu.*   The health of others matters little to
                                              him.

   Peu lui importe.   Little does he care.
   n'importe   it doesn't matter
   n'importe qui   anyone (literally, it doesn't matter who)
   n'importe quand   any time

EXERCICES

Articles (**13–19**)

A. LE PROFESSEUR: des huîtres. J'ai bu du vin blanc _____.
    L'ÉTUDIANT: J'ai bu du vin blanc avec des huîtres.
    LE PROFESSEUR: de la joie. Je les mangerais.
    L'ÉTUDIANT: Je les mangerais avec joie.

On omet l'article après *avec* si la locution *avec* + nom a une qualité adverbiale.
Ainsi on pourrait substituer un adverbe pour *avec joie* (*joyeusement*), mais on ne
pourrait pas substituer d'adverbe pour *avec des huîtres*.
    1. de l'eau   Il boit son vin_____.
    2. du soin   Il choisit son vin_____.

    3. de la méfiance   Il regarde la carte_____.
    4. de la glace   Il boit de l'eau minérale_____.
    5. du café   On ne sert pas les petits fours_____.
    6. du plaisir   J'accepte l'invitation_____.
    7. de la confiance   Il parle_____.
    8. de la raison   Il a protesté_____.
    9. de la certitude   On l'affirme_____.
    10. des livres   Il est arrivé_____.

B. LE PROFESSEUR: Le citron. Je n'aime pas les huîtres_____.
    L'ÉTUDIANT: Je n'aime pas les huîtres sans citron.

On omet l'article après *sans*. Refaites l'exercice B en suivant le modèle ci-dessus.

C. LE PROFESSEUR: La paille. Il porte un chapeau de_____.
    L'ÉTUDIANT: Il porte un chapeau de paille.
    LE PROFESSEUR: La porte. Il se trompe de_____.
    L'ÉTUDIANT: Il se trompe de porte.
    LE PROFESSEUR: Le médicament. Il se méfie de_____.
    L'ÉTUDIANT: Il se méfie du médicament.

D'ordinaire l'article est omis:
    1. Après *de* si la locution *de* + nom sert à caractériser comme un adjectif: *chapeau de paille, cri de joie, couvert de gloire.*
    2. Après *de* dans plusieurs locutions verbales comme *se tromper de, avoir besoin de.* (Notez cependant que dans d'autres il n'est pas omis: *se méfier de, se douter de.*)
    3. Après *en*.
    4. Dans de nombreuses locutions idiomatiques: *avoir faim, avoir raison.*

    1. le luxe   C'est un restaurant de_____.
    2. la crédulité   Il est victime d'une attaque de_____.
    3. le public   Ils s'embrassent en_____.
    4. les ennemis   Le Français se sent environné de_____.
    5. le vin   Il se méfie de_____.
    6. la vérité   Il se doute de_____.
    7. la confiance   M. Taupin n'a pas_____en cette pharmacie.
    8. la vente   En_____dans toutes les pharmacies.
    9. la gare   Il met sa montre à l'heure de_____.
    10. le train   Pour aller à Bordeaux il faut changer de_____.
    11. l'audace   Les timides ont parfois des accès de_____.
    12. la jambe   J'ai la sciatique le long de_____.
    13. le canal   Il se promène le long de_____.
    14. la question   Il se retourne pour avoir une meilleure vue de_____.
    15. l'attente   Il passe devant les autres dans une file de_____.
    16. le général   Il se moque de_____.

D. Complétez les phrases suivantes par *l'eau, de l'eau, d'eau*, ou *eau*:

1. L'Angleterre est entourée_____.
2. Ici on boit beaucoup_____.
3. Les Français détestent_____glacée.
4. Les Américains aiment_____glacée.
5. M. Taupin se méfie_____.
6. Il demande_____.
7. Il demande une carafe_____.
8. Il veut_____qui soit fraîche.
9. _____n'est pas annoncée sur la carte.
10. Garçon, _____, s'il vous plaît.
11. Moi, je prends mon vin avec_____.
12. Moi, je préfère le vin sans_____.
13. _____est nécessaire à la vie.
14. Tout le monde a besoin_____.
15. Il n'y a pas_____.

THÈME D'IMITATION

If you have a little knowledge of the ways of the world (p. 90, l. 14) you know that when you meet an old friend on the street you should not begin by giving him news of your health and of that of your near and dear ones. Little does he care how you are. He wants to talk about himself. Ask him what he has been up to. He will tell you if he is getting a divorce and whether he has moved recently. If he begins to show you pictures of his children, take your revenge by showing him pictures of yours. Don't say, "Come and see us any time. Our door is always open to anyone." That sounds (seems) terribly free and easy, and it's not too flattering. Besides, he might take you seriously. When you are leaving, conventional usage calls for the phrase: "I must be running along."

SUJET DE COMPOSITION

Vous rentrez tard chez vous. Vous expliquez à votre femme (ou à votre mari) que vous avez été retenu (*detained*) par la rencontre inattendue d'une vieille connaissance qui ne voulait pas finir de parler. Détails.

28

LES CARNETS DU
MAJOR THOMPSON [V]

Pierre Daninos

Je dois le confesser: j'ai toujours trouvé étrange l'attraction exercée sur les Français par le pas des portes. Ils ont notamment,° arrivés à cet endroit, une façon de se dire au revoir en ayant soin de ne pas° se quitter dont on chercherait en vain l'équivalent dans le Commonwealth, et sans doute dans le reste du monde. Au moment même où ils doivent se séparer après avoir causé pendant deux heures, ils trouvent une quantité de choses capitales à se dire. C'est un peu ce qui se passe avec les femmes au téléphone: il suffit qu'elles se disent "au revoir" pour trouver soudain à parler d'une foule de choses.

J'ai été plus particulièrement frappé par cette attitude le jour où, de retour° en France après une longue mission en Mésopotamie, j'ai cru être l'objet d'une hallucination; j'ai aperçu en effet mon vieil ami M. Taupin dans la position exacte où je l'avais laissé six mois auparavant: sur le seuil° de sa maison, il disait toujours° au revoir à M. Charnelet. La fréquentation du désert m'ayant accoutumé aux mirages, je n'en ai d'abord pas cru mes yeux. Discrètement, je me suis rapproché. J'ai vu alors M. Taupin reculer° de quelques pas, lever les bras en l'air et revenir d'un air menaçant sur M. Charnelet, qu'il a saisi par le revers° de son manteau et qu'il a commencé à secouer° d'avant en arrière.° Il était évident, pour un Anglais du moins, qu'ils allaient en venir aux mains.° Je m'apprêtais à° les séparer lorsque je les ai entendus éclater de rire. A ce moment, ils m'ont reconnu.

"Ma parole, cria M. Taupin, mais voilà notre major Thompson de retour! Quelle surprise!"

J'ai compris alors que mes yeux ne m'avaient pas trahi.° M. Taupin m'a invité aussitôt° à entrer chez lui et M. Charnelet, lui ayant dit une nouvelle fois° au revoir, nous a rejoints bientôt pour faire, réflexion faite,° un "petit brin de causette."°

VOCABULAIRE

attraction (in this case) magnetic attraction

notamment in particular

en ayant soin de ne pas being careful not to

où when (after expression of time)

Il était
évident, pour un
Anglais du
moins, qu'ils
allaient en
venir aux mains.

de retour back	*en venir aux mains* to come to blows
le seuil the threshold	*s'apprêter à* to get ready to
toujours still	*trahir* to betray
reculer to step back	*aussitôt* immediately
le revers du manteau the lapel	*une nouvelle fois* once again
secouer to shake	*réflexion faite* having thought it over
d'avant en arrière back and forth	*un petit brin de causette* a little chat

QUESTIONNAIRE

1. Selon le major qu'est-ce qui semble exercer une attraction étrange sur les Français?
2. Qu'est-ce qu'il y a de contradictoire dans leur façon de se dire au revoir?
3. Où chercherait-on en vain l'équivalent de cela?
4. Quand trouvent-ils une quantité de choses capitales à se dire?
5. A qui ressemblent-ils alors?
6. Les femmes se disent "au revoir" au téléphone mais elles ne raccrochent pas. (*They don't hang up.*) Pourquoi pas?
7. Quand est-ce que le major a été particulièrement frappé par cette attitude?
8. Pourquoi se croyait-il l'objet d'une hallucination?
9. Qu'est-ce qui a accoutumé le major aux mirages?
10. Qu'est-ce que M. Taupin a fait après avoir reculé de quelques pas?
11. Par où a-t-il saisi M. Charnelet?
12. Qu'est-ce qu'il s'est mis à faire?
13. Pourquoi le major s'apprêtait-il à séparer M. Charnelet et M. Taupin?
14. Qu'est-ce qui a rassuré le major?
15. Le major semble-t-il avoir oublié que les Français gesticulent beaucoup en parlant?
16. Qu'est-ce que M. Taupin a invité le major à faire?
17. Pourquoi M. Charnelet les a-t-il rejoints?

ETUDE DE MOTS

1. *s'apprêter à*   to get ready to
   inviter à   to invite to
   trouver à . . . (dire, critiquer)   to find to (say, criticize)

2. *réflexion faite . . .*   having thought it over . . .
   arrivés à cet endroit . . .   having arrived at that place . . .
   Mon travail fini, je rentrais.   Having finished my work, I was going home.

   M. Taupin parti, Charnelet m'a invité chez lui.   Mr. Taupin having left, Charnelet invited me to his house.

EXERCICES

Present (73B)

A. LE PROFESSEUR: J'ai été malade pendant deux mois.
    L'ÉTUDIANT: Je suis malade depuis deux mois.
    LE PROFESSEUR: J'ai appris le français il y a deux ans.
    L'ÉTUDIANT: J'apprends le français depuis deux ans.

On emploie le présent pour exprimer une action ou une condition qui a commencé dans le passé et qui dure encore. Pour indiquer la durée on emploie une locution adverbiale introduite par *depuis* ou la locution *il y a . . . que* ou *voilà . . . que*. Dans cet exercice employez *depuis*.

1. J'ai travaillé au Crédit Lyonnais pendant trois ans.
2. J'ai regardé les jolies femmes pendant mon adolescence.
3. Il se méfiait pendant notre voyage.
4. Il a parlé pendant deux heures.
5. J'ai été malade, hier.
6. Il a demeuré en France en '54.
7. J'ai déjeuné ici il y a trois ans.
8. Je l'ai connu au moment de la libération.
9. Elle a nagé à l'âge de trois ans.

B. LE PROFESSEUR: J'étais malade il y a trois mois.
    L'ÉTUDIANT: Il y a trois mois que je suis malade.

Distinguez entre *il y a*, qui signifie *ago*, et *il y a . . . que*, qui indique la durée. Dans la phrase du professeur l'action est dans le passé. Dans la phrase de l'étudiant elle dure encore.

1. Il parlait il y a dix minutes.
2. Tu étais fâchée il y a un quart d'heure.
3. Il a neigé il y a une semaine.
4. Ils ont mangé il y a une demi-heure.
5. Ils se sont dit au revoir il y a vingt minutes.

C. Traduisez:

1. I have been working for three years.
2. He has been speaking for two hours.
3. It has been snowing for a week.
4. I have been sick for a week.
5. I have known him for a week.

Object Pronouns (59A)

D. LE PROFESSEUR: Est-ce que vous me garantissez *les huîtres.*
    L'ÉTUDIANT: Non, je ne vous les garantis pas.

Notez l'ordre des pronoms compléments devant le verbe:

me le	me la	me les
te le	te la	te les
se le	se la	se les
nous le	nous la	nous les
vous le	vous la	vous les

1. Est-ce que vous me recommandez le rosbif?
2. Est-ce que vous m'apportez la carte des vins?
3. Est-ce que vous me servez le plat?
4. Est-ce que vous m'appelez le maître d'hôtel?
5. Est-ce que vous m'avez dit que vous étiez garçon dans ce restaurant?

E. LE PROFESSEUR: Est-ce qu'il a expliqué *aux étudiants ce qu'il pense de cette histoire?*

L'ÉTUDIANT: Oui, il vient de le leur expliquer.

LE PROFESSEUR: Est-ce qu'il a montré *le menu au client?*

L'ÉTUDIANT: Oui, il vient de le lui montrer.

Notez l'ordre des pronoms compléments à la troisième personne devant le verbe:

le lui	le leur
la lui	la leur
les lui	les leur

1. Est-ce qu'il a lu *ce passage aux étudiants?*
2. Est-ce qu'il a expliqué *la méthode britannique aux autres?*
3. Est-ce qu'il a dit *à ses amis qui est son spécialiste?*
4. Est-ce qu'il a montré *ses photos à son interlocuteur?*
5. Est-ce qu'il a demandé *à son ami ce qu'il devenait?*
6. Est-ce qu'il a demandé *l'heure au chauffeur?*

Object pronouns (**57–58**)

F. LE PROFESSEUR: Est-ce que le major Thompson demeure *en France?*

L'ÉTUDIANT: Oui, il y demeure.

LE PROFESSEUR: Est-ce que vous avez déniché une *erreur à l'addition?*

L'ÉTUDIANT: Oui, j'en ai déniché une.

Revoyez l'emploi des pronoms compléments *y* et *en*.
1. Est-ce que les Français rient *des pieds du Président de la République?*
2. Est-ce que les Français utilisent *des cure-dents?*
3. Est-ce que les Anglais mettent *de vieux habits le dimanche?*
4. Est-ce que le major fait allusion *au comportement des Français avec les femmes?*
5. Est-ce qu'il se plaît *en France?*
6. Aime-t-il dîner *dans ce restaurant où le maître d'hôtel connaît M. Taupin?*
7. Est-ce qu'il se méfie *de tout ce qu'on lui sert?*

8. Est-ce que l'on commande d'ordinaire une douzaine *d'huîtres?*
9. Est-ce qu'il y a beaucoup *de clients dans le restaurant à huit heures du soir?*
10. Est-ce qu'il y a plusieurs *bonnes choses sur le menu?*
11. Est-ce que le maître d'hôtel lui apporte une *bouteille de pomerol?*
12. Est-ce que M. Taupin commande une deuxième *bouteille, plus tard?*
13. A la fin du repas, est-ce qu'il a l'air *d'être toujours méfiant?*
14. Le major peut-il s'habituer *à la façon française de dire bonjour?* (Non.)
15. Songe-t-il *aux différences infinies entre les Français et les Anglais?*
16. Reste-t-il longtemps *en Mésopotamie?* (Non.)
17. M. Taupin est-il encore *sur le seuil de sa maison?*
18. Le major assiste-t-il *à la scène entre Taupin et Charnelet?*
19. S'apprêtait-il *à les séparer?*
20. Mais Taupin et Charnelet tenaient-ils *à se battre?* (Non.)
21. A la fin le major est-il entré *chez M. Taupin?*

THÈME D'IMITATION

As I just told you, I have been living in France since 1954 and I still am not used to it. Last year I lived in England for four months. Having finished my work there I came back, and what struck me this time was the French habit of saying goodbye without leaving. In the first place a Frenchman speaks more than an Englishman any where and any time, but it is most particularly on the doorstep, at the very moment when he is about to leave another Frenchman, that he finds a host of things to say. During the four months I spent in England I had also forgotten how much the French gesticulate when they are speaking. When I saw two of my French friends who were saying goodbye to each other, I thought at first that they were about to come to blows. It was only when I heard them burst out laughing that I realized they were not angry.

SUJET DE COMPOSITION

Vous êtes M. (ou Mme) Taupin. Dites pourquoi vous préférez la conversation française à la conversation britannique (lente, ennuyeuse, coupée de longs silences).

REVIEW LESSON V
Review of Lessons 22–28

Vocabulary and Idioms

TRANSLATE

1. What difference does it make to you? Qu'est-ce que ça peut (bien) te faire?
2. That will do the trick. Ça fera l'affaire.
3. One could scarcely say. On ne saurait dire.
4. He likes to be spoken to. Il aime qu'on lui parle.
5. The English meaning is the right one. Le sens anglais est le bon.
6. That clock is three minutes fast. Cette pendule avance de trois minites.
7. They get on to the next question. Ils passent à la question suivante.
8. What have you been up to? (What has become of you these days?) Qu'est-ce que vous devenez?
9. I didn't believe my eyes. Je n'en ai pas cru mes yeux.

REPLACE THE EXPRESSIONS IN ITALICS BY A SYNONYM

1. un général *qui s'est retiré du service* en retraite
2. Il lui *apprend* le courage. enseigne
3. Dans un combat, il veut *s'échapper*. se sauver
4. Il *cherche* (*en remuant des objets*) dans le tiroir. fouille
5. Le mininistafia *devient difficile à trouver*. se fait rare
6. Ça *produit un effet*. agit
7. *malgré cela* quand même
8. *à notre époque* de nos jours
9. *manger quelque chose qui fait un bruit quand on le mange, un biscuit par exemple* croquer
10. *discours contraire à la vérité* le mensonge
11. *pas propre* sale
12. Elles ne comprennent pas *beaucoup*. grand-chose
13. *à partir de ce moment* désormais
14. *Il trouve enfin.* Il finit par trouver.
15. *parler d'une façon incohérente* bredouiller
16. Si tu fais des erreurs, *prends garde!* gare à toi!
17. Prends un tout petit *morceau* de buvard. bout
18. Il aura peur *à condition* que tu coures vite. pourvu
19. Il *fait une promesse solennelle* de dire la vérité. jure

185

20. Il est *considéré comme étant* riche.   censé être
21. Il *fait des compliments galants* à toutes les jolies   fait la cour
    femmes.
22. Nous sommes *invités* à 8 h 30.   priés
23. Ils devraient *se comporter* comme nous.   se conduire
24. Le major est choqué par leur *comportement*.   conduite
25. une *rangée de personnes qui attendent*   file d'attente
26. Ils *se moquent* des pieds du président.   rient
27. *avoir lieu sans que l'on s'en aperçoive*   passer inaperçu
28. Ils rient du président, *même* de la présidente.   voire
29. Quelle est *la signification* du mot?   le sens
30. *relativement aux* femmes   à l'égard des
31. *rencontrer dans la rue en venant d'une direction opposée* croiser
32. *Elle paraît (ou semble)* gentille.   a l'air (d'être)
33. *aisément*   facilement
34. Il est sujet à des *attaques soudaines* de rage.   accès
35. Voilà une nouvelle *qui cause une émotion soudaine et*   foudroyante
    violente.
36. Il y a des huîtres sur *le menu*.   la carte
37. *du mauvais vin*   de la piquette
38. *J'allais* à la gare d'Austerlitz.   je me rendais
39. Il m'a *prévenu*.   averti
40. qu'il devait *s'arrêter quelques instants*   faire une courte halte
41. Il se méfie de *ce que l'on mange en Gascogne*.   la nourriture gasconne
42. Où peut-on *acheter* ce médicament, ou ces billets?   prendre
43. *bouteille* (qui se ferme d'ordinaire par un bouchon   flacon
    [stopper] de verre.)
44. Ils *sont inutiles*.   ne servent à rien
45. Comme nous *atteignons* la gare . . .   gagnons
46. Il *a demandé enfin* . . .   a fini par demander
47. *perceptiblement*   sensiblement
48. Nous *nous sommes promenés pendant quelques minutes*   avons fait quelques pas
    sur le quai.
49. une personne *qui prend ses aises en se souciant fort peu* sans gêne
    des autres
50. Enfin, *apercevant* un employé . . .   avisant
51. *Imaginez-vous*.   Figurez-vous.
52. *ayant posé des questions sur* leur santé respective   s'étant enquis de
53. *au contraire de*   à l'encontre de
54. Est-ce que vous avez *changé de domicile?*   déménagé
55. *Ce que l'on fait d'ordinaire c'est de* dire, "Allez, au il est d'usage de
    revoir, allez."
56. *une personne née dans la région*   un autochtone
57. *presque*   quasi

58. *le pas de la porte*	le seuil
59. *marcher en arrière*	reculer
60. *se préparer à*	s'apprêter à
61. Personne n'a pu *me renseigner*.	m'éclairer
62. Il faut que je *m'en aille*.	me sauve
63. Ils allaient *se battre*.	en venir aux mains
64. Il est *revenu* de Mésopotamie.	de retour
65. *une petite conversation* (colloquial)	un petit brin de causette
66. *Il s'en soucie fort peu.*	Peu lui importe.
67. *maintenant que j'y pense*	à la réflexion
68. Vous *ne vous sentez pas bien?*	êtes souffrant?
69. Je serai *moins inquiet*.	plus tranquille
70. Pourquoi ne pas prendre le médicament *dans la localité?*	sur place
71. Le médecin lui conseille *une drogue*.	un médicament
72. C'est une chose qui me *confond*.	rend perplexe
73. M. Taupin semble *désappointé*.	déçu
74. Il portait un waterproof, *autrement dit*, un imperméable.	c'est-à-dire
75. Il avait déjeuné *d'abord*.	auparavant
76. M. Taupin et M. Charnelet se disputaient; *ce dernier* levait les bras.	celui-ci
77. *Je préfère* mourir.	plutôt
78. *A l'égard du* train, je pensais M. Taupin rassuré.	quant au
79. *agiter fortement et à plusieurs reprises*	secouer
80. Mes yeux ne m'avaient pas *trompé*.	trahi
81. Les Français sont *soupçonneux*.	méfiants
82. La mer *est tout autour de* ce pays.	environne

ANSWER BRIEFLY THE FOLLOWING QUESTIONS

1. Qu'est-ce qu'on consulte si on veut savoir quand le train partira?	l'indicateur
2. Dans quoi est-ce que le major note ses impressions?	dans un carnet
3. Qu'est-ce qu'on met devant une fenêtre pour empêcher les courants d'air?	un paravent
4. Où se promènent Monsieur Taupin et le major avant le départ du train?	sur le quai

New Grammar

1. Reflexive verbs (76)

He looked at himself.	Il s'est regardé.
They kissed each other.	Ils se sont embrassés.

He escapes.	Il s'échappe.
We want to go for a walk.	Nous voulons nous promener.
Remember.	Souvenez-vous.
Come back.	Revenez.
We wondered.	Nous nous sommes demandés.
We asked.	Nous avons demandé.

2. Gender (38)

3. Possessive pronouns (66)

(a) Quel livre?

| mine | le mien | his | le sien | hers | le sien |
| ours | le nôtre | yours | le vôtre | theirs | le leur |

(b) Quelle montre?
    mine   la mienne

(c) Quels amis?
    hers   les siens

(d) Quelles observations?
    theirs   les siennes

4. Articles (13–19)

5. Present (73B)

| I have been learning French for ten months. | J'apprends le français depuis dix mois. |
| I have been sick since Monday. | Je suis malade depuis lundi. |

6. Double object pronouns (59A)

| He read it to her. | Il le lui a lu. |
| I recommend them to you. | Je vous les recommande. |

7. Object pronouns (58C)

Avez-vous des livres?

I have five.	J'en ai cinq.
I have good ones.	J'en ai de bons.
I have a green one.	J'en ai un vert.

8. Negative infinitive (49); Object pronouns (59F)

| He says not to eat any. | Il dit de ne pas en manger. |

9. Interrogatives (47C)

| What is a *hurluberlu*? | Qu'est-ce que c'est qu'un hurluberlu? |

10. Future perfect **(37)**

    When she has left, he will be sad.   Quand elle sera partie, il sera triste.

Review Grammar

1. Present **(72)** especially verbs ending in *-prendre* and *-enir.*

2. Past participles **(63)**

3. Object pronouns **(57–58)**

4. Relative pronouns **(77F)**

5. Demonstrative pronouns **(30)**

6. Prepositions **(68)**

29

L'APOLLON DE BELLAC [I]

Jean Giraudoux

Dans *l'Apollon de Bellac* de Jean Giraudoux, Agnès, une jeune fille timide, cherche une situation° comme secrétaire chez un homme très important. Dans la salle d'attente° elle rencontre un monsieur qui attend, lui aussi. Elle lui dit qu'elle a peur des hommes et il lui donne une recette° infaillible pour réussir avec eux.

LE MONSIEUR: Dites-leur qu'ils sont beaux!

AGNÈS: Leur dire qu'ils sont beaux, intelligents, sensibles?°

LE MONSIEUR: Non! Qu'ils sont beaux. Pour l'intelligence et le cœur ils savent s'en tirer° eux-mêmes. . . .

AGNÈS: A tous? A ceux qui ont du talent, du génie? Dire à un académicien° qu'il est beau, jamais je n'oserai. . . .

LE MONSIEUR: Essayez voir!° A tous! Dites-le au professeur de philosophie et vous aurez votre diplôme. Au boucher, et il lui restera du filet dans sa resserre.¹ Au président d'ici² et vous aurez la place.

AGNÈS: Cela suppose tant d'intimité° avant de trouver l'occasion de le leur dire! . . . Il faut attendre qu'ils soient seuls. Etre seule à seul° avec eux. . . .

LE MONSIEUR: Dites-leur qu'ils sont beaux en plein tramway,° en pleine salle d'examen, dans la boucherie comble.°

AGNÈS: Et s'ils ne sont pas beaux, qu'est-ce que je leur dis? C'est le plus fréquent, hélas!

LE MONSIEUR: Seriez-vous° bornée,° Agnès? Dites qu'ils sont beaux aux laids. . . .

AGNÈS: Ils ne le croiront pas!

LE MONSIEUR: Tous le croiront. Tous le croient d'avance.° . . . Ceux qui ne le croient pas, s'il s'en trouve,° sont même les plus flattés. Ils croient qu'ils sont laids, mais qu'il est° une femme qui peut les voir beaux. Ils s'accrochent à° elle. . . . Ils ne la quittent plus. Quand vous voyez une femme escortée en tous lieux d'un état-major de servants,³ ce n'est pas tant qu'ils la trouvent belle, c'est qu'° elle leur a dit qu'ils sont beaux.

¹ He will have some *filet* left for you in his store-room.
² of this place.
³ escorted everywhere by a staff of admirers.

VOCABULAIRE

la situation the job

la salle d'attente the waiting room

la recette the recipe; formula

sensible sensitive

s'en tirer (i.e., *se tirer d'affaire*) to manage; get by

un académicien member of French Academy (i.e., a very distinguished person)

essayez voir try and see

une intimité intimacy

seul à seul alone together

en plein tramway right in the middle of the trolley

comble crowded, packed to overflowing

seriez-vous? could you be?

borné slow-witted; stupid

d'avance beforehand

s'il s'en trouve if there are any

il est there is

s'accrocher à to hang onto

c'est que it's because

QUESTIONNAIRE

1. Que fait Agnès dans la salle d'attente?
2. Quelle est son attitude envers les hommes?
3. Quelle est la recette que le monsieur lui donne?
4. Pourquoi n'est-il pas nécessaire de flatter leur cœur ou leur intelligence?
5. Avec quelle sorte d'homme Agnès hésiterait-elle à employer cette recette?
6. Qu'est-ce qui arrivera si elle l'emploie avec le professeur? Avec le boucher? Avec le président?
7. Selon Agnès, qu'est-ce que cela suppose de dire une chose comme ça? Qu'est-ce qu'il faut attendre?
8. Selon le monsieur, où faut-il le dire?
9. Comment sont la plupart des hommes, selon Agnès?
10. Pourquoi le monsieur croit-il qu'Agnès est peut-être bornée?
11. Quelle objection Agnès fait-elle à cette recette?
12. Pourquoi est-ce que même les laids le croiront?
13. Pourquoi est-ce que certaines femmes sont entourées d'hommes?

DIALOGUE

A. Le monsieur dit à Agnès de dire au boucher et au professeur de philosophie qu'ils sont beaux, et lui explique les résultats que produira cette tactique.

B. Agnès dit que cela suppose beaucoup d'intimité, et qu'il faut attendre qu'ils soient seuls.

A. Le monsieur explique qu'il faut le dire en public.

B. Agnès demande ce qu'elle doit faire s'ils ne sont pas beaux.

A. Le monsieur lui demande si elle n'est pas bornée, et lui dit de dire aux laids qu'ils sont beaux.

ETUDE DE MOTS

1. *en plein tramway*   right in the middle of the trolley
   en pleine rue   right in the middle of the street
   en pleine salle de classe   right in the middle of the classroom

2. *Ils la trouvent belle.*   They think she's beautiful.
   Je le trouve intelligent.   I think he's intelligent.
   Comment trouvez-vous cette scène? How do you like that scene?
   Je trouve Agnès un peu naïve.   I think Agnès is a little naïve.

3. *Seriez-vous bornée?*   Could it be that you are a little back-
                                        ward? (conditional or future may express
                                        a supposition)

   Il parle très bien. Serait-il Français,   He speaks very well. Could he be a
   par hasard?   Frenchman, by any chance?
   Il est absent. Serait-il malade?   He is absent. Could he be sick?

EXERCICES

Object pronouns (**56, 59A**)

A. LE PROFESSEUR: Est-ce qu'Agnès va parler *aux académiciens?*
   L'ÉTUDIANT: Oui, elle va leur parler.

   1. Est-ce que le monsieur donne une recette *à Agnès?*
   2. Est-ce qu'il répond *à Agnès?*
   3. Est-ce qu'Agnès semble plaire *au monsieur?*
   4. Est-ce qu'il restera du filet *au boucher?*
   5. Est-ce qu'Agnès enlèvera la situation *à la secrétaire actuelle?*
   6. Est-ce qu'elle saura plaire *aux présidents, aux académiciens?*
   7. Est-ce qu'elle dira "Que vous êtes beau!" *à ces gens-là?*
   8. Est-ce qu'elle obéira *au monsieur?*
   9. Est-ce que le président fera peur *à Agnès?*
   10. Mais est-ce qu'Agnès plaira *au président?*
   11. Est-ce que le président fera une demande en mariage *à Agnès?*
   12. Est-ce qu'Agnès dira oui *au président?*
   13. Est-ce que le président achètera un gros diamant *pour Agnès?*
   14. Est-ce qu'il offrira du champagne à *tous les employés de son bureau?*
   15. Est-ce qu'il restera encore beaucoup d'argent *au président* après ces folles
       dépenses?

B. LE PROFESSEUR: Le monsieur donne-t-il la recette à Agnès?
   L'ÉTUDIANT: Oui, il la lui donne.

   1. Agnès explique-t-elle *les causes de sa timidité au monsieur?*

2. Peut-on facilement trouver l'occasion de dire *aux académiciens qu'ils sont beaux*?
3. Agnès va-t-elle dire *au président de cette compagnie qu'il est beau*?
4. Agnès va-t-elle donner *sa recette aux autres femmes*? (Répondez non!)
5. Va-t-elle expliquer *sa recette à la secrétaire actuelle*? (Répondez non!)
6. Le boucher offrira-t-il *son meilleur filet à Agnès*?
7. Les professeurs donnent-ils *les meilleures notes aux jeunes filles qui les flattent*? (Répondez non!)
8. Mais le professeur de philosophie donnera-t-il *son diplôme à Agnès*?
9. Est-ce qu'Agnès enlèvera *la situation à la secrétaire actuelle*?
10. Est-ce qu'elle montrera *son diamant à toutes ses amies*?

C. LE PROFESSEUR: Agnès, mangez!
    L'ÉTUDIANT: Il la fait manger.
    LE PROFESSEUR: Agnès, mangez votre dîner!
    L'ÉTUDIANT: Il lui fait manger son dîner.
    LE PROFESSEUR: Parlez, mes enfants!
    L'ÉTUDIANT: Il les fait parler.
    LE PROFESSEUR: Parlez français, mes enfants!
    L'ÉTUDIANT: Il leur fait parler français.

Dans la construction *faire* + infinitif quel pronom emploie-t-on pour remplacer le sujet de l'infinitif?

1. Quand l'infinitif n'a pas de complément direct on emploie le pronom complément direct: Il la fait manger.

2. Quand l'infinitif a un complément direct on emploie le pronom complément indirect: Il lui fait manger son dîner.

1. Agnès, venez.
2. Agnès, écoutez ma recette.
3. Messieurs, lisez le livre.
4. Mesdames, lisez.
5. Agnès, dites qu'ils sont beaux.
6. Agnès, répondez.
7. Garçon, servez les huîtres.
8. Garçon, apportez le vin.
9. Jean, attendez dehors.
10. Porteur, prenez la valise.

Imparfait (**40B.3**)

D. LE PROFESSEUR: J'attends depuis dix minutes.
    L'ÉTUDIANT: J'attendais depuis dix minutes quand la cloche a sonné.
    LE PROFESSEUR: Il parle depuis une demi-heure.
    L'ÉTUDIANT: Il parlait depuis une demi-heure quand la cloche a sonné.

On emploie l'imparfait avec *depuis* ou après *il y avait* ... *que* pour exprimer une action ou une condition qui avait commencé dans le passé et qui durait

encore quand un autre fait s'est produit. Dans cet exercice cet autre fait est la
sonnerie de la cloche. N'oubliez pas d'ajouter la proposition "quand la cloche a
sonné" à chacune des phrases du professeur.

1. L'étudiant dort depuis un quart d'heure.
2. Le silence règne depuis vendredi.
3. Ils se disent au revoir depuis une bonne demi-heure.
4. Je n'écoute plus rien depuis dix minutes.
5. Agnès écoute le monsieur depuis vingt minutes.

E. Traduisez les phrases suivantes:
Quand Agnès est entrée voir le président . . .
1. the gentleman had been talking for half an hour.
2. Agnès had been listening for half an hour.
3. the president had been waiting for half an hour.
4. silence had reigned for half an hour.
5. they had known each other for half an hour.

Present (72); Past participles (63)

F. LE PROFESSEUR: Qu'est-ce que vous dites quand vous me quittez?
   L'ÉTUDIANT: Je dis ce que j'ai toujours dit. (Complétez la phrase vous-même.)
   LE PROFESSEUR: Qu'est-ce que vous dites quand vous ne comprenez pas?
   L'ÉTUDIANT: Je dis ce que j'ai toujours dit: (Complétez la phrase vous-même.)

1. Qu'est-ce que vous voyez quand vous regardez par la fenêtre?
2. Qu'est-ce que vous faites après le dîner et avant de vous coucher?
3. Qu'est-ce que vous répétez juste avant la classe de français?
4. Qu'est-ce que vous prenez quand vous ne pouvez pas dormir?
5. Qu'est-ce que vous buvez quand vous sortez avec vos amis?
6. Qu'est-ce que vous offrez comme cadeau quand vous êtes invité pour le
   week-end?
7. Qu'est-ce que vous apercevez quand vous entrez en classe?
8. Qu'est-ce que vous répondez quand on vous fait un compliment?
9. Qu'est-ce que vous craignez en classe?
10. Qu'est-ce que vous achetez quand vous allez dans un magasin?

THÈME D'IMITATION

Agnes is looking for a job. She is very timid and never would have known how to
go about it if she had not met a gentleman in the waiting-room. He tells her to tell
men they are handsome. She thinks that that presupposes so much intimacy that she
would never have the opportunity to say it to a man like the president, whom she
would see only for a moment. He tells her to say it right in the middle of the street

to anyone at all—to the butcher, to the taxidriver, to the medical student, and to the professor. They will all believe it. Even those who think they are ugly will think that they have at last discovered a woman who finds them handsome.

SUJET DE COMPOSITION

Monologue d'Agnès. C'est le jour où elle doit voir le président à propos d'une situation. Elle a peur.

30

L'APOLLON DE BELLAC [II]

Jean Giraudoux

Agnès met sa recette en application:

AGNÈS: Que vous êtes beau!

LE PRÉSIDENT: Répétez, je vous prie!

AGNÈS: Que vous êtes beau!

LE PRÉSIDENT: Réfléchissez bien, Mademoiselle.... L'instant est grave. Vous êtes bien sûre que vous me trouvez beau?

AGNÈS: Je ne vous vois pas beau. Vous êtes beau.

LE PRÉSIDENT: Vous seriez prête à le redire devant témoins?° Réfléchissez....

AGNÈS: A le redire. A l'affirmer. Certainement.

LE PRÉSIDENT: Merci, mon Dieu. [*Il appelle.*] Mademoiselle Chèvredent! [*Entre Mlle. Chèvredent.*]

LE PRÉSIDENT: Chèvredent, depuis trois ans vous exercez les hautes fonctions de secrétaire particulière. Depuis trois ans, il ne s'est point écoulé° de matin et d'après-midi où la perspective de vous trouver dans mon bureau ne m'ait donné la nausée.... Parce que vous étiez laide, j'ai eu le faible° de vous croire généreuse. Or° vous reprenez deux francs dans la sébile° de l'aveugle contre votre pièce de vingt sous.[1] Ne niez° pas. C'est lui qui me l'a dit. Parce que vous avez une moustache, j'ai cru que vous aviez du cœur. Or ces aboiements° déchirants, de mon fox° endormi sur votre table, que vous m'expliquiez par ses rêves de chasse à la panthère, étaient provoqués en fait par vos pinçons.° Mille jours j'ai supporté de vivre avec quelqu'un qui me déteste, me méprise,° et me trouve laid. Car vous me trouvez laid, n'est-ce pas?

MLLE. CHÈVREDENT: Oui. Un singe.°

LE PRÉSIDENT: Parfait. Maintenant écoutez. Les yeux de Mademoiselle paraissent à première vue mieux qualifiés que les vôtres pour voir.... Or comment suis-je réellement, Mademoiselle Agnès?

AGNÈS: Beau! Très beau!

MLLE. CHÈVREDENT: Quelle imposture!°

---

[1] *vingt sous*—one franc. (*Un sou*—1/20 of a franc.) She puts in one franc and takes out two.

LE PRÉSIDENT: Taisez-vous, Chèvredent. Jetez un dernier regard sur moi. Cette appréciation° désintéressée de mon charme d'homme n'a pas modifié la vôtre?

MLLE. CHÈVREDENT: Vous voulez rire!°

LE PRÉSIDENT: J'en prends note. Voici donc le problème tel qu'il se pose: j'ai le choix de passer ma journée entre une personne affreuse° qui me trouve laid et une personne ravissante° qui me trouve beau. Tirez° les conséquences. Choisissez pour moi. . . .

MLLE. CHÈVREDENT: Cette folle me remplace?

LE PRÉSIDENT: A l'instant. Si elle le désire.

MLLE. CHÈVREDENT: Quelle honte!° Je monte prévenir° Mademoiselle votre fiancée.

LE PRÉSIDENT: Prévenez-la. Je l'attends de pied ferme.°

MLLE. CHÈVREDENT: Si vous tenez à° vos potiches,° vous ferez mieux de me suivre.

LE PRÉSIDENT: J'ai fait le deuil de mes potiches.² Vous venez de le voir.

A la fin le président congédie° sa fiancée et fait une demande en mariage à Agnès.

VOCABULAIRE

le témoin the witness
écouler to pass; flow by
le faible the weakness; foible
or now it so happens that
la sébile the begging bowl
nier to deny
un aboiement a barking
déchirant piercing
le fox the fox-terrier
le pinçon the pinch
mépriser to scorn
le singe the monkey
une imposture a deception (cf. *un imposteur* an impostor)

une appréciation an evaluation; appraisal
vous voulez rire you're joking
affreux frightful
ravissant delightful
tirer to draw
la honte disgrace; shame
prévenir to warn
de pied ferme firmly; without stirring
tenir à to care about
la potiche the china vase
congédier to dismiss; get rid of

QUESTIONNAIRE

1. Que fait Agnès dans cette scène?
2. Qu'est-ce que le président lui demande de faire quand il entend son exclamation? Et quelle question lui pose-t-il?
3. Devant qui veut-il qu'elle le redise?

² I'm resigned to the loss of my vases.

4. Que fait Chèvredent depuis trois ans?
5. Quel effet la perspective de la retrouver tous les jours a-t-elle sur le président?
6. Qu'est-ce qui montre que Mlle. Chèvredent n'est pas généreuse?
7. Qu'est-ce qui montre qu'elle est cruelle?
8. Qu'est-ce qui montre qu'elle est sincère?
9. Où le fox du président dort-il?
10. Comment Mlle. Chèvredent expliquait-elle ses aboiements?
11. Selon le président, quelle est la différence entre les yeux d'Agnès et ceux de Chèvredent?
12. Quelle opinion Chèvredent a-t-elle du président?
13. Selon le président, qu'est-ce qui devrait modifier cette opinion?
14. Quel choix le président se propose-t-il?
15. Quelle menace Mlle. Chèvredent fait-elle?
16. Expliquez pourquoi les potiches du président sont en danger d'être cassées.

DIALOGUE

A. Mlle. Chèvredent demande si cette folle (Agnès) la remplace.
B. Le président dit qu'elle la remplace tout de suite si elle le veut.
A. Mlle. Chèvredent exprime son indignation, et dit qu'elle va prévenir la fiancée du président.
B. Le président lui dit de la prévenir. Il dit qu'il l'attend de pied ferme.
A. Mlle. Chèvredent lui conseille de la suivre s'il tient à ses potiches.
B. Le président exprime son indifférence devant ces menaces.

ETUDE DE MOTS

tenir à	to care about; insist on
si vous tenez à vos potiches ...	if you care about your vases ...
Elle tient à avoir cette situation.	She is determined to get that job.
Allez-y, si vous y tenez.	Go ahead, if it means that much to you.
Il tient à ce qu'elle devienne sa secrétaire.	He is very eager for her to become his secretary.

EXERCICES

Past participle (63); Agreement (11)

A. LE PROFESSEUR: Qu'est-ce que vous lisez dans ce livre?
  L'ÉTUDIANT: La même chose que j'ai lue hier.

Revoyez les participes passés irréguliers qui se terminent en *-u.*
1. Qu'est-ce que vous voyez d'intéressant dans ce livre?
2. Qu'est-ce que vous buvez tout en lisant?

    3. Et qu'est-ce que vous savez maintenant?

    4. Qu'est-ce que vous recevez comme note?

    5. Qu'est-ce que vous avez?

B. LE PROFESSEUR: Qu'est-ce que vous prenez en lisant?
    L'ÉTUDIANT: La même chose que j'ai prise hier.
    LE PROFESSEUR: Quelle leçon apprenez-vous?
    L'ÉTUDIANT: La même leçon que j'ai apprise hier.

Le participe passé des verbes conjugués avec *avoir* s'accorde avec le complément d'objet direct si celui-ci précède le verbe. Notez que dans les participes passés qui se terminent en *-s* ou *-t* la consonne finale se prononce au féminin.

    1. Qu'est-ce que vous apprenez en classe?

    2. Quelle règle comprenez-vous maintenant?

    3. Quelle note le professeur mettra-t-il à votre copie?

    4. Quelle boisson prendrez-vous pour vous rafraîchir après la classe?

    5. Quelle fenêtre ouvrez-vous?

    6. Quelle lumière éteignez-vous?

    7. Quelle leçon faites-vous?

    8. Qu'est-ce que vous dites?

    9. Qu'est-ce que vous promettez?

   10. Quelle composition écrivez-vous?

Object pronouns (**59**)

C. LE PROFESSEUR: Est-ce qu'il reste *du filet au boucher?*
    L'ÉTUDIANT: Oui, il lui en reste.

    1. Est-ce que le professeur donnera un *diplôme à celles qui lui disent qu'il est beau?*

    2. Et le monsieur donne-t-il une *recette à Agnès?*

    3. Et Agnès donne-t-elle *des conseils au monsieur?* (Non.)

    4. Agnès devrait-elle parler *aux hommes qui ont du génie de leur intelligence?* (Non.)

    5. Est-ce que le président offrira une *situation à Agnès?*

    6. Est-ce qu'il achètera un gros *diamant ou un petit pour Agnès?*

    7. Est-ce qu'il offrira *à ses employés* du bon *champagne ou du mauvais?*

    8. Est-ce qu'il restera beaucoup *d'argent au président après ces dépenses?*

D. LE PROFESSEUR: Est-ce qu'Agnès plaît *au président?*
    L'ÉTUDIANT: Oui, elle lui plaît.
    LE PROFESSEUR: Le président aime-t-il *Agnès?*
    L'ÉTUDIANT: Oui, il l'aime.

    1. Le président invite-t-il *Agnès* à devenir sa secrétaire?

    2. Agnès dit-elle qu'elle trouve *le président* beau?

    3. Parle-t-elle *à Mlle. Chèvredent?* (Non.)

    4. Mlle. Chèvredent vole-t-elle de l'argent *aux aveugles?*

    5. Pince-t-elle *le pauvre petit chien?*

    6. Répond-elle *au président* poliment? (Non.)

7. Méprise-t-elle *le président?*
8. Les yeux d'Agnès paraissent-ils jolis *au président?*
9. Le président se dit-il *qu'Agnès serait une très jolie secrétaire?*
10. Dit-il à *Mlle. Chèvredent* de se taire?
11. Pose-t-il *le problème?*
12. Préfère-t-il Agnès *à Mlle. Chèvredent?*
13. Mlle. Chèvredent monte-t-elle prévenir *sa fiancée?*

E. Faites attention de ne pas confondre les mots suivants:

so much—tant	*as much, as many*—autant (que)
too much—trop	*much; a lot*—beaucoup
how much; how many—combien	*so much the better*—tant mieux

Notez que *beaucoup* n'est jamais précédé de *très.*

TRADUISEZ
1. She speaks a lot.
2. She speaks too much.
3. She speaks so much.
4. She speaks as much as you.
5. But she does not make as many mistakes.

Prepositions (69)

F. LE PROFESSEUR: (le redire) Vous êtes prête?
   L'ÉTUDIANT: Vous êtes prête à le redire?

Etudiez l'emploi des prépositions dans la construction adjectif + préposition + infinitif.
1. (manger) Les huîtres sont bonnes.
2. (attendre) Agnès est fatiguée.
3. (partir) Agnès est prête.
4. (lui donner des conseils) Le monsieur est content.
5. (louer la villa) Prentout est obligé.
6. (faire) Ces choses sont impossibles.
7. (les faire) Il est impossible.
8. (comprendre) Agnès est lente.
9. (comprendre) La recette du monsieur est facile.
10. (entrer chez le président) Agnès est la seule.
11. (faire sa rencontre) Elle est heureuse.
12. (mettre la recette en application) Elle n'est pas la première.

THÈME D'IMITATION

Come down right away, Miss. I think your fiancé is going crazy. I don't know what has got into him. You know he has never been very nice with me. He allows (**67B**) that fox terrier [of his] to sleep [right] on my table and when he barks he accuses me of pinching him. He says that I am ugly, that I detest him, and that I steal money from the blind. Now he insists on replacing me with (*par*) a pretty girl who has the audacity to tell him he is handsome. I don't know how she can say it without laughing. As for me, the prospect of marrying that man would make me sick, but if you care at all about marrying him yourself, I warn you, you ought to talk to him about it right away. Otherwise (*autrement*) she is the one he will marry.

SUJET DE COMPOSITION

Le président explique à sa fiancée pourquoi il lui préfère Agnès. Décrivez la scène.

31

LA FOLLE DE CHAILLOT

Jean Giraudoux

La Folle de Chaillot est une comédie fantastique de Jean Giraudoux. En voici une scène: un jeune homme a tenté de se suicider en se jetant dans la Seine. On l'a repêché,° et on a fait venir un sergent de ville.° Celui-ci tâche° de mener l'enquête,° mais il est constamment interrompu par la folle de Chaillot.

LA FOLLE: Que faites-vous?

LE SERGENT: Je note le nom du noyé,° son prénom, et sa date de naissance.

LA FOLLE: Que voulez-vous que cela lui fasse?[1] ... Rentrez ce carnet° et consolez-le.

LE SERGENT: Que je le console?

LA FOLLE: C'est aux agents de l'Etat de faire l'éloge° de la vie à ceux qui veulent se tuer. Ce n'est pas à moi.

LE SERGENT: Que je lui fasse l'éloge de la vie?

LA FOLLE: Vous guillotinez° les assassins. Vous bousculez° les marchandes des quatre-saisons.° Vous empêchez les enfants d'écrire sur les murs. C'est que vous voulez la vie active, que vous la trouvez digne° et propre. ... Dites-le-lui. ... Ce sont les fonctionnaires° comme vous qui organisent la vie, c'est à eux de la défendre. ... Un gardien de la paix° ce n'est rien, si ce n'est pas un gardien de la vie. ...

LE SERGENT: Evidemment. [*Au jeune homme:*] Qu'est-ce que cela signifie de se jeter dans une rivière du haut d'un pont!

LA FOLLE: Cela signifie qu'on ne peut pas se jeter dans une rivière d'au-dessous de° son niveau.° Sur ce point il est logique.

LE SERGENT: Je ne vois pas comment intéresser quiconque° à la vie si vous m'interrompez sans arrêt.°

LA FOLLE: Je ne vous interromps plus.

LE SERGENT: C'est un crime contre l'Etat, Monsieur, le suicide. Un suicidé c'est un soldat de moins,° un contribuable° de moins. ...

LA FOLLE: Etes-vous percepteur,° ou amant° de la vie?

---

[1] *Que voulez-vous que cela lui fasse?*—What difference do you think that makes to him?

LE SERGENT: Amant de la vie?

LA FOLLE: Oui. Qu'est-ce qui vous plaît à vous, dans la vie, sergent? Pour
avoir choisi d'être son champion, et en uniforme, il faut bien que vous y
ayez des joies, secrètes ou publiques. Dites-les-lui. . . . Et n'en rougissez°
pas.

LE SERGENT: Je n'en rougis pas. J'ai des passions. J'aime le piquet.° Si cela
tente° ce jeune homme, mon tour de garde fini,° nous ferons un piquet.
Un piquet avec vin chaud. S'il a une heure à perdre.

LA FOLLE: Il a sa vie à perdre. C'est tout ce dont dispose la police comme
voluptés?[2] . . . Vous ne gagnez pas votre argent. Je défie un jeune homme
résolu à se tuer d'y renoncer en vous écoutant.

VOCABULAIRE

repêcher to fish out
le sergent de ville the policeman
tâcher to try; make a strenuous effort
mener l'enquête to investigate
le noyé the drowned man, or nearly
  drowned man
rentrez ce carnet put away that notebook
une éloge praise
guillotiner to behead
bousculer to shove aside
le marchand des quatre-saisons the push-
  cart vendor
digne worthy
le fonctionnaire the civil servant

le gardien de la paix the policeman
d'au-dessous from beneath
le niveau the level
quiconque anyone
sans arrêt ceaselessly
de moins less
le contribuable the taxpayer
le percepteur the tax-collector
un amant a lover
rougir to blush
le piquet piquet (a card game)
tenter to tempt, interest
mon tour de garde fini when I go off
  duty

QUESTIONNAIRE

1. Comment le jeune homme a-t-il voulu se suicider?
2. Pourquoi le sergent de ville a-t-il du mal (*difficulty*) à mener l'enquête?
3. Pourquoi sort-il son carnet?
4. Selon la folle, qu'est-ce qu'on devrait faire à ceux qui veulent se tuer?
5. Quelles sont les activités typiques des sergents de ville mentionnées par la folle?
6. Selon la folle, pourquoi les sergents de ville font-ils toutes ces choses-là?
7. Quelle devrait être l'attitude des fonctionnaires?
8. Qu'est-ce qu'un gardien de la paix devrait être?

[2] *C'est tout ce dont dispose la police comme voluptés?*—Is that all the police can offer in the
way of pleasures?

9. Quel reproche le sergent fait-il au jeune homme?
10. Selon la folle, qu'est-ce qu'il y a de logique dans l'action du jeune homme?
11. Quels arguments le sergent emploie-t-il contre le suicide?
12. Qu'est-ce que la folle pense de ces arguments?
13. Selon la folle, qu'est-ce qu'il devrait dire au jeune homme?
14. Selon la folle, pourquoi faut-il bien que le sergent ait des joies dans la vie?
15. Et quelles sont ces joies?
16. Quelle invitation fait-il au jeune homme?
17. Quelle opinion la folle a-t-elle des joies du sergent de ville?
18. Quel reproche fait-elle au sergent de ville?

DIALOGUE

A. Le sergent demande au jeune homme ce que ça signifie de se jeter dans une rivière du haut d'un pont.
B. La folle lui explique pourquoi le jeune homme est logique sur ce point.
A. Le sergent explique au jeune homme pourquoi le suicide est un crime contre l'Etat.
B. La folle interrompt le sergent pour lui dire qu'il ne gagne pas son argent et qu'il ne persuadera pas le jeune homme.

ETUDE DE MOTS

Que voulez-vous que cela lui fasse?	What does he care?
Que voulez-vous que cela me fasse?	What do I care?
Cela ne me fait rien.	I don't care.
Cela ne fait rien.	It doesn't matter.

EXERCICES

Object pronouns (**56–57**)

A. LE PROFESSEUR: Le sergent parle-t-il *à la folle?*
  L'ÉTUDIANT: Il lui parle.
  LE PROFESSEUR: Réussit-il *à la faire taire?* (Non.)
  L'ÉTUDIANT: Non, il n'y réussit pas.

Le pronom complément *y* ne remplace jamais un nom de personne.
1. Le jeune homme s'intéresse-t-il *à la discussion?*
2. Répond-il *au sergent de ville?* (Non.)
3. Les agents doivent-ils faire l'éloge de la vie *à ceux qui veulent se tuer?*
4. Est-ce que le jeune homme a voulu se jeter *dans la Seine?*
5. La folle promet-elle *au sergent* de se taire?

6. Le sergent se plaît-il *au piquet?*
7. Perd-on du temps *à jouer aux cartes?*
8. Le sergent offre-t-il cette distraction *au jeune homme?*
9. Selon la folle, le jeune homme va-t-il renoncer *à sa résolution de se tuer?* (Non.)

Present (72)

B. LE PROFESSEUR: Dites à Chèvredent de choisir pour vous.
L'ÉTUDIANT: Choisissez pour moi.
LE PROFESSEUR: Dites à Chèvredent de sortir.
L'ÉTUDIANT: Sortez!

Distinguez entre les verbes réguliers en *-ir* et les verbes en *-ir* qui se conjuguent comme *sortir.*
1. Dites à Agnès de réfléchir avant de répondre.
2. Dites au fox de ne pas dormir sur la table du président. (On parle aux animaux à la deuxième personne du singulier.)
3. Dites au fox de finir d'aboyer.
4. Dites à Agnès qu'elle ravit tout le monde.
5. Dites au sergent de ne pas en rougir.
6. Dites au sergent de ne pas sortir son carnet.
7. Dites au maître d'hôtel de ne pas servir d'huîtres.
8. Dites à M. Taupin de ne pas choisir les huîtres.

Interrogatives (45–47)

C. Le professeur dit quelque chose mais vous n'entendez pas très bien la fin de sa phrase. Vous lui posez donc une question.

LE PROFESSEUR dit:	L'ÉTUDIANT demande:
Je suis *à la maison.*	Où êtes-vous?
Je parle *avec la bonne.*	Avec qui parlez-vous?
Je vais *assez bien.*	Comment allez-vous?
Je sortirai *demain.*	Quand sortirez-vous?
Mais j'ai dû rester au lit *trois jours.*	Combien de temps avez-vous dû rester au lit?
Ce qui m'ennuie c'est *d'avoir manqué mes classes.*	Qu'est-ce qui vous ennuie?
Je suis resté au lit *parce que j'étais malade.*	Pourquoi êtes-vous resté au lit?
Pendant ce temps-là j'ai lu *un beau roman.*	Qu'est-ce que vous avez lu?
Et j'ai écrit une longue lettre *à Delphine.*	A qui avez-vous écrit?
Je l'ai écrite avec *un stylo à bille* (*a ball-point pen*).	Avec quoi l'avez-vous écrite?

1. Je console *le noyé.*
2. Je lui dis: "*Courage!*"
3. Je l'emmène *chez lui.*
4. Je lui parle *amicalement.*
5. Il a voulu se suicider *parce qu'il était découragé.*
6. Il a essayé de se suicider *quatre* fois.
7. D'abord il a voulu se tuer avec *son revolver.*
8. Ensuite il a pris *de l'arsenic.*
9. Il en a pris *dix-sept milligrammes.*
10. La troisième fois il s'est jeté de *son balcon.*
11. Mais il est tombé dans *une charrette de foin.*
12. Ce qui le rend si triste c'est *un malentendu avec sa fiancée.*
13. Il s'est disputé avec *sa fiancée.*
14. Ils se sont disputés à propos de *ses dettes.*
15. Il a beaucoup perdu récemment *en jouant au poker.*
16. Il a même perdu *la bague qu'elle lui avait donnée.*
17. Je lui ai demandé *s'il allait recommencer* (*do it again*).
18. Ce qui m'étonne *c'est qu'il soit encore en vie.*

Relative pronouns (77F)

D. LE PROFESSEUR: Il note *le nom du noyé.*
   L'ÉTUDIANT: Comment? Je ne comprends pas ce qu'il note.
   LE PROFESSEUR: *Le désespoir* a motivé son acte.
   L'ÉTUDIANT: Comment? Je ne comprends pas ce qui a motivé son acte.

L'etudiant dit qu'il n'a pas compris les mots en italique dans la phrase du professeur. Il emploie le pronom relatif sans antécédent *ce qui* ou *ce que.* Commencez chaque phrase par: Comment? Je ne comprends pas . . .
1. Le sergent note *sa date de naissance.*
2. La folle lui dit *de rentrer son carnet.*
3. Les agents doivent faire *l'éloge de la vie.*
4. *Le brouhaha de la foule* interrompt le sergent.
5. *La bêtise du sergent* agace la folle.
6. *Un piquet avec vin chaud* plaît au sergent.
7. Le sergent doit faire *son tour de garde.*

THÈME D'IMITATION

People often make fun of policemen in French comedies. They stand for constraint and are almost always a little slow-witted. The policeman in this scene is typical, yet he is nice. You can see that he likes the madwoman even though she interrupts him constantly. His argument that a suicide means one less soldier, one less taxpayer, would never persuade a man resolved to kill himself to give up the idea. On the contrary. And I doubt that a [nearly] drowned man will be tempted (**81E.1**) by a [game of] piquet—even with hot wine. Civil servants organize life, but when it comes to (i.e., is a question of) defending it their arguments are pretty feeble. The madwoman manages much better.

SUJET DE COMPOSITION

Vous voulez vous suicider. Pourquoi? Quelqu'un vient vous sauver. Votre conversation avec lui (ou elle).

32

LES BŒUFS [I]

Marcel Aymé

Dans *Les Contes du chat perché* Marcel Aymé raconte les aventures de Delphine et de Marinette, deux petites filles qui demeurent dans une ferme où tous les animaux savent parler. Les deux petites décident d'apprendre à lire et à compter aux deux bœufs° qui demeurent dans l'étable. Un des bœufs, le blanc, fait des progrès étonnants, mais l'autre, le grand roux, ne s'intéresse pas du tout aux études. Par contre, il raffole des° jeux que les petites lui apprennent.

Le bœuf blanc devient si studieux qu'à l'étable il a toujours dans son râtelier° un livre ouvert dont il tourne les pages avec sa langue. Quant au° grand roux, il devient un bœuf frivole riant de tout et de rien. Cela fait une paire de bœufs très mal assortis,° et les sujets de querelle sont nombreux.

—Je ne comprends pas, disait le bœuf blanc d'une voix sévère en jetant sur son compagnon un regard attristé, je ne comprends pas. . . .

—Non, laisse-moi rire, interrompait le grand roux, c'est plus fort que moi,° il faut que je rie.

—Je ne comprends pas qu'on puisse à ce point° manquer de sérieux et de dignité. Quand on pense que la surface d'un rectangle s'obtient en multipliant la longueur par la largeur, que le Rhin prend sa source dans le massif du Saint-Gothard et que Charles-Martel vainquit les Arabes en l'an 732, on est consterné par le spectacle d'un bœuf de six ans se livrant à° des jeux imbéciles, et volontairement ignorant des merveilles. . . .

—Ha! ha! ha! faisait le grand roux, tordu° par un rire convulsif.

—Idiot! si au moins il avait l'esprit de s'amuser discrètement et de ne pas troubler mes travaux. Vas-tu te taire?°

—Ecoute, vieux, laisse tes bouquins° un moment et jouons à quelque chose, tous les deux. . . .

—Voilà qu'il devient fou! comme si j'avais le temps de me prêter à°. . . .

—A pigeon vole,° rien qu'un° quart d'heure . . . rien que cinq minutes. . . .

Parfois le bœuf blanc cédait,° après avoir arraché à l'autre la promesse de le laisser étudier en paix. Mais toujours préoccupé, il jouait médiocrement et

Quand on pense que la surface
d'un rectangle s'obtient en
multipliant la longueur..

s'y collait° presque tout le temps. Le grand roux, agacé,° disait qu'il faisait exprès° de mal jouer.

Leurs jeux finissaient la plupart du temps par un échange d'injures,° quand ce n'étaient pas des coups de pied. Delphine et Marinette n'étaient plus très sûres d'avoir fait œuvre de sagesse.°

VOCABULAIRE

le bœuf the ox (*f* is silent in the plural)
raffoler de to be crazy about
le râtelier the stall
assortis matched
c'est plus fort que moi I can't help it
à ce point to such an extent
se livrer à to engage in
tordu bent over
se taire to be quiet

le bouquin book (colloquial)
se prêter à to engage in
pigeon vole a children's game
rien que just; only
céder to give way
s'y coller to lose; get stuck
agacer to irritate
exprès on purpose
une injure an insult
faire œuvre de sagesse to do a wise thing

QUESTIONNAIRE

1. En quoi la ferme des parents de Delphine et de Marinette diffère-t-elle d'une ferme ordinaire?
2. Qu'est-ce que les deux petites décident de faire?
3. Quelle est l'attitude du bœuf blanc? Et celle du grand roux?
4. Comment le bœuf blanc fait-il pour lire ses livres?
5. Quelles sont quelques-unes des choses que le bœuf blanc a apprises?
6. Quelle est son opinion du grand roux?
7. Que veut-il que le grand roux fasse?
8. Et le grand roux, qu'est-ce qu'il demande au bœuf blanc de faire?
9. Quelle promesse le grand roux doit-il faire s'il veut que le bœuf blanc joue avec lui?
10. Pendant leurs jeux le grand roux est vite agacé. Pourquoi?
11. Comment finissent leurs jeux?
12. Que pensent Delphine et Marinette de tout ça?

DIALOGUE

A. Le bœuf blanc dit au grand roux de ne pas troubler ses travaux, et de se taire.
B. Le grand roux lui dit de laisser ses livres, et de jouer à quelque chose avec lui.
A. Le bœuf blanc lui dit qu'il est fou, et qu'il n'a pas le temps.
B. Le grand roux lui dit qu'ils ne joueront pas longtemps.

ETUDE DE MOTS

rien qu'un quart d'heure   just a quarter of an hour
On voit qu'il est intelligent rien qu'en le   You can tell he is intelligent just by
  regardant.   looking at him.

EXERCICES

Relative pronouns (77)

A. LE PROFESSEUR: Il dispose *de plusieurs existences.*
  L'ÉTUDIANT: Comment? Expliquez-moi ce dont il dispose.
  LE PROFESSEUR: Il se plaît *au piquet.*
  L'ÉTUDIANT: Comment? Expliquez-moi à quoi il se plaît.

L'étudiant demande une explication des mots en italique dans la phrase du professeur. Il emploie le pronom relatif sans antécédent *ce dont* ou *quoi* après une préposition. Commencez chaque phrase par: Comment? Expliquez-moi...

1. Il tourne les pages avec *sa langue.*
2. Il rit *de tout et de rien.*
3. Il veut jouer à *pigeon vole.*
4. Le bœuf blanc est consterné par *le spectacle d'un bœuf de six ans se livrant à des jeux imbéciles.*
5. Leurs jeux finissaient par *un échange d'injures.*
6. Le sergent rougit *de ses passions.*
7. La folle parle *de son état-major de servants.*
8. La police dispose *de plusieurs voluptés.*
9. Chèvredent se méfie *des impostures d'Agnès.*
10. Le sergent est fier *de son uniforme.*
11. Le sergent note avec *son stylo à bille.*
12. Le noyé s'est jeté dans *une rivière.*

B. LE PROFESSEUR: Voilà le livre. Il *le* lit.
  L'ÉTUDIANT: Voilà le livre qu'il lit.
  LE PROFESSEUR: C'est un jeu. Nous ne savons pas les règles *de ce jeu.*
  L'ÉTUDIANT: C'est un jeu dont nous ne savons pas les règles.

L'étudiant joint les deux phrases du professeur en employant le pronom relatif *qui, que,* ou *dont.* Le mot ou la phrase que le pronom relatif remplace est en italique.

1. C'est une histoire. Nous avons lu le début *de cette histoire.*
2. Il s'agit de deux petites filles. Nous avons appris le nom *de ces filles.*
3. Ce sont deux petites filles. *Elles* demeurent dans une ferme.
4. Elles ont un bœuf blanc. *Il* est intelligent.
5. C'est un bœuf. Tout le monde va parler *de ce bœuf.*

6. Elles ont un bœuf roux. Elles *le* préfèrent.

7. C'est un bœuf. Tout le monde envie la belle humeur *de ce bœuf.*

8. Les petites lui apprennent des jeux. Il raffole *de ces jeux.*

9. Voici les jeux. Il *les* connaît.

10. Ce sont des jeux. Le bœuf blanc ne *les* aime pas.

11. Voici les livres. Il *les* lit.

12. Voici un livre. Il tourne les pages *de ce livre.*

13. Ça, c'est une histoire! Je voudrais savoir la fin *de cette histoire.*

Prepositions (**67**)

C. LE PROFESSEUR: Les jeux. Le grand roux s'intéresse.

L'ÉTUDIANT: Il s'intéresse aux jeux.

Complétez les phrases suivantes en y ajoutant le nom indiqué, introduit par la préposition convenable, le cas échéant (*if need be*). N'oubliez pas les contractions: de + les = des, à + les = aux.

les jeux

1. Il raffole.
2. Il réussit.
3. Il parle.
4. Il se prête.
5. Il joue.
6. Il se souvient.

les petites filles

1. Il regarde.
2. Il obéit.
3. Il s'approche.
4. Il plaît.
5. Il pardonne.
6. Il cherche.
7. Il écoute.
8. Il permet tout.
9. Il refuse tout.

Prepositions (**68**)

D. LE PROFESSEUR: Le bœuf blanc apprend.

L'ÉTUDIANT: Il apprend à étudier.

Complétez les phrases suivantes en y ajoutant le verbe *étudier* soit sans préposition, soit en utilisant *à* ou *de*.

1. Il aime.
2. Il ne cesse jamais.
3. Il passe son temps.
4. Il se plaît.
5. Il ne s'arrête pas.
6. Il continue.
7. Il sait.
8. Il ne refuse jamais.
9. Il ne néglige jamais.
10. Il préfère.
11. Il essaie toujours.
12. Mais le grand roux l'empêche.

THÈME D'IMITATION

Marcel Aymé, like Jacques Prévert, likes to make fun of the typical French school, and especially of the "infant prodigies," the studious pupils who make astonishing progress in school and who are not at all interested in games. The things the white ox has learned (11B) in his books are the things that all French pupils learn in primary school. As for the big red one, he is the dunce. The white one thinks he irritates him on purpose, but that's not true. It is simply that he likes to play. He would play with anyone, even with the white ox, who says he doesn't have time to engage in games and who almost always loses. Most of the time their games end in insults and kicks.

SUJET DE COMPOSITION

Vous aimez étudier. Votre camarade de chambre ne veut que s'amuser. Vos discussions et querelles avec lui (ou elle).

33

LES BŒUFS [II]

Marcel Aymé

Bien entendu, le maître (le père de Delphine et de Marinette) s'est bientôt aperçu du changement dans l'attitude de ses bœufs. Un jour, sur la fin de l'après-midi, il a eu la surprise de voir le bœuf blanc, assis sur le pas de la porte de l'étable, qui paraissait contempler distraitement la campagne.

—Par exemple,° a-t-il dit, qu'est-ce que tu fais là, bœuf, et dans cette position assise?

Et le bœuf, balançant la tête° et fermant à demi les paupières,° a répondu d'une voix douce:

> J'admire, assis sous un portail
> Ce reste de jour° dont s'éclaire
> La dernière heure du travail . . .

Le maître ne savait pas, ou bien il l'avait oublié, que ce fussent là des vers de Victor Hugo, et il a convenu:°

—Il parle bien, ce bœuf.

Mais le bœuf avait la tête si pleine de beaux vers, de problèmes, de chiffres et de maximes qu'il écoutait distraitement les ordres donnés par son maître quand il travaillait aux champs. Un matin de labour,° il s'est arrêté brusquement au milieu d'un sillon° et s'est mis à rêver tout haut.° Voilà ce qu'il disait:

—Deux robinets° coulent dans un récipient cylindrique de soixante-quinze centimètres de haut, et débitent° ensemble vingt-cinq décimètres cubes à la minute. Sachant que l'un des deux robinets, s'il coulait seul. . . .

—Qu'est-ce que tu peux bien jargonner,° a interrompu le maître. Explique-moi donc un peu ce que tu racontes. . . .

Mais le bœuf était si profondément absorbé par la recherche de sa solution qu'il n'entendait rien et demeurait immobile en marmonnant° des chiffres. Le maître se demandait si son bœuf avait bien toute sa raison.°

Le grand roux était encore plus insupportable. Au travail, il s'arrêtait à chaque instant pour rire à son contentement, ou bien se retournait vers le maître pour lui proposer une devinette.°

—Quatre pattes° sur quatre pattes. Quatre pattes s'en vont, quatre pattes restent. Qu'est-ce que c'est?

—Allons, nous ne sommes pas là pour dire des bêtises. Hue!°

—Oui, disait le grand roux en riant, vous dites ça parce que vous ne savez pas trouver.°

—Moi? Je ne veux même pas chercher. Au travail!

—Quatre pattes sur quatre pattes, voyons,° ce n'est pas difficile. . . .

Le maître était au désespoir.

Mais l'histoire finit bien: il vend les deux bœufs au cirque, et le lendemain toute la famille va en ville et les applaudit dans un très joli numéro.

VOCABULAIRE

par exemple well, well; my word!	*débiter* to discharge
balancer la tête to nod	*jargonner* to talk, speak in jargon
la paupière the eyelid	*marmonner* to mutter
reste de jour remnant of light	*avoir toute sa raison* to be "all there"
convenir to agree, admit	*la devinette* the riddle
le labour the ploughing	*la patte* the paw
le sillon the furrow	*hue* giddap
tout haut aloud	*trouver* to find the answer
le robinet the water tap	*voyons* come on now

QUESTIONNAIRE

1. Où le maître a-t-il trouvé son bœuf blanc un jour, sur la fin de l'après-midi?
2. Qu'est-ce qu'il lui a demandé?
3. Comment le bœuf a-t-il répondu?
4. Pourquoi le bœuf blanc faisait-il son travail distraitement?
5. Pourquoi la réponse du bœuf a-t-elle étonné le maître?
6. A quoi pensait le bœuf blanc quand il s'est mis à rêver tout haut?
7. Qu'est-ce que le maître s'est demandé quand il a entendu son bœuf qui marmonnait des chiffres?
8. Pourquoi le grand roux était-il encore plus insupportable que le bœuf blanc?
9. Qu'est-ce qu'il propose au maître?
10. Selon le grand roux, pourquoi est-ce que le maître ne répond pas à la devinette?
11. Que fait le maître enfin de ses bœufs?

DIALOGUE

A. Le bœuf blanc dit à son maître qu'il veut lui proposer une devinette.

B. Le maître lui dit qu'ils ne sont pas là pour dire des bêtises.

A. Le bœuf blanc lui dit qu'il dit ça parce qu'il ne sait pas en trouver la réponse.

B. Le maître dit qu'il ne veut même pas chercher. Il dit au bœuf blanc de se mettre au travail.

ETUDE DE MOTS

absorbé par la recherche de sa solution	busy trying to figure out the solution
Ils sont partis à la recherche d'un restaurant.	They went off to look for a restaurant.
Il fait des recherches.	He's engaged in research.

EXERCICES

Relative pronouns (77)

A. LE PROFESSEUR: Il propose une devinette. Au milieu de *cette devinette* le maître l'interrompt.

L'ÉTUDIANT: Il propose une devinette au milieu de laquelle le maître l'interrompt.

LE PROFESSEUR: Voici l'étable. Le bœuf est assis à la porte de *l'étable*.

L'ÉTUDIANT: Voici l'étable à la porte de laquelle le bœuf est assis.

LE PROFESSEUR: Je connais l'étudiant. Vous avez écrit votre composition avec l'aide de *cet étudiant*.

L'ÉTUDIANT: Je connais l'étudiant avec l'aide de qui vous avez écrit votre composition.

D'ordinaire *dont* doit suivre son antécédent directement. On ne peut pas l'employer après une locution prépositionnelle comme *au milieu de*. Son emploi est défendu également après une locution formée de nom + préposition + nom si l'antécédent est le premier des deux noms. Dans ces cas on emploie *duquel*, *desquels*, *de laquelle*, ou *desquelles*, ou, si l'antécédent est un nom de personne, *de qui*. Le mot ou la phrase que le relatif remplace est en italique.

1. Il y a certains sujets. A propos de *ces sujets* on se dispute facilement.
2. Ils font un inventaire. Au cours de *cet inventaire* ils se lamentent sur le mauvais sort qui les poursuit.
3. Je connais bien le quai. Le jeune homme se promenait le long de *ce quai*.
4. Quelle est la solution? Le bœuf est absorbé par la recherche de *la solution*.
5. Il y a un niveau. On ne peut pas descendre au-dessous de *ce niveau*.
6. Il habite une étable. Au fond de *l'étable* il y a un râtelier.
7. Voilà la folle. J'aurais vite fini mon enquête sans les interruptions de *cette folle*.
8. Je dédie ce livre à ma femme. Je n'aurai jamais pu l'écrire sans l'aide de *ma femme*.
9. C'est le pays. On mange les meilleures choses du monde dans les restaurants de *ce pays*.
10. J'ai rencontré un jeune homme. J'ai fait la guerre avec le père de *ce jeune homme*.

B. Certains verbes qui se construisent avec un complément direct en anglais, se construisent en français avec une préposition. Avec ses verbes il faut faire attention d'employer le pronom relatif convenable.

the person I remember   la personne dont je me souviens
the person I know   la personne que je connais
the person I obey   la personne à qui j'obéis
the thing I ask for   la chose que je demande

Traduisez les expressions suivantes en tenant compte de la construction du verbe.

1. the person I like . . .   7. the person I look for . . .
2. the person I please . . .   8. the person I look at . . .
3. the person I listen to . . .   9. the thing I like . . .
4. the person I speak to . . .   10. the thing I forgive . . .
5. the person I answer . . .   11. the thing I obey . . .
6. the person I remember . . .   12. the thing I approach . . .

Ce or *Il* (**22B, 24B**)

C. LE PROFESSEUR: Cette histoire est-elle intéressante?
L'ÉTUDIANT: Oui, elle est intéressante.
UN AUTRE ÉTUDIANT: C'est une histoire intéressante.

Devant le verbe *être* + adjectif on emploie *il*, *elle*, *ils*, ou *elles* quand il y a un antécédent. Devant le verbe *être* + nom modifié on emploie *ce*. Notez qu'il y a deux réponses de l'étudiant dans cet exercice:

Adjectif: Oui, elle est intéressante.
Nom modifié: C'est une histoire intéressante.

1. Le bœuf est-il intelligent?
2. Le vers est-il beau?
3. Le problème est-il difficile?
4. Le maître est-il bon?
5. La devinette est-elle facile?
6. Le numéro est-il joli?
7. Les petites filles sont-elles jolies?
8. Les bœufs sont-ils dociles?
9. Les bœufs sont-ils beaux?
10. Les jeux sont-ils amusants?
11. Est-ce que ces bouquins sont intéressants?

D. LE PROFESSEUR: Américaine

L'ÉTUDIANT: Elle est Américaine.
LE PROFESSEUR: de bons étudiants
L'ÉTUDIANT: Ce sont de bons étudiants.

Devant le verbe *être* + un nom sans article on emploie *il, elle, ils,* ou *elles.* Si le nom est modifié on emploie *ce.*

1. Anglais
2. un commandant anglais
3. général
4. professeurs
5. père de famille
6. une folle
7. sergent
8. un sergent un peu bête mais gentil
9. percepteur
10. des bouchers
11. secrétaire
12. une bonne secrétaire

THÈME D'IMITATION

I have a friend who has asked many Frenchmen the answer to the riddle that the big redhead asks his master. No one was really able to enlighten him. Since the master won't even try to find the answer, the big redhead never gives it. My friend even did some research, that is to say he read many Aymé stories looking for the answer, but without unearthing it. Someone ought to write to the author [and] ask him for the answer. On the other hand, the white ox's problem in which it is a question of water taps flowing into a cylindrical recipient would be easy to complete, but no one is interested in it. What amuses me is the attitude of the master. He is not astonished that the white ox speaks, but only that he speaks so well. When his ox starts muttering numbers he wonders if the animal has not lost his reason. How can you lose what you have not got?

SUJET DE COMPOSITION

Vous êtes le maître. Expliquez à Delphine et à Marinette pourquoi il faut vendre les bœufs au cirque.

REVIEW LESSON VI
Review of Lessons 29–33

Vocabulary and Idioms

TRANSLATE

1. They know how to manage (to get by). — Ils savent se tirer d'affaire.
2. Try and see. — Essayez voir.
3. How handsome you are! — Que vous êtes beau!
4. Draw (your own) conclusions, figure it out (for yourself). — Tirez les conséquences.
5. What do you think he cares? — Que voulez-vous que cela lui fasse?
6. It's up to them. — C'est à eux.
7. Do you have an hour to kill? — Avez-vous une heure à perdre?
8. Now he's going crazy! — Voilà qu'il devient fou!
9. Is he all there, is he in full possession of his faculties? — Est-ce qu'il a toute sa raison?
10. I told him a riddle. — Je lui ai proposé une devinette.
11. I can't figure out (the answer). — Je ne peux pas trouver.
12. He's talking to himself, musing. — Il rêve tout haut.
13. They went off to look for a hotel. — Ils sont allés à la recherche d'un hôtel.

REPLACE THE EXPRESSIONS IN ITALICS BY A SYNONYM

1. Il est *membre de l'académie*. — académicien
2. *en tête à tête* — seul à seul
3. *Il y en a.* — Il s'en trouve. (*ou*, Il en est.)
4. *Il y a* une femme. — il est (*ou*, il se trouve)
5. Ils la suivent *partout*. — en tous lieux
6. *répéter* — redire
7. Le temps *passe*. — s'écoule
8. Voici une pièce *d'un franc*. — de vingt sous
9. *le cri du chien* — l'aboiement
10. Est-ce que son *évaluation* est désintéressée. — appréciation
11. Vous *plaisantez*. — voulez rire
12. Mais c'est *effrayant*! — affreux
13. *immédiatement* — à l'instant
14. *Remettez* ce carnet *dans votre poche*. — rentrez

15. Il *vante le mérite de* son ami.   fait l'éloge
16. *une personne employée par l'état*   un fonctionnaire
17. un *agent de police*   gardien de la paix
18. *Toute personne qui* rit sera puni.   quiconque
19. Elle parle *constamment*.   sans arrêt
20. *celui qui paie l'impôt*   le contribuable
21. *celui qui perçoit l'impôt*   le percepteur
22. Il ne faut pas en *avoir honte*.   rougir
23. Il *avance* dans ses études.   fait des progrès
24. Les *disputes* étaient fréquentes.   querelles
25. Comment peux-tu être *tellement* bête?   à ce point (*ou*, si)
26. Parfois il *consentait* à ces jeux;   se prêtait
27. mais d'ordinaire il se *consacrait* à ses études.   livrait
28. Il le fait *exprès, parce qu'il veut le faire*.   volontairement
29. Je lis un *livre*.   bouquin
30. Je lui ai *fait promettre* de se taire.   arraché la promesse
31. Il a *remué* la tête *d'avant en arrière*.   balancé
32. *ce qui recouvre les yeux quand ils sont fermés*   les paupières
33. Il y a encore un peu de *lumière*.   jour
34. Il *est demeuré d'accord* que son bœuf parlait bien.   a convenu
35. un jour *où il creusait des sillons dans la terre*   de labour
36. Il *a commencé à* jargonner.   s'est mis à
37. Il *murmure entre ses dents*.   marmonne
38. *le pied d'un animal*   la patte
39. On n'est pas là pour dire *des futilités, des choses*   des bêtises
    stupides.
40. Le maître est *irrité* par son bœuf.   agacé
41. Il *ne gagne pas, ne réussit pas aux jeux, ou aux*   s'y colle
    examens.
42. Ils échangent des *insultes*.   injures
43. *A leur avis elle est* belle.   Ils la trouvent
44. *Est-il possible que vous soyez* bornée?   Seriez-vous
45. *au beau milieu du* tramway   en plein
46. Est-ce que vous *insistez là-dessus?*   y tenez
47. *Je suis résigné à la perte* de mes potiches.   J'ai fait le deuil
48. Comment *est-ce qu'on trouve* la surface d'un   s'obtient
    rectangle?
49. Veux-tu *garder le silence?*   te taire
50. *seulement* cinq minutes   rien que
51. Il *interrompt* mes travaux   trouble
52. Il le fait *avec intention*   exprès
53. Les agents *poussent rudement* les marchands de   bousculent
    quatre saisons.
54. Ces deux élèves sont au même *rang*.   niveau

55. Les deux bœufs *ne s'accordent pas bien*.   sont mal assortis
56. Ha! ha! faisait le grand roux *pris* par un rire   tordu
    convulsif.
57. *Quelle transformation* dans ses manières!   quel changement
58. Le bœuf blanc travaillait *sans penser à ce qu'il*   distraitement
    faisait.
59. La boucherie est *très pleine*.   comble
60. Ils ont un *goût prononcé* pour les souvenirs.   faible
61. Il n'a pas peur de sa fiancée; il l'attend *avec*   de pied ferme
    courage et résolution.
62. *ce qui demeure*   le reste

ANSWER BRIEFLY THE FOLLOWING QUESTIONS
1. Qu'est-ce qu'on ouvre pour faire couler l'eau?   le robinet

2. Par quoi finissaient, la plupart du temps, les jeux   par des coups de pied
   des deux bœufs?

3. Dans *La Folle de Chaillot* qu'est-ce que l'agent   Il tâche de mener l'enquête.
   tâche de faire?

4. Pourquoi Agnès est-elle dans la salle d'attente du   Elle cherche une situation.
   président?

New Grammar

1. *Imparfait* (**40B.3**)

I had been speaking for half an hour   Je parlais depuis une demi-heure quand
when the bell rang.   la cloche a sonné.

2. Agreement (**11**)

the window I opened   la fenêtre que j'ai ouverte
the lesson I learned   la leçon que j'ai apprise

3. Prepositions (**67–69**)

4. Interrogatives (**45–47**)

5. *Ce* or *Il* (**22B, 24B**)

He is good.   Il est bon.
He is a good master.   C'est un bon maître.
It's good. (no antecedent)   C'est bon.
She is a secretary.   Elle est secrétaire.
She is a good secretary.   C'est une bonne secrétaire.

6. *Faire* + infinitive (**33D**)

He has them recite.	Il les fait réciter.
He has them recite poems.	Il leur fait réciter des poèmes.

Review Grammar

1. Object pronouns (**54–59**)

2. Present (**72**)

3. Past participles (**63**)

4. Relative pronouns (**77**)

Je vous
demande un peu!

34

LE LOUP

Marcel Aymé

Delphine et Marinette sont seules à la maison. Leurs parents leur ont dit de n'ouvrir la porte à personne. Mais voilà le loup qui les regarde par la fenêtre. Il trouve les deux petites tellement jolies et attendrissantes qu'il devient bon, tout à coup. Si bon et si doux qu'il ne pourrait plus jamais manger d'enfants. Marinette trouve que le loup est très gentil, mais Delphine se méfie un peu de lui.

—Il a l'air doux, a-t-elle dit, mais je ne m'y fie° pas. Rappelle-toi *Le Loup et l'agneau.*°... L'agneau ne lui avait pourtant rien fait.

Et comme le loup protestait de ses bonnes intentions, elle lui a dit:

—Et l'agneau, alors?... Oui, l'agneau que vous avez mangé?

Le loup n'en a pas été démonté.°

—L'agneau que j'ai mangé, dit-il. Lequel?

Il disait ça tout tranquillement, comme une chose toute simple et qui va de soi°, avec un air et un accent d'innocence qui faisait froid dans le dos.°

—Comment? vous en avez donc mangé plusieurs! s'est écriée Delphine. Eh bien! c'est du joli!°

—Mais naturellement que j'en ai mangé plusieurs. Je ne vois pas où est le mal.... Vous en mangez bien, vous!

Il n'y avait pas moyen° de dire le contraire. On venait justement de manger du gigot° au déjeuner de midi.

—Dites donc, Loup, dit Delphine, j'avais oublié le petit Chaperon° Rouge. Parlons-en un peu du petit Chaperon Rouge, voulez-vous?

Le loup a baissé la tête avec humilité. Il ne s'attendait pas à° celle-là.

—C'est vrai, a-t-il avoué,° je l'ai mangé, le petit Chaperon Rouge. Mais je vous assure que j'en ai déjà eu bien du remords.° Si c'était à refaire.°...

—Oui, oui, on dit toujours ça. Tout de même vous l'avez mangé.

—Je l'ai mangé, c'est entendu. Mais c'est un péché° de jeunesse.... Et puis, si vous saviez les tracas° que j'ai eus à cause de cette petite! Tenez, on est allé jusqu'à dire[1] que j'avais commencé par manger la grand'mère, eh bien, ce n'est pas vrai du tout....

---

[1] *Tenez, on est allé jusqu'à dire....*—Listen, they went so far as to say....

Ici, le loup s'est mis à ricaner° malgré lui, et probablement sans bien se rendre compte° qu'il ricanait.

—Je vous demande un peu!° manger de la grand'mère, alors que j'avais une petite fille bien fraîche qui m'attendait pour mon déjeuner! Je ne suis pas si bête.°. . .

Cette remarque fait très mauvaise impression sur les petites. Mais tout finit bien: elles le laissent entrer à la fin et ils jouent ensemble tous les trois.

VOCABULAIRE

attendrissant moving; sweet

se méfier de to mistrust

se fier à to trust

un agneau a lamb

démonté upset; abashed (colloquial)

ça va de soi it goes without saying

qui faisait froid dans le dos that gave them the shivers

c'est du joli! a fine thing!

un moyen a way, a means

le gigot roast leg of lamb

le chaperon the riding hood

s'attendre à to expect

avouer to admit

bien du remords a lot of remorse

si c'était à refaire if I had it to do over again

le péché the sin

le tracas the trouble; bother

ricaner to snicker

se rendre compte to realize

je vous demande un peu now I ask you

bête stupid

QUESTIONNAIRE

1. Quelle recommandation les parents ont-ils faite à Delphine et à Marinette avant de sortir?
2. Qu'est-ce qui arrive au loup quand il voit les deux petites?
3. Pourquoi Delphine se méfie-t-elle de lui?
4. Le loup en est-il démonté quand Delphine lui parle de l'agneau?
5. Pourquoi les petites sont-elles choquées par sa réponse?
6. Que dit Delphine pour exprimer son indignation?
7. Comment le loup se défend-il?
8. Qu'est-ce que Delphine et Marinette viennent de manger au déjeuner?
9. Mais que fait le loup quand on lui parle du petit Chaperon Rouge?
10. Comment tâche-t-il de s'excuser?
11. Que ferait-il si c'était à refaire?
12. Quelle accusation fausse a-t-on faite contre le loup?
13. Pourquoi dit-il qu'il est ridicule de l'accuser d'avoir mangé la grand'mère?
14. Comment l'histoire finit-elle?

DIALOGUE

A. Delphine rappelle au loup qu'il a mangé l'agneau.

B. Le loup demande lequel.

A. Delphine est étonnée qu'il en ait mangé plusieurs, et exprime son indignation.

B. Le loup dit qu'il ne voit pas où est le mal et leur rappelle qu'elles en mangent elles-mêmes.

A. Delphine avoue que c'est vrai, et qu'elles viennent de manger du gigot.

ETUDE DE MOTS

1. *Il ne s'attendait pas à celle-là.* — He hadn't been expecting that one.
   Je m'attendais à cette question. — I was expecting that question.
   Mais lui, il ne s'y attendait pas. — But he wasn't.
   Je m'attendais à ce qu'il me pose cette question. — I expected him to ask me that question.

2. *Mais naturellement que j'en ai mangé!* — But of course I've eaten some!
   Mais naturellement que vous êtes invité! — But of course you're invited!
   Mais naturellement que vous êtes déçu. — It's only natural that you should be disappointed.

EXERCICES

Ce or Il (22C; 24B)

A. LE PROFESSEUR: On dit que tu as mangé le petit Chaperon Rouge.
    Que réponds-tu? (vrai)
  L'ÉTUDIANT: C'est vrai.
  LE PROFESSEUR: Tu as vu le petit Chaperon Rouge. Comment est-elle? (petit)
  L'ÉTUDIANT: Elle est petite.

On emploie *ce* devant le verbe *être* + adjectif s'il représente un concept sans genre déterminé. On emploie *il, elle, ils,* ou *elles* s'il y a un antécédent ayant un genre déterminé.

1. Oui, je l'ai mangée. Qu'en dites-vous? (horrible)
2. Mais je n'ai pas mangé la grand'mère. (pas croyable)
3. Décrivez la ferme de Delphine et de Marinette. (joli)
4. Que pensez-vous de mon diamant? (petit)
5. Savez-vous qu'il existe encore des loups dans nos grandes forêts? (intéressant)
6. Quelle opinion avez-vous de Delphine? (charmant)
7. Pourquoi Agnès a-t-elle peur? (timide)
8. Pourquoi est-ce que les enfants aiment jouer à pigeon-vole? (amusant)

9. Pourquoi est-ce que les parents de Delphine et de Marinette ne leur achètent pas de joujoux? (pauvre)

B. LE PROFESSEUR: Il est peu probable qu'il dise la vérité.
   L'ÉTUDIANT: Oui, c'est peu probable.

Devant le verbe *être* + adjectif + un infinitif ou une proposition on emploie d'ordinaire *il*. Quand l'adjectif n'est pas suivi d'un infinitif ou d'une proposition et qu'il n'a pas d'antécédent de genre déterminé on emploie d'ordinaire *ce*.
1. Il est vrai qu'il a changé.
2. Il est évident qu'il s'est repenti.
3. Il est normal de se le demander.
4. Il est important de ne pas l'oublier.
5. Il est amusant de le regarder.
6. Il est rare de rencontrer un loup si humain.

C. LE PROFESSEUR: *La vie* est intéressante.
   L'ÉTUDIANT: C'est intéressant.
   LE PROFESSEUR: *Le train* va vite.
   L'ÉTUDIANT: Ça va vite.

Ce ne s'emploie guère que comme sujet du verbe *être*. Devant les autres verbes on emploie *ça* (ou *cela*) quand il n'y a aucun antécédent de genre déterminé. Notez que *ce* et *ça* dans les réponses de l'étudiant ne se rapportent pas aux antécédents *vie* et *train*; ils expriment un concept d'ordre général. Ils sont neutres et invariables. Répondez par *ce* (*c'*) ou *ça*.
1. *Le restaurant* me plaît.
2. *La pièce* est amusante.
3. *La situation* s'embrouille.
4. *Son histoire* est incroyable.
5. *Tout ce qu'il dit* est vrai.
6. *La conversation* devient ennuyeuse.
7. *La cloche* ne fonctionne pas.
8. *Ces rendez-vous avec le loup* ne peuvent pas continuer.
9. *Ce perpétuel échange d'injures* est fatigant.
10. *Le dialogue du bœuf et de son maître* est bien amusant.

Prepositions (**67**)

D. LE PROFESSEUR: (le loup) J'écoute.
   L'ÉTUDIANT: J'écoute le loup.
   LE PROFESSEUR: (pigeon vole) Elles jouent.
   L'ÉTUDIANT: Elles jouent à pigeon vole.

Joignez les mots suivants d'après le modèle ci-dessus. S'il faut employer une préposition n'oubliez pas les contractions *du*, *des*, et *au*, *aux*.
1. (le loup) Elles échappent.

2. (le piano) Elles jouent.
3. (la maison) Le loup s'approche.
4. (le loup) Elles regardent.
5. (la maison) Le loup veut entrer.
6. (leurs parents) Elles n'obéissent pas.
7. (la vérité) Elles ne se rendent pas compte.
8. (leurs parents) Elles se moquent.
9. (le loup) Elles devraient se méfier.
10. (le loup) Elles cherchent.

Conditional (**27, 28A, C**)

E. LE PROFESSEUR: Etudiez-vous la leçon?
    L'ÉTUDIANT: Je devrais étudier la leçon.
    LE PROFESSEUR: Que feriez-vous si vous étiez raisonnable?
    L'ÉTUDIANT: J'étudierais la leçon.
    LE PROFESSEUR: Faites-vous vos devoirs?
    L'ÉTUDIANT: Je devrais faire mes devoirs.
    LE PROFESSEUR: Que feriez vous si vous étiez raisonnable?
    L'ÉTUDIANT: Je ferais mes devoirs.

Ne confondez pas le conditionnel (*would* ou plus rarement *should* + verbe) avec "je devrais" = *I should,* le conditionnel du verbe *devoir.*

1. Lisez-vous votre livre?
2. Que feriez-vous si vous étiez raisonnable?
3. Il est très tard. Vous couchez-vous?
4. Que feriez-vous si vous étiez raisonnable?
5. Vous levez-vous de bonne heure?
6. Que feriez-vous si vous étiez raisonnable?
7. Arrivez-vous à l'heure?
8. Que feriez-vous si vous étiez raisonnable?
9. Ecoutez-vous en classe?
10. Que feriez-vous si vous étiez raisonnable?
11. Prenez-vous des notes?
12. Que feriez-vous si vous étiez sage?
13. Allez-vous toujours en classe?
14. Que feriez-vous si vous étiez sage?
15. Ecrivez-vous votre composition?
16. Que feriez-vous si vous étiez sage?

THÈME D'IMITATION

The wolf swore never to eat children any more and he was ready to repeat it before witnesses. But the little [girls] wondered if he had the habit of keeping his word? They were suspicious. When they asked him to talk about the lamb he ate, he was surprised. He hadn't been expecting that question. "Which one?" he asked, "I have eaten so many of them!" The innocent way he said it made a chill run up and down your spine. But he said he didn't see anything wrong with that. "Look at human beings," he said. "*They* eat them, don't they?" There was no way of denying it. The girls admitted that he was right, and they would have let him come in right off if Delphine hadn't spoken to him about Little Red Riding Hood.

SUJETS DE COMPOSITION

Choisissez un des sujets suivants :

1. Vous êtes le loup. Racontez l'histoire du petit Chaperon Rouge de votre point de vue. Vos remords? Les exagérations de la presse?
2. Vous êtes le petit Chaperon Rouge. Vos souvenirs de votre célèbre rencontre avec le loup. Votre opinion de lui?

35

LE PAON°

Marcel Aymé

LE COQ: Je ne voudrais pas te faire de la peine, mais tu as quand même un drôle de cou.[1]

L'OIE:° Un drôle de cou? Pourquoi, un drôle de cou?

LE COQ: Cette question![2] mais parce qu'il est trop long! Regarde le mien!

L'OIE: Eh bien, oui, je vois que tu as le cou beaucoup trop court. Je dirai même que c'est loin d'être joli.

LE COQ: Trop court! Voilà que maintenant[3] c'est moi qui ai le cou trop court! En tout cas, il est plus beau que le tien.

L'OIE: Je ne trouve pas. Du reste,° ce n'est pas la peine de discuter. Tu as le cou trop court et un point, c'est tout.[4]

LE COQ: [*En ricanant.*°] Tu as raison. Ce n'est pas la peine de discuter. Mais sans parler du cou, je suis mieux que toi.[5] J'ai des plumes bleues, des plumes noires et même des jaunes. Surtout j'ai un très beau panache,° tandis que toi, je trouve que tu finis drôlement.

L'OIE: J'ai beau te regarder,[6] je vois un petit tas° de plumes ébouriffées° qui ne sont guère plaisantes. C'est comme cette crête° rouge que tu as sur la tête, tu n'imagines pas, pour quelqu'un d'un peu délicat,[7] combien c'est écœurant.°

LE COQ: [*Furieux.*] Vieille imbécile! je suis plus beau que toi! tu entends! plus beau que toi!

L'OIE: Ce n'est pas vrai! Espèce de brimborion!° C'est moi la plus belle!

LE COCHON:° [*En s'approchant.*] Qu'est-ce qui vous prend?[8] Est-ce que vous avez perdu la tête, tous les deux? Voyons, mais le plus beau, c'est moi! [*Delphine, Marinette, et toute la basse-cour° éclatent de rire.*]

---

[1] *Tu as quand même un drôle de cou.*—I must say you have a funny neck.

[2] *Cette question!*—what a question!

[3] *Voilà que maintenant. . . .*—So now. . . .

[4] *Un point, c'est tout.*—Period. That's all.

[5] *Je suis mieux que toi.*—I'm better looking than you are.

[6] *J'ai beau te regarder, . . .*—it's no good looking at you, . . .

[7] *quelqu'un d'un peu délicat*—someone with a little taste.

[8] *Qu'est-ce qui vous prend?*—What's got into you?

Voyons, mais le plus beau, c'est moi!

LE COCHON: Je ne vois pas ce qui vous fait rire. En tout cas, pour ce qui est de°
   savoir lequel est le plus beau, vous voilà d'accord.°

L'OIE: C'est une plaisanterie.°

LE COQ: Mon pauvre cochon, si tu pouvais voir combien tu es laid!°

UN PAON: [*S'approche, et, s'adressant aux deux petites:*] Depuis le coin de la
   haie,° j'ai assisté à° leur querelle et je ne vous cacherai pas° que je me
   suis follement amusé. Ah! oui, follement. . . . Grave question de savoir
   quel est le plus beau de ces trois personnages. . . . Ah! laissez-moi rire
   encore. . . . Mais soyons sérieux. Dites-moi, jeunes filles, ne pensez-vous
   pas qu'il vaudrait mieux, quand on est si loin de la perfection, ne pas trop
   parler de sa beauté?

Toute la basse-cour admire le paon. Le reste de l'histoire raconte les efforts
qu'ils font pour atteindre à° la même beauté en suivant un régime.°

VOCABULAIRE

le paon (*o* is silent) the peacock
une oie a goose
du reste anyhow
ricaner to snigger
le panache the tailfeathers (*fig.*, a dashing manner)
le tas the heap; pile
ébouriffé dishevelled
la crête the comb; crest
écœurant disgusting; sickening
le brimborion the bauble; cheap toy
le cochon the pig

la basse-cour the farmyard
pour ce qui est de . . . as far as . . . goes
d'accord in agreement
la plaisanterie the joke
laid ugly
la haie the hedge
assister à to hear; be present at
je ne vous cacherai pas que . . . I won't deny that . . .
atteindre à to attain; achieve
le régime the diet

QUESTIONNAIRE

1. Qui commence la querelle? Comment le fait-il?
2. Pourquoi le coq trouve-t-il le cou de l'oie drôle? Comment l'oie se défend-elle?
3. De quoi encore le coq se vante-t-il (*boast*)?
4. Quelle nouvelle remarque désobligeante fait-il à l'oie?
5. Comment l'oie décrit-elle le panache du coq? Et sa crête?
6. Que dit le coq quand il se fâche? Comment l'oie répond-elle?
7. Qu'est-ce que le cochon leur demande?
8. Pourquoi croit-il qu'ils ont perdu la tête?
9. Qui éclate de rire?
10. L'oie et le coq sont d'accord au moins sur un point. Lequel?

11. Comment répondent-ils au cochon?
12. Que pense le paon de la querelle?
13. Pourquoi la querelle lui semble-t-elle ridicule?
14. Selon le paon, quel sujet les autres devraient-ils éviter? Pourquoi?
15. Que fait la basse-cour sous l'influence du paon?
16. Dans cette querelle, qui vous paraît le personnage le plus sympathique? Pourquoi? Qui fait preuve de vanité? de sottise (*foolishness*)?

DIALOGUE

A. Le coq dit à l'oie que son cou est trop long et que le sien est plus joli.
B. L'oie dit des choses désobligeantes à propos du cou du coq.
A. Le coq lui dit qu'il est mieux qu'elle, et que son panache est plus beau que sa queue.
B. L'oie lui dit que sa crête rouge est écœurante.

ETUDE DE MOTS

1. *un drôle de cou*   a funny (peculiar) neck
   un drôle de type   a funny (peculiar) guy
   un type drôle   a funny (amusing) guy

2. *Voilà que (maintenant) c'est moi.*   Now it is I.
   Voilà qu'ils se disputent.   Now they're fighting.
   Voilà qu'il pleut.   Now it's raining.

3. *J'ai beau regarder, je ne vois rien.*   It's no good looking, or, no matter how hard I look, I can't see anything.

   J'ai beau parler....   No matter how much I talk....
   Vous avez beau rire, c'est moi le plus beau.   You can laugh all you want to, I'm still the best-looking one.

EXERCICES

Interrogatives (**47B**); Demonstrative pronouns (**30**)

A. LE PROFESSEUR: Et l'agneau que vous avez mangé?
   L'ÉTUDIANT: Lequel? Celui-là?
   LE PROFESSEUR: Je connais ces femmes.
   L'ÉTUDIANT: Lesquelles? Celles-là?

   1. Je voudrais manger quelques-unes de ces pâtisseries.
   2. Je vais choisir un de ces journaux.

3. Je vais lire une de vos compositions.
4. Il y a une symphonie que je préfère à toutes les autres.
5. Il y a certaines notes qui sont difficiles à jouer.
6. Quelques-uns parmi vous ne seront pas ici l'année prochaine.
7. J'ai trouvé un des chapitres très difficile.

Interrogatives (45C)

B. LE PROFESSEUR: Pourquoi est-ce que Delphine se méfie du loup?
L'ÉTUDIANT: Pourquoi Delphine se méfie-t-elle du loup?
LE PROFESSEUR: Où est-ce que les petites demeurent?
L'ÉTUDIANT: Où demeurent les petites?

On peut commencer une question par *Qu'est-ce que* ou par un adverbe interrogatif (*où, quand, combien, comment, pourquoi*) + *est-ce que* comme dans la phrase du professeur ci-dessus. Mais il est plus élégant d'utiliser l'inversion. On place de préférence le sujet après le verbe si celui-ci n'a pas de complément. S'il y a un complément il faut placer le sujet avant le verbe, et faire suivre celui-ci du pronom convenable.

1. Quand est-ce que Delphine ouvre la porte?
2. Comment est-ce que le loup répond?
3. Qu'est-ce que Marinette dit?
4. Quand est-ce que le loup a du remords?
5. Quand est-ce que le loup ricane?
6. Pourquoi est-ce que le loup baisse la tête?
7. Quand est-ce que les petites mangent du gigot?
8. Où est-ce que Delphine se rend?
9. Qu'est-ce que l'oie répond?
10. Combien de fois est-ce que le coq chante?

Imparfait (40)

C. LE PROFESSEUR: Ils se sont disputés. Puis le paon est arrivé.
L'ÉTUDIANT: Il se disputaient quand le paon est arrivé.
LE PROFESSEUR: L'oie a répondu. Puis le coq s'est mis à rire.
L'ÉTUDIANT: L'oie répondait quand le coq s'est mis à rire.

Dans la phrase du professeur il s'agit de deux actions achevées. Dans la phrase de l'étudiant une action inachevée (*ils se disputaient*) est interrompue par une action achevée (*le paon est arrivée*).

1. Les petites ont joué. Puis le loup a frappé à la porte.
2. J'ai mangé. Puis j'ai entendu le coup de sonnette.
3. Je me suis apprêté à les séparer. Puis je les ai entendus éclater de rire.
4. Je me suis approché. Puis M. Taupin m'a invité à entrer chez lui.
5. Ils se sont dit au revoir. Puis je les ai quittés.
6. Le train est parti. Puis nous sommes arrivés.
7. Elle a souri. Puis il est tombé.

D. LE PROFESSEUR: Elles jouaient tous les samedis.

　　L'ÉTUDIANT: 　　Elles ont joué tous les samedis jusqu'à l'âge de douze ans.

On emploie l'imparfait pour exprimer une action d'une durée indéfinie ou illimitée. Quand la durée est délimitée par une expression comme *jusqu'à* ou *à partir de* on emploie d'ordinaire le passé composé même s'il s'agit d'une action répétée et de longue durée. Ajoutez les expressions indiquées aux phrases suivantes en faisant les changements de temps nécessaires.

Jusqu'à l'âge de douze ans.
 1. Elles faisaient des progrès à l'école.
 2. Elles parlaient avec les animaux.
 3. Elles obéissaient à leurs parents.
 4. Elles se promenaient dans les bois.
 5. Elles vivaient à la campagne.

A partir du mois de septembre.
 1. La paix régnait dans la basse-cour.
 2. Les animaux suivaient un régime.
 3. Les petites devaient aller à l'école.
 4. Il pleuvait constamment.
 5. Les beaux jours disparaissaient.

E. Le professeur raconte l'histoire au présent, l'étudiant la répète au passé.
 1. Le coq dit à l'oie qu'elle a un drôle de cou.
 2. L'oie répond
 3. que c'est le cou du coq qui est trop court.
 4. Le coq se met à ricaner.
 5. Il dit avec sarcasme que l'oie a raison.
 6. Ils échangent des injures quand le cochon intervient.
 7. Il leur demande s'ils ont perdu la tête.
 8. Le cochon est certain que c'est lui le plus beau.
 9. Soudain un paon les interrompt.
 10. Il leur dit
 11. qu'il ne s'est jamais tant amusé,
 12. qu'il n'a jamais tant ri,
 13. qu'ils sont fous tous les trois,
 14. et qu'ils ne savent pas ce dont ils parlent.
 15. Les animaux sont si étonnés
 16. que tout le monde décide d'imiter le paon.

THÈME D'IMITATION

Delphine and Marinette witnessed a funny quarrel the other day. All the farm-yard was making fun of the pig because he thought he was the most beautiful animal (**1D**). He did not know how ugly he was. No matter how much he repeated that he was the most handsome, the others would not (**28B**) believe him. The animals all agreed that it wasn't worth discussing [the point]. They said the pig was out of his mind. The goose thought (*Etude de mots*, p. 192) he was even uglier than the rooster. As for finding out which was best-looking, all they had to do was to look at the peacock. Even the pig admitted that the peacock was better-looking than he.

SUJET DE COMPOSITION

Qui est la plus vaniteuse de ces créatures, le coq, le paon, l'oie, ou le cochon? Et qui est la moins sympathique? Répondez en tirant vos exemples du texte, mais ne citez pas directement.

36

LE CANARD° ET LA PANTHÈRE

Marcel Aymé

Le canard a fait le tour du monde.[1] Il revient à la ferme avec une panthère. Il la présente aux petites.

LA PANTHÈRE: Le canard m'a bien souvent parlé de vous. C'est comme si je vous connaissais déjà.

LE CANARD: Voilà ce qui s'est passé. En traversant les Indes, je me suis trouvé un soir en face de la panthère. Et figurez-vous° qu'elle voulait me manger. . . .

LA PANTHÈRE: [*En baissant la tête.*] C'est pourtant vrai.

LE CANARD: Mais moi, je n'ai pas perdu mon sang-froid° comme bien des° canards auraient fait à ma place. Je lui ai dit: "Toi qui veux me manger, sais-tu seulement[2] comment s'appelle ton pays!" Naturellement, elle n'en savait rien. Alors, je lui ai appris qu'elle vivait aux Indes, dans la province du Bengale. Je lui ai dit les fleuves,° les villes, les montagnes, je lui ai parlé d'autres pays. . . . Elle voulait tout savoir, si bien que° la nuit entière, je l'ai passée à répondre à ses questions. Au matin, nous étions déjà deux amis et depuis, nous ne nous sommes plus quittés d'un pas.[3] Mais, par exemple,° vous pouvez compter° que je lui ai fait la morale sérieusement![4]

LA PANTHÈRE: J'en avais besoin. Que voulez-vous,° quand on ne sait pas la géographie. . . .

MARINETTE: Et notre pays, comment le trouvez-vous?

LA PANTHÈRE: Il est bien agréable, je suis sûre que je m'y plairai. Ah! j'étais pressée d'arriver, après tout ce que m'avait dit le canard des deux petites et de toutes les bêtes de la ferme. . . . Et à propos,° comment se porte° notre bon vieux cheval?

DELPHINE: [*Se met à pleurer.*] Nos parents ont décidé de le vendre. Demain matin, on vient le chercher pour la boucherie.° . . .

[1] *faire le tour du monde*—to take a trip around the world.
[2] *sais-tu seulement . . .*—I'll bet you don't even know. . . .
[3] *Nous ne nous sommes plus quittés d'un pas.*—We have been constantly together.
[4] *Je lui ai fait la morale sérieusement.*—I gave her a serious talking to.

LA PANTHÈRE: [*Gronde.*°] Par exemple!

DELPHINE: Marinette a pris la défense du cheval, moi aussi, mais rien n'y a fait.° Ils nous ont grondées et privées de° dessert pour une semaine.

LA PANTHÈRE: C'est trop fort!° Et où sont-ils, vos parents?

MARINETTE: Dans la cuisine.

LA PANTHÈRE: Eh bien! ils vont voir . . . mais surtout n'ayez pas peur, petites.

Les parents ont peur de la panthère et font tout ce qu'elle leur dit. "Pour le vieux cheval," leur dit-elle, "il n'est naturellement plus question de la boucherie. J'entends° qu'on soit avec lui aux petits soins⁵ et qu'il finisse ses jours en paix." La panthère reste à la ferme et tout le monde est heureux, même les parents.

VOCABULAIRE

le canard the duck

figurez-vous just imagine

le sang-froid the nerve

bien des many

le fleuve the river

si bien que so that

par exemple! upon my word!

vous pouvez compter que . . . you can take it from me . . .

que voulez-vous? what do you expect?

à propos by the way

comment se porte how is

la boucherie (chevaline) the horse-butcher

gronder to scold, to growl

rien n'y a fait it didn't do any good

priver de to deprive of

c'est trop fort! that's awful!

j'entends que (vous) . . . I expect (you) to . . .

QUESTIONNAIRE

1. Que dit la panthère quand on lui présente les petites?
2. Racontez la rencontre du canard et de la panthère.
3. Selon le canard, qu'est-ce que bien des canards auraient fait à sa place?
4. Quelle question a-t-il posée à la panthère?
5. Qu'est-ce qu'il lui a appris?
6. Comment le canard a-t-il passé la nuit entière?
7. Qu'est-ce qu'il a fait à la panthère?
8. Qu'est-ce qu'ils sont devenus?
9. Comment la panthère explique-t-elle son manque de sens moral?
10. Quelle impression a-t-elle du pays? Pourquoi était-elle pressée d'y arriver?
11. De qui prend-elle des nouvelles? (*Whom does she ask about?*)
12. Pourquoi Delphine répond-elle en pleurant?
13. Qu'est-ce qui est arrivé aux petites quand elles ont pris la défense du cheval?

⁵ *être aux petits soins avec* . . .—to take very tender care of. . . .

14. Que fait la panthère quand elle apprend ce qui leur est arrivé?
15. Quelle impression la panthère fait-elle sur les parents?
16. Désormais, comment faudra-t-il se conduire avec le cheval?

DIALOGUE

A. La panthère s'enquiert de la santé du cheval.

B. Delphine explique ce que leurs parents ont décidé de faire, et ce qui doit arriver demain.

A. La panthère est choquée.

B. Delphine explique ce qui leur est arrivée quand elles ont pris la défense du cheval.

A. La panthère dit qu'elle va voir les parents. Elle dit aux petites de ne pas avoir peur.

ETUDE DE MOTS

1. *faire le tour de*   to take a trip around
   Il a fait le tour du monde.   He took a trip around the world.
   Faisons le tour de la ville.   Let's take a trip around the town.
   Nous leur avons fait faire le tour du   We took them around the campus.
   campus.
   Il nous a fait faire le tour du proprié- He (as owner) showed us around (his
   taire.   house).

2. *Elle n'en savait rien.*   She didn't have any idea.
   Pourquoi est-il parti? Je n'en sais rien. Why did he leave? I don't have the
                                               faintest idea.

3. *Vous pouvez compter que. . . .*   You can be sure that. . . .
   Vous pouvez compter sur moi.   Count on me.
   Comptez-y.   Count on it.
   Quand comptez-vous revenir?   When do you count on (plan on)
                                               coming back?

   Les parents ont compté sans la pan-   The parents didn't take the panther into
   thère.   account.
   Ils comptaient envoyer le cheval à la   They had been planning to send the
   boucherie.   horse to the butcher's.

EXERCICES

Prepositions (**70**)

A. LE PROFESSEUR: Les Indes. La panthère vivait . . .

　　L'ÉTUDIANT:　　La panthère vivait aux Indes.

On omet l'article après *en* (et souvent après *de*) devant un nom de pays, de province, ou de continent du genre féminin. Devant un nom de pays ou de province masculin ou pluriel on emploie *à* ou *de* + article. Devant un nom de ville on emploie *à*.

1. Le Bengale. Elle vivait . . .
2. La France. Elle accompagne le canard . . .
3. Les Etats-Unis. Ils passent quelques jours . . .
4. Le Canada. Ensuite ils vont . . .
5. Le Havre. Ils débarquent . . .
6. La Normandie. La ferme est . . .
7. Les Andelys. Elle est près . . .
8. L'Afrique. La panthère voulait aller . . .
9. L'Asie. Est-il vrai qu'on trouve les panthères seulement . . .
10. Paris. Ils feront un séjour . . .

Adverbs (**7B, C**)

B. LE PROFESSEUR : Il travaille bien.
   L'ÉTUDIANT :   Il a bien travaillé.
   LE PROFESSEUR : Il parle constamment.
   L'ÉTUDIANT :   Il a parlé constamment.
   LE PROFESSEUR : Il arrive tard.
   L'ÉTUDIANT :   Il est arrivé tard.

Aux temps composés les adverbes courts se placent généralement entre l'auxiliaire et le participe passé. Les adverbes en *-ment* (sauf *certainement*, *probablement*, *seulement*, et *vraiment*), les adverbes de lieu, comme *ici*, *partout*, et les adverbes de temps comme *aujourd'hui*, *hier*, se placent après le participe passé. On peut les placer au début de la phrase cependant pour les mettre en valeur.

1. Le canard me parle bien souvent de vous.
2. Ils s'établissent ici.
3. Je lui fais la morale sérieusement.
4. Ils font mal de vendre le cheval.
5. Elles aiment beaucoup la visite de la panthère.
6. Ils voyagent partout.
7. Parfois ils grondent les enfants.
8. J'espère toujours.
9. Je pars immédiatement.
10. Vous avez certainement raison.
11. Vous comprenez vraiment?
12. Elle répond bien aujourd'hui.

Imparfait (**40**)

C. LE PROFESSEUR : Depuis combien de temps suivez-vous ce régime?
   L'ÉTUDIANT :   J'ai toujours suivi ce régime.
   LE PROFESSEUR : Y croyez-vous?
   L'ÉTUDIANT :   J'y croyais mais je n'y crois plus.

LE PROFESSEUR: Depuis combien de temps demeurez-vous ici?
L'ÉTUDIANT: J'ai toujours demeuré ici.
LE PROFESSEUR: Vous y plaisez-vous?
L'ÉTUDIANT: Je m'y plaisais, mais je ne m'y plais plus.

1. Depuis combien de temps connaissez-vous la famille?
2. Les visitez-vous?
3. Depuis combien de temps vivez-vous à la campagne?
4. L'aimez-vous?
5. Depuis combien de temps avez-vous la sciatique?
6. En souffrez-vous?
7. Depuis combien de temps achetez-vous des objets d'art?
8. En vendez-vous?
9. Depuis combien de temps jouez-vous au tennis?
10. Gagnez-vous?
11. Depuis combien de temps faites-vous de la musique?
12. Peignez-vous aussi?
13. Depuis combien de temps recevez-vous cette revue?
14. La lisez-vous?

D. Le professeur raconte l'histoire au présent, l'étudiant la répète au passé.
1. Un canard qui a fait le tour du monde revient à la ferme.
2. Il a une amie avec lui.
3. C'est une panthère.
4. Le canard raconte aux petites l'histoire de leur rencontre.
5. D'abord la panthère a voulu le manger;
6. mais ensuite ils sont devenus les meilleurs amis du monde.
7. Quand la panthère demande comment se porte le bon vieux cheval
8. les petites se mettent à pleurer.
9. Quand la panthère apprend ce que les parents vont faire, elle gronde.
10. Pendant que les petites racontent tout cela à la panthère,
11. les parents sont dans la cuisine.
12. De là, on ne peut pas voir ce qui se passe dans la basse-cour.
13. Ils sont donc bien étonnés quand ils entendent rugir (*roar*) la panthère.
14. Elle entre dans la cuisine d'un bond.
15. Elle n'a pas de difficulté à persuader les parents
16. que les petites ont raison
17. et que le cheval doit finir ses jours en paix.

THÈME D'IMITATION

What is this all about? (p. 67, l. 15) The girls say that you are going to sell the horse to the butcher's just because he is getting old, and that you scolded them when they took his side. You are the ones who ought to be scolded. A fine thing! I am going to give you a serious talking to. You certainly need it. I intend for that horse to end his days in peace. As soon as you don't need an animal any more [around] here you sell him. Like the oxen you sold to the circus. How I would have liked to meet that white ox and discuss geography and morality with him! It is true that I used to be like you when I lived in India. Can you imagine that when I met your duck I wanted to eat him? But now I have become good like my friend the wolf.

SUJET DE COMPOSITION

Voici comment Marcel Aymé finit l'histoire. Tout le monde aime la panthère; on joue à pigeon vole, on s'amuse. Mais un jour le cochon et la panthère se disputent. Quelques jours plus tard, le cochon disparaît. On se demande si la panthère l'a mangé. L'hiver vient, la panthère languit, et enfin elle meurt. Ses derniers mots sont: "Le cochon, le cochon . . ." Racontez cette conclusion ou une partie de la conclusion. Utilisez la forme de dialogue.

Je veux
respirer votre main

37

LE BAL DES VOLEURS [I]

Jean Anouilh

Le Bal des voleurs est une comédie-ballet[1] de Jean Anouilh. Les personnages sont

PETERBONO, un voleur qui a de beaux déguisements,° mais qui ne réussit
jamais à voler quoi que ce soit°
HECTOR et GUSTAVE, ses deux apprentis
LADY HURF, une vieille dame très riche et très excentrique
ÉVA et JULIETTE, ses deux nièces
LORD EDGARD, un vieil ami de la famille
LES DUPONT-DUFORT, père et fils, financiers à la poursuite de la dot° d'une
des nièces

En voici le début:

[*Le jardin d'une ville d'eaux° de style très 1880, autour du kiosque à
musique.°*
*Dans le kiosque, un seul musicien, un clarinettiste, figurera° l'orchestre. Au
lever du rideau° il joue quelque chose de très brillant.*
*La chaisière° va et vient. Les estivants° se promènent sur le rythme de la
musique. Au premier plan,° Éva et Hector unis dans un baiser° très cinéma.
La musique s'arrête, le baiser aussi. Hector en sort un peu titubant.° On
applaudit la fin du morceau.*]

HECTOR: [*Confus.°*] Attention, on nous applaudit.
ÉVA: [*Éclate de rire.*] Mais non, c'est l'orchestre! Décidément vous me plaisez
beaucoup.
HECTOR: [*Qui touche malgré lui ses moustaches et sa perruque.° Il est déguisé.*]
Qu'est-ce qui vous plaît en moi?

---

[1] Anouilh borrowed the term *comédie-ballet* from Molière. It means a comedy in which there
is some music and dancing. In *Le Bal des voleurs* the clarinettist is on stage most of the time,
and makes brief musical commentaries on the action.

ÉVA: Tout. [*Elle lui fait un petit signe d'adieu.*°] A ce soir, huit heures, au bar du Phœnix. Et surtout, si vous me rencontrez avec ma tante, vous ne me reconnaissez pas.

HECTOR: [*Langoureux.*] Votre main encore.

ÉVA: Attention, lord Edgard, le vieil ami de ma tante, est en train de lire son journal devant le kiosque à musique. Il va nous voir.

[*Elle tend sa main, mais elle s'est détournée pour observer lord Edgard.*]

HECTOR: [*Passionné.*] Je veux respirer votre main.

[*Il se penche sur sa main, mais tire furtivement de sa poche une loupe de bijoutier*° *et en profite pour examiner les bagues*° *de plus près. Éva a retiré sa main sans rien voir.*]

ÉVA: A ce soir! [*Elle s'éloigne.*]

HECTOR: [*Défaillant.*°] Mon amour . . .

[*Il redescend sur scène, rangeant*° *sa loupe et murmurant très froid:*]
Deux cent mille. Ce n'est pas du toc.°

VOCABULAIRE

le déguisement the disguise

quoi que ce soit anything

la dot the dowry

la ville d'eaux spa; fashionable resort known for mineral water

le kiosque à musique the outdoor bandstand

figurer to stand for; represent

le rideau the curtain

la chaisière woman who collects rent for chairs in the park

les estivants tourists spending the summer at the spa

au premier plan in the foreground

le baiser the kiss

titubant staggering

confus embarrassed

la perruque the wig

faire un petit signe d'adieu to wave goodbye

la loupe de bijoutier jeweller's magnifying glass

la bague the ring

défaillant swooningly

ranger to put away

du toc fake jewelry (colloquial)

QUESTIONNAIRE

1. Qui sont les personnages de la comédie?
2. Pourquoi les Dupont-Dufort s'intéressent-ils à Éva et à Juliette?
3. Où se passe l'action?
4. Qu'est-ce qu'on entend?
5. Que fait la chaisière? Et les estivants? Et Éva et Hector?
6. Pourquoi Hector est-il confus?
7. Où ont-ils rendez-vous?
8. Sous quelle circonstance Hector doit-il faire semblant de ne pas reconnaître Éva?

9. Pourquoi Éva dit-elle à Hector de faire attention quand il lui prend la main?
10. Que fait Hector quand il se penche sur sa main?
11. De quoi Hector parle-t-il quand il dit: Deux cent mille. Ce n'est pas du toc.

DIALOGUE

A. Hector demande à Éva ce qui lui plaît en lui.

B. Éva dit "Tout" et lui donne un rendez-vous pour plus tard. Elle lui dit de ne pas la reconnaître s'il la rencontre avec sa tante.

A. Hector lui demande sa main de nouveau.

B. Éva lui désigne lord Edgard, et lui dit de faire attention.

A. Hector dit qu'il veut respirer sa main.

B. Éva lui dit qu'elle le reverra ce soir.

ETUDE DE MOTS

quoi que ce soit	anything (literally, whatever it may be)
qui que ce soit	anyone (literally, whoever it may be)
quoi que vous fassiez	whatever you do
quoi qu'il dise	whatever he says
quoiqu'il dise	although he says
quoique vous fassiez	although you do

EXERCICES

A. LE PROFESSEUR: Très brillant. Il joue quelque chose.

L'ÉTUDIANT: Il joue quelque chose de très brillant.

LE PROFESSEUR: Brillant. C'est une pièce.

L'ÉTUDIANT: C'est une pièce brillante.

Quand *rien, personne* (au sens de *nobody*), *ce qu'il y a, quelqu'un, quelque chose,* et *quoi* sont modifiés par un adjectif, l'adjectif est invariable et précédé de *de*.

1. bon. Cela ne me dit rien _____.
2. très vieux. Lord Edgard c'est quelqu'un _____.
3. très vieux. La chaisière est _____.
4. pas cher. Elle commande quelque chose _____.
5. excentrique. Lady Hurf est une dame _____.
6. magnifique. Elle porte une bague _____.
7. étonnant. Je ne vois pas ce qu'il y a _____.
8. neuf. Quoi _____?
9. neuf. Elle porte une robe _____.

10. présentable. A Vichy il n'y a personne _____.
11. intéressant. Ici il ne se passe jamais rien _____.
12. confus. Quand ils applaudissent Éva est _____.

Avoiding the passive (21)

B. LE PROFESSEUR: Les vins rouges se servent-ils avec le gigot?
   L'ÉTUDIANT: Oui, on sert les vins rouges avec le gigot.

La voix passive s'emploie moins fréquemment en français qu'en anglais. Le
verbe pronominal ou *on* + verbe s'emploient de préférence.
1. Ces choses se font-elles en France?
2. Ça se dit-il?
3. Ces vins se boivent-ils glacés?
4. Le gigot se vend-il à la boucherie?
5. Les œufs durs se mangent-ils comme hors-d'œuvre?
6. La consonne finale se prononce-t-elle?

C. LE PROFESSEUR: Est-ce qu'on boit ces vins glacés?
   L'ÉTUDIANT: Non, ces vins ne se boivent pas glacés.

1. Est-ce qu'on joue cette symphonie souvent?
2. Est-ce qu'on sert les huîtres avec du vin rouge?
3. Est-ce qu'on lit ce livre facilement?
4. Est-ce qu'on dit ça?
5. Est-ce qu'on fait ça?
6. Est-ce qu'on pose cette question?

Infinitive (43)

D. LE PROFESSEUR: J'écoute l'orchestre qui joue.
   L'ÉTUDIANT: J'écoute jouer l'orchestre.
   LE PROFESSEUR: J'écoute l'orchestre qui joue l'ouverture.
   L'ÉTUDIANT: J'écoute l'orchestre jouer l'ouverture.
   LE PROFESSEUR: Je vois les estivants qui dansent.
   L'ÉTUDIANT: Je vois danser les estivants.
   LE PROFESSEUR: Je vois les estivants qui dansent le tango.
   L'ÉTUDIANT: Je vois les estivants danser le tango.

Dans la construction *laisser, sentir, voir, écouter, entendre,* ou *regarder* + verbe,
l'infinitif est suivi de son sujet. Cependant, s'il y a un complément d'objet le
sujet précède l'infinitif.
1. Elle regarde les voleurs qui s'approchent.
2. Je vois le rideau qui se lève.
3. Il voit Éva qui vient.
4. Il écoute Juliette qui chante.
5. Il entend le train qui part.

6. Il écoute Juliette qui chante sa chanson.
7. Il regarde Hector qui sort sa loupe.
8. J'entends l'orchestre qui finit le morceau.
9. Je vois Peterbono qui met son déguisement.
10. Il regarde Hector qui examine les bagues.

Object pronouns (59F); Infinitive (42–43)

E. LE PROFESSEUR: Promenez-vous avec moi.
    L'ÉTUDIANT: Je ne veux pas me promener avec vous.
    LE PROFESSEUR: Mentez *à votre tante.*
    L'ÉTUDIANT: Je ne veux pas lui mentir.

1. Venez avec moi.
2. Asseyez-vous ici.
3. Ecoutez *la musique.*
4. Prenez *le menu.*
5. Lisez-le.
6. Dites-moi *ce que vous voulez.*
7. Choisissez.
8. Buvez *ce cognac.*
9. Sortez avec moi ce soir.
10. Montez *dans mon automobile.*
11. Faites-le.
12. Regardez-moi.
13. Souriez.
14. Partez avec moi.
15. Alors, rejoignez-moi tout à l'heure.

Imparfait (40)

F. Le professeur raconte l'histoire au présent, l'étudiant la répète au passé.
1. La chaisière va et vient.
2. Les estivants se promènent sur le rythme de la musique.
3. L'orchestre joue quelque chose de très brillant.
4. Soudain la musique s'arrête, le baiser aussi.
5. Hector en sort un peu titubant.
6. On peut entendre les gens qui applaudissent.
7. Hector devient confus.
8. Il croit que les gens ont remarqué leur baiser.
9. Éva éclate de rire.
10. Elle lui dit qu'il lui plaît.
11. Pendant qu'elle observe Edgard
12. Hector sort sa loupe et examine ses bagues.
13. Ils se donnent rendez-vous pour ce soir-là.

THÈME D'IMITATION

Spas in Europe still have music stands where the orchestra plays a concert every day for the summer people. One can see old people who rent chairs from the chairlady and then inquire after each other's health (p. 174, l. 17) or fall asleep or read the newspaper all through the concert. Then they applaud the end of each piece as if they had been listening. Perhaps you will also see a jewel thief like Hector wearing a fine disguise and carrying in his pocket a magnifying glass with which he furtively examines rings and other jewelry to see whether they are fake. You may even meet a beautiful girl like Eva with a tempting dowry and a weakness for a man who wears a wig and a moustache. But don't count on it.

SUJETS DE COMPOSITION

Choisissez un des sujets suivants:
1. Vous êtes Hector. Vous racontez fièrement aux autres voleurs, Peterbono et Gustave, votre rencontre avec Éva. Elle est riche. Vous lui plaisez. Vos projets (*plans*).
2. Vous êtes Éva. Vous revenez du bar du Phœnix où vous avez eu un rendez-vous avec Hector. Qu'est-ce qui est arrivé? Vous racontez tout ça à votre sœur Juliette.

38

LE BAL DES VOLEURS [II]

Jean Anouilh

[*Entrent les Dupont-Dufort, père et fils, accompagnés par la clarinette de la petite ritournelle qui leur est particulière.*[1] *Ils voient Éva et Juliette.*]

DUPONT-DUFORT PÈRE: Voilà Éva et Juliette. Suivons-les. Nous les rencontrerons "par hasard" au bout de la promenade et nous tâcherons de les emmener prendre un cocktail. Didier, toi qui es un garçon précis et travailleur, et, qui plus est,° d'initiative,° je ne te reconnais plus.° Tu délaisses° la petite Juliette.

DUPONT-DUFORT FILS: Elle m'envoie promener.°

DUPONT-DUFORT PÈRE: Cela n'a aucune espèce d'importance. D'abord tu n'es pas n'importe qui, tu es le fils Dupont-Dufort. La tante a beaucoup d'estime pour toi. Elle est prête à faire n'importe quel placement° sur ton conseil.

DUPONT-DUFORT FILS: Nous devrions nous contenter de cela.

DUPONT-DUFORT PÈRE: Dans la finance, il ne faut jamais se contenter de quelque chose. . . . Je préférerais mille fois le mariage. Il n'y a que cela qui remettrait vraiment notre banque à flot.° Ainsi du charme, de la séduction.°

DUPONT-DUFORT FILS: Oui, papa.

DUPONT-DUFORT PÈRE: Nous sommes ici dans des conditions inespérées. Elles s'ennuient et il n'y a personne de présentable. Soyons aimables, extrêmement aimables.

DUPONT-DUFORT FILS: Oui, papa.

Un peu plus tard les Dupont-Dufort retrouvent Éva et Juliette. Éva a raconté à Juliette sa rencontre avec Hector. Coïncidence! Juliette, elle aussi, a rencontré un beau jeune homme. (C'est Gustave, l'autre voleur.)

JULIETTE: Éva, je ne t'ai pas raconté que j'avais sauvé un enfant qui était tombé dans le bassin des Thermes? J'ai fait la connaissance d'un jeune homme charmant qui avait voulu le sauver avec moi.

---

[1] *la ritournelle qui leur est particulière*—the gay little tune which always accompanies them; their *leitmotif*.

[*Les Dupont-Dufort se regardent, inquiets.*]

DUPONT-DUFORT PÈRE: Ce n'était pas toi?

DUPONT-DUFORT FILS: Non.

JULIETTE: Nous nous sommes séchés au soleil en bavardant.° Si tu savais comme il est amusant! C'est un petit brun. Ce n'est pas le même que toi, au moins?

ÉVA: Non. Moi, c'est un grand roux.

JULIETTE: Ah! tant mieux. . . .

DUPONT-DUFORT PÈRE: [*Bas:*] Fiston,° il faut absolument que tu brilles.° [*Haut.*] Didier, as-tu été à la piscine° avec ces dames pour leur montrer ton crawl impeccable? C'est toi qui aurais sauvé aisément ce bambin!°

JULIETTE: Oh! le crawl était bien inutile. Le bassin des Thermes a quarante centimètres de profondeur.

VOCABULAIRE

qui plus est what's more
d'initiative (*f.*) enterprising
je ne te reconnais plus I don't know what's
   got into you
délaisser to neglect
envoyer promener to snub
le placement the investment
remettre à flot to restore the fortunes of

la séduction charm
bavarder to chat
fiston boy; son (colloquial)
briller to shine
la piscine the swimming pool
le bambin the child

QUESTIONNAIRE

1. Qu'est-ce que les Dupont-Dufort vont proposer à Éva et à Juliette?
2. Pourquoi est-ce que Dupont-Dufort père ne reconnaît plus Dupont-Dufort fils?
3. Qu'est-ce que Dupont-Dufort père dit à Dupont-Dufort fils pour lui donner confiance?
4. Qu'est-ce qui montre que Lady Hurf a de l'estime pour Dupont-Dufort fils?
5. Pourquoi Dupont-Dufort père veut-il arranger un mariage entre son fils et Éva ou Juliette?
6. Pourquoi croit-il qu'ils sont là dans des conditions inespérées?
7. Quelle coïncidence Éva et Juliette découvrent-elles dans leur conversation?
8. Comment Juliette a-t-elle rencontré son jeune homme?
9. Quelle peur soudaine lui traverse l'esprit?
10. Pourquoi est-ce que Dupont-Dufort fils aurait pu sauver le bambin aisément?
11. Pourquoi le crawl n'était-il pas nécessaire?

DIALOGUE

A. Dupont-Dufort père accuse son fils de délaisser la petite Juliette.

B. Son fils lui explique pourquoi.

A. Le père dit que la tante compte sur lui pour ses placements.

B. Le fils dit qu'ils devraient se contenter de cela.

A. Le père explique pourquoi il préfère le mariage.

ETUDE DE MOTS

1. *Tu n'es pas n'importe qui.* — You aren't just anybody (literally, it doesn't matter whom).

   Elle sort n'importe quand. — She goes out anytime (she wants to).

   Il mange n'importe quoi. — He eats anything (he feels like).

   Il va n'importe où. — He goes anywhere.

   Il travaille n'importe comment. — He works in any way he feels like working.

   n'importe quel placement — any investment

2. *Le bassin a quarante centimètres de profondeur.* — The basin is forty centimeters deep.

   La piscine a quarante mètres de long. — The pool is forty meters long.

   La piscine a douze mètres de large. — The pool is twelve meters wide.

   Le plongeoir a deux mètres de haut. — The diving-board is two meters high.

3. *Ainsi, du charme, de la séduction.* — So show a little charm, make yourself appealing.

   Allons, Jojo, de la tenue, du sang-froid. — Come on, Jojo, show a little nerve, buck up.

   De l'imagination, de l'intuition. — Use some imagination, some intuition.

EXERCICES

A. LE PROFESSEUR: Ce qui est important.

   L'ÉTUDIANT: Je sais ce qui est important.

   LE PROFESSEUR: un jeune homme

   L'ÉTUDIANT: Je connais un jeune homme.

Notez qu'on *connaît* les personnes, les pays, les auteurs, les œuvres. *Connaître* peut se traduire *to be acquainted with*. Il est rarement suivi d'une proposition.

REMPLISSEZ LES TIRETS DANS LES PHRASES SUIVANTES PAR
JE CONNAIS OU *JE SAIS*.

   1. _____ la différence.

   2. _____ nager.

   3. _____ plusieurs personnes.

4. _____ pourquoi vous avez dit cela.
5. _____ la vérité.
6. _____ la musique française.
7. _____ jouer du piano.
8. _____ une piscine près d'ici.
9. _____ le restaurant dont vous parlez.
10. _____ le propriétaire.
11. _____ qu'il est fermé.
12. _____ où on pourrait aller.
13. _____ le quartier.
14. _____ parler à ces gens.
15. _____ ce qu'il vous faut.

Conditional (28B)

B. Notez les différents emplois du mot _would_:

1. _If it were cold, I would close the door._
   S'il faisait froid, je fermerais la porte.

2. _When it was cold, I would (i.e., used to) close the door._
   Quand il faisait froid, je fermais la porte.

3. _Would you kindly close the door?_
   Voudriez-vous fermer la porte?

4. _He wouldn't close the door._
   Il ne voulait pas fermer la porte.

COMPLÉTEZ LES PHRASES SUIVANTES EN TRADUISANT LES MOTS ENTRE
PARENTHÈSES.

1. (_I would save him_) Si je trouvais un enfant dans le Bassin des Thermes _____.

2. (_she wouldn't_) Dupont-Dufort fils a invité Juliette à prendre un cocktail mais _____.

3. (_would you like to come?_) Il lui a dit: "Nous allons nous promener; _____."

4. (_he would not do it_) Le père aurait préféré que son fils épouse une fille riche mais _____.

5. (_they would applaud_) Chaque fois que l'orchestre finissait un morceau _____.

6. (_he would marry her_) S'il savait qu'elle était riche _____.

7. (_he would read his paper_) Tous les jours il s'installait devant le kiosque et _____.

8. (_would you look at it?_) Je ne sais pas si cette bague est du toc. _____.

9. (_He wouldn't say._) On lui a demandé s'il portait une perruque. _____.

10. (*I would succeed*)   J'ai toujours cru que tôt ou tard _____.
11. (*I would like to read it.*)   J'ai toujours entendu parler de ce livre. _____.
12. (*you would listen*)   Vous n'auriez aucune difficulté à comprendre si _____.
13. (*we would go to the bar*)   L'été dernier nous suivions toujours la même routine: après le dîner _____.
14. (*he would play better*)   Si le clarinettiste savait qu'on écoutait _____.
15. (*she would come*)   Je ne sais pas pourquoi elle n'est pas ici. Elle a dit qu'_____.

Subjunctive (80)

C. LE PROFESSEUR: Voilà Eva et Juliette. On les suit? (*Shall we follow them?*)
   L'ÉTUDIANT: Mais oui! Il faut que nous les suivions.

Commencez chaque phrase par: Mais oui! Il faut que nous ...
1. On tâche de les rejoindre?
2. Alors, on les rejoint?
3. On donne des conseils à la tante?
4. On les retrouve?
5. On va au café avec elles?
6. On choisit une table à la terrasse?
7. Alors, on s'assied à la terrasse?
8. On bavarde avec elles?
9. On est aimable?
10. On leur fait des compliments?
11. On a de l'esprit?
12. On sait plaire?
13. Et on leur plaît?
14. On prend un cocktail avec elles?
15. On leur dit des choses spirituelles (*witty*)?
16. Et après, on sort ensemble?
17. On revient à la villa?
18. Et enfin, on remet la banque à flot?

THÈME D'IMITATION

My father gets on my nerves. He tells me to take Eva or Juliette—it doesn't matter which one—they are both rich—to the bar for a cocktail, or the pool to admire my crawl. He doesn't realize that those two girls are always making fun of us. You can see that just by looking at them. Every time I start chatting with Juliette she takes a look at her watch and says, "I must be running along." Yet I know she has nothing interesting to do. He insists (*Etude de mots*, p. 199) on my seeing her every day, and yet I think she would prefer anyone at all to me. Besides, I don't like her. If he wants to save the bank, he can marry her himself.

SUJETS DE COMPOSITION

Choisissez un des sujets suivants:

1. Vous êtes Juliette. Vous expliquez à votre sœur Eva pourquoi vous n'aimez pas Dupont-Dufort fils et pourquoi vous préférez le jeune homme que vous avez rencontré.
2. Vous êtes Dupont-Dufort père. Vous écrivez à votre associé à la banque. Vous espérez toujours arranger ce mariage avantageux mais les choses ne vont pas trop bien pour le moment.

REVIEW LESSON VII
Review of Lessons 34–38

Vocabulary and Idioms

1. But of course I've eaten some! Mais naturellement que j'en ai mangé!
2. I don't see what's wrong with that. Je ne vois pas où est le mal.
3. He hadn't been expecting that one. Il ne s'attendait pas à celle-là.
4. If I had it to do over again . . . Si c'était à refaire . . .
5. They went so far as to . . . On est allé jusqu'à . . .
6. Now I ask you: Je vous demande un peu:
7. What do you expect? Que voulez-vous?
8. Nothing would do, nothing worked. Rien n'y a fait.
9. You will go without dessert. Vous êtes privé de dessert.
10. That's going too far! C'est trop fort!
11. That is no longer an issue, that is out of the question now. Il n'est plus question de cela.
12. Take a closer look at them. Examinez-les de plus près.
13. She takes her hand away. Elle retire sa main.
14. whatever it may be quoi que ce soit
15. Let's have a cocktail. Prenons un cocktail.
16. She won't have anything to do with me, she snubs me. Elle m'envoie promener.
17. The pool is two meters deep. La piscine a deux mètres de profondeur.

REPLACE THE EXPRESSIONS IN ITALICS BY A SYNONYM

1. *qui rend tendre* attendrissant
2. Elle *n'a pas confiance en lui.* se méfie de lui
3. Cela va *sans dire.* de soi
4. *On ne pouvait pas, c'était impossible.* Il n'y avait pas moyen.
5. le *regret (d'avoir fait une certaine chose)* remords
6. Si vous saviez *les difficultés, les ennuis* qu'elle m'a causés! les tracas
7. *rire à demi d'une façon impolie* ricaner
8. Je dois *le confesser.* l'avouer
9. C'est *étrange,* ou *amusant.* drôle
10. *naturellement* bien sûr
11. Elle a les cheveux *en désordre.* ébouriffés

12. Cette crête est vraiment *dégoûtante*.   écœurante
13. *quant au* paon   pour ce qui est du
14. Nous sommes *de la même opinion*.   d'accord
15. Mais c'est *quelque chose que vous dites pour nous*   une plaisanterie
    faire rire!
16. J'ai *été présent pendant* leur querelle.   assisté à
17. Le paon *parle* aux deux petites.   s'adresse
18. Ils font des efforts pour *parvenir* à la beauté.   atteindre
19. Il suit *des règles qui gouvernent ce qu'il doit manger* un régime
    et boire.
20. *Imaginez-vous* qu'elle voulait me manger!   figurez-vous
21. Je n'ai pas perdu *ma présence d'esprit*.   mon sang-froid
22. comme *beaucoup de* canards auraient fait   bien des
23. Je lui ai *fait savoir* où elle demeurait.   appris
24. Elle *ignorait tout cela*.   n'en savait rien
25. *De sorte que*, la nuit entière, j'ai répondu à ses   si bien que
    questions.
26. Ils *ne s'éloignent jamais l'un de l'autre*.   ne se quittent pas d'un pas
27. Il a *fait une réprimande à* l'enfant.   fait la morale à (*ou*, grondé)
28. Elle *avait hâte* d'arriver.   était pressée
29. Comment *va* le bon vieux cheval?   se porte
30. Ils *s'occupent de lui tendrement*.   sont aux petits soins avec lui.
31. Il proteste *que ses intentions sont bonnes*.   de ses bonnes intentions
32. *Cela ne lui a pas fait perdre son assurance*.   Il n'en a pas été démonté.
33. Cela me fait *frissonner d'horreur*.   froid dans le dos
34. C'est *une honte*!   du joli!
35. Je ne voudrais pas te *blesser*.   faire de la peine
36. un *cou bizarre*   drôle de cou
37. Je suis *plus beau* que toi.   mieux
38. *Je regarde en vain*; je ne vois rien.   j'ai beau regarder
39. Est-ce que vous *êtes fou*?   avez perdu la tête
40. Il a fait *un voyage autour* du monde.   le tour
41. Elle *se met à* rire *bruyamment*.   éclate de
42. Tu n'es pas *le premier venu*.   n'importe qui
43. *des bijoux faux*   du toc
44. *la partie de la scène la moins éloignée du public*   le premier plan
45. Tu es un garçon travailleur et—*ce qui est plus im-*   qui plus est
    portant—d'initiative.
46. Nous allons les rencontrer par *coïncidence*.   hasard
47. *parler de choses et d'autres*   bavarder
48. un *habit que l'on met pour que les autres ne vous*   déguisement
    reconnaissent pas
49. *la somme d'argent qu'une femme apporte en mariage*   la dot
50. Un clarinettiste *représente* l'orchestre.   figure

51. *ce qui se lève quand la pièce commence*   le rideau
52. Quand on applaudit, Hector est *déconcerté*.   confus
53. Il *remet* la loupe *à sa place*.   range
54. Didier est un garçon *qui fait son travail*.   travailleur
55. Tu *abandonnes* la petite Juliette.   délaisses
56. Il veut *rétablir les affaires de la banque*.   remettre la banque à flot
57. des conditions *meilleures que celles auxquelles on*   inespérées
    s'attendait
58. Tu aurais sauvé *cet enfant*.   ce bambin

ANSWER BRIEFLY THE FOLLOWING QUESTIONS

1. Qui est le plus beau des animaux de la basse cour?   le paon
2. Comment le loup s'excuse-t-il pour avoir mangé   C'est un péché de jeunesse.
   le petit Chaperon Rouge?
3. Qu'est-ce que Delphine et Marinette avaient   du gigot
   mangé au déjeuner de midi?
4. Où demeurent les animaux de la ferme?   dans la basse-cour
5. Qui est l'ami inséparable de la panthère?   le canard
6. Quelle recommandation les parents font-ils à   N'ouvrez la porte à per-
   Delphine et à Marinette quand ils les laissent   sonne.
   seules?
7. Où Didier pourrait-il faire admirer son crawl?   à la piscine
8. Avec quoi Hector regarde-t-il la bague?   avec une loupe
9. Pourquoi Hector peut-il examiner la bague sans   parce qu'elle se détourne
   qu'Eva s'en aperçoive?
10. Sur quel sujet Didier donne-t-il des conseils à   sur ses placements
    Lady Hurf?
11. Pourquoi Juliette et le jeune homme restent-ils   pour se sécher
    au soleil après avoir sauvé le bambin?
12. Qu'est-ce qu'Hector examine sous la loupe?   la bague

New Grammar

1. *Ce* or *Il* (**22C; 24B**)

That's horrible. (no antecedent)   C'est horrible.
Here is the diamond. It is little.   Voici le diamant. Il est petit.
It's true.   C'est vrai.
It's true that he has changed.   Il est vrai qu'il a changé.
It can't go on.   Ça ne peut pas continuer.

2. Conditional (**28B, C**)

I should study.   Je devrais étudier.
If I were you, I would study.   Si j'étais vous, j'étudierais.
When I was young, I would study.   Quand j'étais jeune, j'étudiais.

Would you like to study?   Voudriez-vous étudier?
I wouldn't (refused to) study.   Je ne voulais pas étudier.

3. Interrogatives (45C)

TRANSLATE WITHOUT USING *EST-CE QUE*

When does the train leave?   Quand part le train?
When do the little girls eat leg of   Quand les petites mangent-elles du
lamb?   gigot?

4. Prepositions (70)

in the United States   aux Etats-Unis
in Provence   en Provence
in Canada   au Canada

5. Adverbs (7B, C)

He spoke well.   Il a bien parlé.
He spoke intelligently.   Il a parlé intelligemment.
He spoke here.   Il a parlé ici.
He spoke yesterday.   Il a parlé hier.
He certainly spoke.   Il a certainement parlé.

6. Avoiding the passive (21)

That is not said.   Ça ne se dit pas (*ou*, on ne dit pas ça).

7. *Savoir* and *connaître*

I know him.   Je le connais.
I know the reason.   Je sais la raison.

Review Grammar

1. Prepositions (67)

2. Interrogative *lequel* (47B)

3. Demonstrative pronouns (30)

4. *Imparfait* (40)

5. Object pronouns (59F)

6. Infinitive (42–43)

7. Subjunctive (80)

39

LE BAL DES VOLEURS [III]

Jean Anouilh

Lady Hurf entre en scène. Lord Edgard lit son journal devant le kiosque à musique.

LADY HURF: Eh bien, mon cher Edgard, qu'avez-vous fait de cette journée?

LORD EDGARD: [*Surpris et gêné° comme toujours, lorsque Lady Hurf lui adresse la parole sur le mode brusque qui lui est coutumier.°*] Je. . . . J'ai. . . . J'ai lu le *Times*.

LADY HURF: [*Sévère.*] Comme hier?

LORD EDGARD: [*Ingénu.°*] Pas le même numéro qu'hier.

LADY HURF: Edgard, la situation est grave. . . .

LORD EDGARD: Oui, j'ai lu dans le *Times*. . . . L'Empire. . . .

LADY HURF: Non, ici.

LORD EDGARD: [*Inquiet, regarde autour de lui.*] Ici?

LADY HURF: Comprenez-moi. Nous avons ici charge d'âme.° Or, il se trame° des intrigues, des mariages se préparent. Personnellement, je ne peux pas les suivre. Cela me donne la migraine. Qui devra les pénétrer, les diriger?

LORD EDGARD: Qui?

LADY HURF: Juliette est une folle. Éva est une folle. Moi, je n'y comprends rien et cela m'ennuie au-dessus de tout.° D'ailleurs, je n'ai pas plus de bon sens que ces enfants. Il reste vous, au milieu de ces trois folles.

LORD EDGARD: Il reste moi.

LADY HURF: Autant dire° rien! Ah! je suis perplexe, extrêmement perplexe . . . Mais, enfin, dites quelque chose, Edgard! Vous êtes le tuteur° de ces deux petites, après tout!

LORD EDGARD: Nous pourrions peut-être demander conseil à Dupont-Dufort. C'est un homme qui a l'air d'avoir du caractère.

LADY HURF: Oui. Beaucoup trop. Vous êtes un benêt.° C'est à lui précisément qu'il convient de ne pas demander conseil. Les Dupont-Dufort veulent nous soutirer de l'argent.°

LORD EDGARD: Mais ils sont riches?

LADY HURF: C'est précisément ce qui m'inquiète: ils veulent nous soutirer beaucoup d'argent. Éva et Juliette ont des dots exceptionellement tentantes.

LORD EDGARD: Nous pourrions peut-être télégraphier en Angleterre?

LADY HURF: Pour quoi faire?

LORD EDGARD: L'agence Scottyard nous enverrait un détective.

LADY HURF: Ma foi, nous serions bien avancés!° Il n'y a pas plus filou° que ces gens-là.

LORD EDGARD: Alors la situation est, en effet, irrémédiable.

LADY HURF: Edgard, vous devez avoir de l'énergie. Notre sort, à toutes, est entre vos mains.

LORD EDGARD: [*Regarde ses mains, très ennuyé.*] Je ne sais pas si je suis bien qualifié.

LADY HURF: [*Sévère.*] Edgard, vous êtes un homme et un gentleman?

LORD EDGARD: Oui.

LADY HURF: Prenez une décision!

LORD EDGARD: [*Ferme.*] Bon! Je vais tout de même faire venir un détective de chez Scottyard en spécifiant que je le veux honnête.

VOCABULAIRE

gêné uncomfortable

qui lui est coutumier which is customary with her

ingénu simple; naïve

avoir charge d'âme to be responsible for the welfare of someone. Lady Hurf is referring to her nieces, Eva and Juliette.

tramer to spin; weave

cela m'ennuie au-dessus de tout it bores me to tears (note that *ennuyer* can mean either bore or bother, afflict)

autant dire that is to say

le tuteur the guardian

un benêt a ninny; simpleton

soutirer de l'argent à quelqu'un to squeeze money out of someone

nous serions bien avancés! a lot of good *that* would do us!

filou dishonest (usually a noun, thief)

QUESTIONNAIRE

1. Quelle est la réaction de Lord Edgard lorsque Lady Hurf lui adresse la parole?
2. Qu'a-t-il fait de sa journée?
3. Quand Lady Hurf dit que la situation est grave de quoi parle-t-elle?
4. Qu'est-ce qui lui donne la migraine?
5. Qui faut-il protéger contre les coureurs de dot (*dowry-chasers*)? S'en croit-elle capable? Et Lord Edgard?
6. Que dit Lord Edgard au sujet de Dupont-Dufort?
7. Quelle est l'opinion de Lady Hurf au sujet des Dupont-Dufort?
8. Pourquoi Lord Edgard veut-il télégraphier en Angleterre?

9. Quelle objection Lady Hurf fait-elle?
10. Quelle décision Lord Edgard prend-il enfin?

DIALOGUE

A. Lady Hurf dit à Lord Edgard de dire quelque chose. Elle lui dit qu'après tout il est le tuteur de ces deux petites.

B. Lord Edgard suggère qu'ils pourraient demander conseil à Dupont-Dufort. Il explique pourquoi il a confiance en lui.

A. Lady Hurf lui explique pourquoi les Dupont-Dufort sont précisément les personnes à qui il ne conviendrait pas de demander conseil.

B. Lord Edgard dit qu'ils pourraient faire venir un détective.

A. Lady Hurf rejette cette solution, avec une accusation dirigée contre les détectives en général.

ETUDE DE MOTS

1. *Il n'y a pas plus filou.*   There's no one more dishonest.
Il n'y a pas plus jolie que Juliette.   No one is prettier than Juliette.
Il n'y a pas plus bête que lui.   There's no one stupider than he.
Vous n'avez pas moins cher?   Haven't you got anything cheaper?

2. *Je le veux honnête.*   I want an honest one.
Choisissez-moi un melon. Je le veux mûr.   Choose me a melon. I want a ripe one.
Vous le voulez noir ou blanc, votre raisin?   Do you want red or green grapes?

EXERCICES

Subjunctive (**81**); Future (**36–37**); Present (**73B**); *Imparfait* (**40**); Conditional (**28**)

A. LE PROFESSEUR: nous recevoir. J'étais certain qu'il _____.
L'ÉTUDIANT: J'étais certain qu'il nous recevrait.
LE PROFESSEUR: nous recevoir. Il paraît douteux qu'ils _____.
L'ÉTUDIANT: Il paraît douteux qu'ils nous reçoivent.
LE PROFESSEUR: nous recevoir. Nous ferons partie du beau monde quand Lady Hurf _____.
L'ÉTUDIANT: Nous ferons partie du beau monde quand Lady Hurf nous recevra.

être à l'heure
1. Il tient à ce qu'on _____.
2. Je me serais pressé si j'avais su que vous _____.
3. Je monte prévenir Mademoiselle que vous _____.

    4. Vous commencerez à faire des progrès quand vous _____.

    5. Le jour arrivera-t-il enfin où vous _____?

    6. Est-il possible que je _____?

    7. Il se peut que je _____.

    8. Le maître s'attend à ce que nous _____.

    9. Le maître ne la gronde plus depuis qu'elle _____.

faire des progrès

    1. Je veux que vous _____.

    2. Je suis charmé qu'ils _____.

    3. Je suis content d'apprendre qu'ils _____.

    4. Son père le récompensera dès qu'il _____.

    5. Son père le récompensera pourvu qu'il _____.

    6. Son père le récompense depuis qu'il _____.

    7. Si je suis content de vous ce n'est pas parce que vous _____.

    8. Quand nous nous mettrons à travailler, nous _____.

    9. Voilà deux semaines que je _____.

   10. Mon professeur affirme que je _____.

B. LE PROFESSEUR: Chaque fille a une dot.

    L'ÉTUDIANT: Chacune a une dot.

    LE PROFESSEUR: Quelques estivants écoutaient la musique.

    L'ÉTUDIANT: Quelques-uns écoutaient la musique.

    LE PROFESSEUR: Tous les voleurs portaient des déguisements.

    L'ÉTUDIANT: Tous portaient des déguisements.

L'adjectif correspond au pronom:

adjectif	*pronom*
chaque	chacun, chacune
quelques	quelques-uns, quelques-unes
tous (*s* muet)	tous (*s* prononcé)
toutes	toutes

    1. Chaque auteur a son style.

    2. Tous les estivants ont applaudi.

    3. Toutes les femmes portaient des bagues.

    4. Quelques chaises étaient vides.

    5. Quelques pickpockets circulaient dans la foule.

    6. Tous les détectives sont des filous.

    7. Tous ces personnages se ressemblent.

    8. Chaque bague valait deux cent mille.

C. LE PROFESSEUR: Je connais quelques voleurs.

    L'ÉTUDIANT: J'en connais quelques-uns.

    LE PROFESSEUR: Je connais tous ces voleurs.

    L'ÉTUDIANT: Je les connais tous.

LE PROFESSEUR: Il parle à quelques amis.
L'ÉTUDIANT: Il parle à quelques-uns.

Il faut employer les pronoms compléments *en* avec *quelques-uns*, et *les* avec *tous* quand *quelques-uns* et *tous* sont compléments d'objet directs.

1. J'ai lu quelques pièces d'Anouilh.
2. Je lis toutes ses pièces.
3. Elle a perdu toutes ses bagues.
4. J'ai visité quelques villes d'eaux.
5. Je me suis adressé à quelques banquiers.
6. Connaissez-vous quelques héritières?
7. Il connaît tous les musiciens.
8. Il fera venir quelques détectives.
9. Il se méfie de tous ses amis.

Object pronouns (**56–57, 59D, E**)

D. LE PROFESSEUR: Hector pense-t-il *à voler les bijoux d'Éva?*
    L'ÉTUDIANT: Oui, il y pense.
    LE PROFESSEUR: Parle-t-il *à Éva?*
    L'ÉTUDIANT: Oui, il lui parle.

1. Hector plaît-il *à Éva?*
2. Et Éva plaît-elle *à Hector?*
3. Edgard répond-il *à Lady Hurf?*
4. Répond-il *aux questions qu'on lui adresse?*
5. Demande-t-il conseil *à Dupont-Dufort père?*
6. Dupont-Dufort inspire-t-il confiance *à Edgard?*
7. Lady Hurf réussit-elle *à convaincre Edgard?*
8. Lady Hurf fait-elle peur *à Edgard?*
9. Songe-t-il *à faire venir un détective?*
10. Edgard tient-il *à ce que son détective soit honnête?*
11. Dit-il *à Lady Hurf* qu'il est un gentleman?

E. LE PROFESSEUR: Est-ce qu'on se promène beaucoup *à Vichy?*
    L'ÉTUDIANT: Oui, on s'y promène beaucoup.
    LE PROFESSEUR: Lady Hurf s'adresse-t-elle *à Edgard?*
    L'ÉTUDIANT: Oui, elle s'adresse à lui.

Après un verbe pronominal + *à* et après certains verbes comme *songer à, penser à, être à, venir à,* et *tenir à, à* + nom de personne est remplacé par *à* + pronom personnel tonique.

1. Lady Hurf s'ennuie-t-elle *à Vichy?*
2. Lord Edgard s'intéresse-t-il *au journal?*
3. Éva s'intéresse-t-elle *à Hector?*
4. Et Hector s'intéresse-t-il *à Éva?*

5. S'intéresse-t-il *à ses bijoux?*
6. Se plaît-il *à Vichy?*
7. Lady Hurf s'adresse-t-elle *à Lord Edgard?*
8. Se fie-t-elle *à Lord Edgard?* (Non.)
9. Se fie-t-elle *aux détectives?* (Non.)

THÈME D'IMITATION

I have known Lady Hurf for forty years but her brusque way of talking to me still makes me feel uncomfortable. She asks me for advice and when I give it to her she says I am a simpleton. She says I ought to do something, but she knows I have never succeeded in doing anything at all. Besides, I cannot believe that a gentleman like young (13B) Dupont-Dufort is really pursuing Juliette for her dowry, tempting though it may be. He is a man who seems to have character. But I don't know. Although I am the girls' guardian I really don't like to have the fate of others in my hands. I would much prefer listening to the music and reading *The Times.*

SUJETS DE COMPOSITION

Choisissez un des sujets suivants:

1. Vous êtes Lord Edgard. Vous écrivez à l'agence Scottyard. Pourquoi il vous faut un détective. Quelle sorte de détective vous voulez.

2. Vous êtes Lady Hurf. Vous dites à vos deux nièces pourquoi vous vous méfiez des Dupont-Dufort. Votre opinion de Lord Edgard.

40

LE BAL DES VOLEURS [IV]

Jean Anouilh

Les trois voleurs se déguisent en nobles espagnols. Ils ont l'intention de voler les bijoux de Lady Hurf, d'Éva, et de Juliette. Lady Hurf se rend compte tout de suite que ce sont des voleurs déguisés, mais elle n'a pas peur. Au contraire; pour s'amuser elle fait semblant° de les reconnaître.

La musique commence une marche d'un caractère à la fois héroïque et très espagnol. Les voleurs s'approchent de Lady Hurf.

Soudain, celle-ci, qui regardait arriver cet étrange trio, se lève, va à eux, et se précipite au cou de Peterbono.[1]

LADY HURF: Mais c'est ce cher duc de Miraflor!

[*La musique s'arrête.*]

PETERBONO: [*Gêné et surpris.*] Heuh. . . .

LADY HURF: Voyons, souvenez-vous! Biarritz° 1902. Les déjeuners à Pampelune. Les courses de taureaux.° Lady Hurf.

PETERBONO: Ah! Lady Hurf! . . . Les courses de taureaux. Les déjeuners. Chère amie. . . . [*Aux autres:*] J'ai dû me faire la tête de° quelqu'un qu'elle connaît.

LADY HURF: Comme je suis heureuse! Je m'ennuyais à périr. Mais la duchesse?

PETERBONO: Morte.

[*Trémolo à l'orchestre.*]

LADY HURF: Dieu! Et le comte, votre cousin?

PETERBONO: Mort.

[*Trémolo.*]

LADY HURF: Dieu! Et votre ami l'amiral?

PETERBONO: Mort également.

[*A l'orchestre, début d'une marche funèbre.*]

[*Peterbono se tourne vers les autres.*] Sauvés!

LADY HURF: Pauvre cher! Que de deuils!°

PETERBONO: Hélas! Mais il faut que je vous présente mes fils, Don Hector et Don Gustave.

---

[1] *se précipite au cou de Peterbono*—throws her arms around Peterbono's neck.

Noyé.

LADY HURF: [*Présente Lord Edgard.*] Lord Edgard que vous avez connu.
　　　　C'est lui que vous battiez chaque matin au golf.
PETERBONO: Ha! le golf. . . . Cher ami. . . .
LORD EDGARD: [*Affolé,*° *à Lady Hurf:*] Mais ma chère. . . .
LADY HURF: [*Sévère.*] Comment? vous ne reconnaissez pas le duc?
LORD EDGARD: C'est insensé! Voyons, souvenez-vous. . . .
LADY HURF: Vous n'avez aucune mémoire. N'ajoutez pas un mot, vous me
　　　　fâcheriez. [*A Peterbono:*] Mais comment votre cousin est-il mort?
PETERBONO: Comment il est mort?
LADY HURF: Oui! Je l'aimais tant.
PETERBONO: Vous voulez que je vous raconte les circonstances qui ont
　　　　marqué son trépas?°
LADY HURF: Oui.
　　　　[*Il est affolé, il regarde Hector.*]
PETERBONO: Eh bien, il est mort. . . .
　　　　[*Hector lui mime*° *un accident d'auto, mais il ne comprend pas cela.*]
　　　　Il est mort fou.
LADY HURF: Ah! le pauvre! Il avait toujours été original. Mais la duchesse?
PETERBONO: La duchesse? [*Il regarde Hector affolé.*] Elle est morte.
LADY HURF: Oui. Mais comment?
　　　　[*Hector se touche le cœur à plusieurs reprises.*° *Peterbono hésite à com-
　　　　prendre, mais comme il n'a lui-même aucune imagination, il se résigne.*]
PETERBONO: D'amour.
LADY HURF: [*Confuse.*°] Oh! pardon. Et votre ami l'amiral?
PETERBONO: L'amiral? Ah! lui. . . . [*Il regarde Hector qui lui fait signe qu'il
　　　　n'a plus d'idées. Il se méprend*° *encore sur sa mimique.*] Noyé. Mais excusez-
　　　　moi, vous touchez de trop cuisantes plaies.*° . . .

VOCABULAIRE

faire semblant to pretend
Biarritz a fashionable summer resort
　　near the Spanish border
la course de taureaux the bullfight
se faire la tête de to disguise oneself as
le deuil mourning
affolé panic-stricken
le trépas death

mimer to mimic, to show with ges-
　　tures
à plusieurs reprises several times
confus embarrassed
se méprendre to misunderstand; be
　　mistaken
toucher une plaie cuisante to touch
　　a sore spot (*literally,* a wound)

QUESTIONNAIRE

1. Pourquoi les voleurs se déguisent-ils?
2. Que fait Lady Hurf quand elle les voit s'approcher? Pour qui fait-elle semblant
　　de prendre Peterbono?

3. Où se sont-ils connus?
4. Pourquoi est-elle heureuse de rencontrer le "duc"?
5. Quelle objection Lord Edgard fait-il pendant les présentations?
6. Quelles questions Lady Hurf pose-t-elle à Peterbono pour se moquer de lui?
7. Qui Peterbono regarde-t-il pour trouver une réponse à ces questions?
8. Qu'est-ce qu'Hector mime pour la mort du cousin?
9. Comment est-ce que Peterbono interprète sa mimique?
10. Et pour la mort de la duchesse, quelle mimique? Quelle fausse interprétation?
11. Et pour la mort de l'amiral?
12. Peterbono a-t-il beaucoup d'imagination?

ETUDE DE MOTS

Je m'ennuyais à périr.	I was bored to tears. I was bored enough to die from it.
heureux à en mourir	terribly happy (*literally*, happy enough to die).
Il est fou à lier.	He's completely mad (*literally*, mad enough to be tied).
Ils applaudissent à tout rompre.	They applaud wildly (*literally*, enough to break everything).
Il se ressemblent à s'y méprendre.	They look so much alike that one might take one for the other.

EXERCICES

Subjunctive (**80–81**)

A. LE PROFESSEUR: Il se souviendra. Il faut.
    L'ÉTUDIANT: Il faut qu'il se souvienne.
    LE PROFESSEUR: Il part aujourd'hui. Je suis fâché.
    L'ÉTUDIANT: Je suis fâché qu'il parte aujourd'hui.
    LE PROFESSEUR: Il comprend. Je sais.
    L'ÉTUDIANT: Je sais qu'il comprend.

1. Ces messieurs sont des voleurs. Je suis fâché.
2. Lady Hurf s'en rend compte. Il est vrai.
3. Elle prend des précautions. Il faut.
4. Elle fait semblant de les reconnaître. Je suis étonné.
5. Peterbono est gêné. Ce n'est pas étonnant.
6. Edgard ne se souvient pas de Peterbono. Ce n'est pas étonnant.
7. Les voleurs viendront visiter Lady Hurf dans sa villa. Edgard est désolé.
8. Lady Hurf les recevra dans sa villa. Edgard est choqué.
9. Ils les rejoindront tout à l'heure. Lady Hurf décide.

10. Ils passeront une semaine dans la villa. Lady Hurf veut.
11. Ils iront ensemble au "Bal des Voleurs." Lady Hurf dit.
12. Elle y tient. Edgard est étonné.
13. Elle le veut. Edgard est étonné.
14. Peterbono ne sait pas lui répondre. C'est dommage.
15. Il ne comprend pas la mimique d'Hector. Il est évident.
16. Hector n'a plus d'idées. C'est gênant.
17. Peterbono se méprend sur sa mimique. Ce n'est pas étonnant.

B. LE PROFESSEUR: J'ai trouvé un détective qui est honnête.
  L'ÉTUDIANT: Je cherche un détective qui soit honnête.
  LE PROFESSEUR: Il y a un objet que ces voleurs sont capables de voler.
  L'ÉTUDIANT: Il n'y a rien que ces voleurs soient capables de voler. (*ou*, Y
                   a-t-il un objet que ces voleurs soient capables de voler? *ou*,
                   Il n'y a pas d'objet que ces voleurs soient capables de voler.)

On emploie le subjonctif dans une proposition adjective si l'existence de
l'antécédent est niée ou doutée. Notez que la proposition principale dans la
phrase du professeur est affirmée. Dans la phrase de l'étudiant elle doit être
niée ou doutée.
1. Il y a une perspective qui fait peur à Lady Hurf.
2. Je connais quelqu'un qui pourrait jouer le rôle de Lady Hurf.
3. Il existe un déguisement qui est parfait.
4. Je connais quelqu'un à qui nous pourrions demander conseil.
5. Il a trouvé une femme qui le comprend.
6. Il y a une personne qui a raison.
7. J'ai trouvé un acteur qui sait le rôle.
8. Il y a quelque chose que je veux absolument.

C. LE PROFESSEUR: Je connais un restaurant. C'est le meilleur.
  L'ÉTUDIANT: C'est le meilleur restaurant que je connaisse.
  LE PROFESSEUR: Un des mimiques est compréhensible. C'est le premier.
  L'ÉTUDIANT: C'est le premier mimique qui soit compréhensible.

On emploie le subjonctif dans une proposition subordonnée quand l'antécédent est modifié par un superlatif ou par les mots *premier*, *dernier*, ou *seul*.
1. Hector peut réussir. Il est le seul.
2. Nous avons visité Venise. A mon avis c'est la plus belle ville.
3. Il a compris un mot. C'est le seul mot.
4. Il veut faire. Il prétend que c'est la dernière conquête.
5. Vous avez bu. Quel est le meilleur vin?

D. LE PROFESSEUR: Je suis étonné de le remarquer.
  L'ÉTUDIANT: Je suis étonné que vous le remarquiez.
  LE PROFESSEUR: Je lis afin de comprendre.
  L'ÉTUDIANT: Je lis afin que vous compreniez.

LE PROFESSEUR: Je viens vous visiter avant de partir.

L'ÉTUDIANT: Je viens vous visiter avant que vous ne partiez.

Notez que dans les phrases du professeur le verbe principal et l'infinitif ont le même sujet. Dans les phrases de l'étudiant *je* est toujours le sujet du verbe principal, mais le sujet du verbe subordonné est *vous*.

1. J'explique pour comprendre.
2. Je parle sans écouter.
3. Je pars sans dire au revoir.
4. Je fais des recherches afin de savoir la vérité.
5. Je lis en attendant de m'endormir.
6. J'ai peur de tomber.
7. Je veux partir.
8. Je répète sans comprendre.
9. Je répète afin de comprendre.
10. Je préfère lire à haute voix.
11. Je regrette de m'être trompé.
12. Je suis désolé de m'en apercevoir.
13. Je tiens à le faire.
14. Je me dépêche de peur d'être en retard.

Stressed pronouns (79)

E. LE PROFESSEUR: *Vous* en mangez bien.

   L'ÉTUDIANT: Vous, vous en mangez bien.

   LE PROFESSEUR: *Ils* comprennent.

   L'ÉTUDIANT: Eux comprennent (*ou*, eux, ils comprennent).

Employez le pronom personnel tonique convenable pour mettre en valeur les mots en italique. Notez qu'à la troisième personne on emploie le plus souvent le pronom personnel tonique comme sujet.

1. *Il* en mangeait bien.
2. *Ils* ont compris.
3. *Nous* ne parlons jamais aux étrangers.
4. *Je* préfère Anouilh à Giraudoux.
5. Je ne connais pas son mari, mais je *la* connais bien.
6. Je *les* vois souvent.
7. *J'*aime beaucoup cette pièce.
8. Ça *m'*ennuie.

SUJET DE COMPOSITION

Peterbono retrouve Hector et lui demande ce qu'il voulait dire par ses mimiques. Hector explique et accuse Peterbono d'être assez borné. [Hector et Peterbono se tutoyent (*say* tu *to each other*).]

THÈME D'IMITATION

Dear Marthe: I was terribly bored in this provincial little spa until yesterday. There is no one presentable here and dear old Edgar is so dull-witted that he often becomes unbearable. How different from that summer forty years ago in Biarritz when that Spanish duke was courting me! Remember? Thinking of that summer a wonderful idea came to me. There is a silly old impostor here—probably a jewel thief or something like that—who had the idea of disguising himself as a Spanish nobleman. I pretended to take him for the Duke of Miraflor. You should have seen him! I asked him what had become of his wife and he was panic-stricken. He finally said she died—of love! What a simpleton!

41

LE BAL DES VOLEURS [V]

Jean Anouilh

Lady Hurf invite les voleurs à passer plusieurs semaines dans sa villa.

[*Lord Edgard entre. Il est en train de fouiller*° *dans un tas*° *de papiers. Soudain il se redresse,*° *pousse un grand cri, et s'écroule évanoui.*°]

JULIETTE: [*Entre.*] Mon oncle. . . . Qu'avez-vous, mon oncle? . . . Ses mains sont froides. Quel est ce faire-part? [*Elle le lit, bouleversée,*° *et le cache précipitamment*° *dans sa poche. Elle sort en criant:*] Ma tante! vite, ma tante!

[*Tout le monde accourt.*° *Grande confusion.*]

PETERBONO: [*A Hector.*] L'occasion rêvée.[1] . . .

HECTOR: Oui, mais que faire?

PETERBONO: Rien, bien entendu, mais c'est tout de même l'occasion rêvée.

LORD EDGARD: [*S'est redressé lentement. Il commence d'une voix blanche.*[2]] Mes amis, j'ai une affreuse° nouvelle à vous annoncer. Le duc de Miraflor est mort à Biarritz en 1904.

[*Tout le monde regarde Peterbono, qui est très gêné. Petite ritournelle*° *goguenarde.*°]

PETERBONO: C'est ridicule.

HECTOR: [*Bas.*°] Tu parles d'une occasion rêvée![3]

PETERBONO: [*De même.*°] Ce n'est pas le moment de plaisanter.° Approche-toi de la fenêtre.

LADY HURF: Vous êtes fou, Edgard?

LORD EDGARD: Non, non. J'ai retrouvé le faire-part. Je savais bien que je le retrouverais ce faire-part. Depuis le premier jour. . . . [*Il se fouille.*°] Où est-il? Ah! ça, par exemple, où est-il? Je l'avais à l'instant! Oh! mon Dieu, je l'ai déjà perdu!

DUPONT-DUFORT PÈRE: Tout se découvre!

---

[1] *l'occasion rêvée*—the opportunity we have been waiting for (to rob the villa during a moment of confusion).

[2] *d'une voix blanche*—in a toneless voice (because he is stunned).

[3] *Tu parles d'une occasion rêvée!*—Talk about a golden opportunity!

DUPONT-DUFORT FILS: Nous sommes sauvés. [*A Peterbono qui se dirige insensiblement° vers la fenêtre:*] Vous ne restez pas pour prendre des nouvelles° de notre hôte?

PETERBONO: Si, si.

LADY HURF: Edgard, vous faites une plaisanterie ridicule à ce cher duc.

LORD EDGARD: Mais chère amie, je vous certifie. . . .

LADY HURF: [*Derrière lui, le pince.°*] Edgard, je suis sûre que vous vous trompez. Faites vos excuses.

LORD EDGARD: Mais enfin, chère amie. . . .

LADY HURF: [*Le pince plus fort.*] Je suis sûre, entendez-vous, que vous vous trompez.

LORD EDGARD: [*Se frotte° le bras, puis rageur.°*] Aïe! En effet,° maintenant que vous me le dites, je pense que j'ai dû confondre° avec le duc d'Orléans.[4]

LADY HURF: C'est parfait. L'incident est donc clos?°

PETERBONO: [*Soulagé.°*] Complètement clos.

LADY HURF: Alors, passons tous sur la terrasse. Je vais vous faire part° de mon idée.

DUPONT-DUFORT PÈRE: Je trouve que c'est une excellent idée!

LADY HURF: [*Qu'il exaspère.*] Attendez, mon cher, je ne l'ai pas encore dite. . . . Voilà, on donne ce soir un Bal des Voleurs au Casino. Nous allons tous nous déguiser en voleurs et y aller. . . .

DUPONT-DUFORT PÈRE ET FILS: [*Eclatent aussitôt de rire.*] Hi! Hi! Hi! Dieu, que c'est drôle!

DUPONT-DUFORT PÈRE: [*Sortant, à son fils:*] Flattons ses moindres lubies.[5]

PETERBONO: [*Furieux, en sortant, à Hector:*] Moi, je trouve cela de très mauvais goût. Pas toi?

JULIETTE: [*Restée seule, relit le faire-part, puis se demande:*] Son père n'est pas le duc de Miraflor, alors qui peut-il être?

VOCABULAIRE

fouiller to search; rummage
le tas the pile
se redresser to straighten out
s'écrouler évanoui to fall over in a faint
le faire-part the announcement (of a wedding, a death, and so on)
bouleverser to upset
précipitamment hurriedly
accourir to come running
affreux frightful

la ritournelle the tune
goguenard mocking; jeering
bas in a low voice
de même also
plaisanter to crack jokes
se fouiller to look in one's pockets
insensiblement imperceptibly
prendre des nouvelles de to enquire after
frotter to rub
pincer to pinch

[4] *J'ai dû confondre avec le duc d'Orléans.*—I must have confused (the Duke of Miraflor) with the Duke of Orléans.

[5] *Flattons ses moindres lubies.*—Let us flatter her every whim.

rageur in a rage   *clos* closed
en effet that's right   *soulager* to relieve
confondre to confuse; mistake   *faire part* to inform; tell about

QUESTIONNAIRE

1. Qu'est-ce que Lord Edgard est en train de faire quand il entre?
2. Que fait-il quand il trouve le faire-part?
3. Que dit le faire-part?
4. Que fait Juliette du faire-part?
5. Comment Peterbono songe-t-il à profiter de la confusion?
6. Que dit Lord Edgard quand il revient à lui (*when he comes to*)?
7. Quelle remarque ironique Hector fait-il alors?
8. Selon Peterbono, qu'est-ce que c'est le moment de faire?
9. Comment Lord Edgard sait-il que le duc est mort?
10. Que découvre-t-il quand il se fouille?
11. Pourquoi les Dupont-Dufort sont-ils contents?
12. Comment Lady Hurf explique-t-elle la scène que Lord Edgard vient de faire?
13. Que lui fait-elle?
14. Qu'est-ce qu'il dit enfin?
15. Quelle idée Lady Hurf a-t-elle?
16. Comment Dupont-Dufort père exaspère-t-il Lady Hurf?
17. Pourquoi les Dupont-Dufort éclatent-ils de rire?
18. Qu'est-ce que le vrai voleur, Peterbono, pense de l'idée de Lady Hurf?
19. Qu'est-ce que Juliette se demande à la fin? A qui pense-t-elle?

DIALOGUE

A. Lord Edgard annonce son affreuse nouvelle.
B. Lady Hurf lui demande s'il est fou.
A. Lord Edgard dit qu'il a retrouvé le faire-part—puis il se rend compte qu'il l'a perdu.
B. Lady Hurf le pince, et lui dit qu'elle est sûre qu'il se trompe.
A. Lord Edgard, rageur, dit qu'en effet il a dû confondre.

ETUDE DE MOTS

1. *l'occasion rêvée*   the perfect opportunity (that we have dreamed of)

   J'ai trouvé l'appartement rêvé.   I have found the perfect apartment.
   Il fera un mari rêvé pour Juliette.   He will be the perfect husband for Juliette.

2. *J'ai dû confondre avec le duc d'Orléans.*　　I must have taken him for the Duke of
　　　　　　　　　　　　　　　　　　　　　　　　　Orléans.

Ne confondez pas avec des marques　　Don't confuse (our product) with in-
inférieures.　　　　　　　　　　　　　　　　ferior ones.

Ces deux mots se ressemblent. Ne les　　These two words resemble each other.
confondez pas.　　　　　　　　　　　　　　Don't get them mixed up.

EXERCICES

A. LE PROFESSEUR: Vous ne restez pas?
　　L'ÉTUDIANT:　　Si, je reste.
　　LE PROFESSEUR: Vous comprenez, n'est-ce pas?
　　L'ÉTUDIANT:　　Oui, je comprends.

L'emploi de *si* au lieu de *oui* pour répondre à une question négative est obligatoire.
Notez qu'une question suivie de *n'est-ce pas* n'est pas une question négative.

1. Vous ne pouvez pas venir?
2. Vous n'êtes pas le duc de Miraflor?
3. Vous êtes le duc, n'est-ce pas?
4. Vous déguisez-vous en voleur?
5. Vous n'allez pas au Bal des Voleurs?
6. Vous ne vous êtes pas amusé?
7. Vous ne buvez pas le cognac?
8. Vous mourez d'ennui à Vichy, n'est-ce pas?

Negatives (**48, 51**)

B. LE PROFESSEUR: Qui parle *de la situation politique?*
　　L'ÉTUDIANT:　　Personne n'en parle.
　　LE PROFESSEUR: A quoi pensiez-vous?
　　L'ÉTUDIANT:　　Je ne pensais à rien.
　　LE PROFESSEUR: Quelle actrice vous semble douée?
　　L'ÉTUDIANT:　　Aucune actrice ne me semble douée.
　　LE PROFESSEUR: Quelle pièce de Prévert connaissez-vous?
　　L'ÉTUDIANT:　　Je ne connais aucune pièce de Prévert.
　　LE PROFESSEUR: Etes-vous souvent allé *à Vichy?*
　　L'ÉTUDIANT:　　Non, je n'y suis jamais allé.
　　LE PROFESSEUR: Est-ce qu'il y a encore du monde sur la terrasse? (Employez
　　　　　　　　　　deux négatifs.)
　　L'ÉTUDIANT:　　Non, il n'y a plus personne.

RÉPONDEZ AUX QUESTIONS SUIVANTES EN EMPLOYANT L'EXPRESSION
NÉGATIVE CONVENABLE.

1. Qui veut déménager s'il est bien installé?
2. A qui les Anglais posent-ils *des questions personnelles?*
3. Qui avez-vous rencontré ce matin?

4. Qu'est-ce que vous avez dit?
5. A qui avez-vous montré *des photographies de la famille*?
6. Quelle nouvelle avez-vous à annoncer?
7. Quelle raison semble-t-elle avoir pour protéger les voleurs?
8. Est-ce qu'on voit encore *des vieilles dames excentriques comme Lady Hurf*?
9. Est-ce qu'il reste *du café*?
10. Est-ce qu'il y a encore quelque chose à faire? (Employez deux négatifs.)
11. Est-ce qu'il y a encore du monde dans le café? (Employez deux négatifs.)
12. Voyez-vous encore quelqu'un là dehors? (Employez deux négatifs.)
13. Allez-vous souvent *au bar du Phœnix*? (Employez deux négatifs.)
14. Est-ce que Peterbono réussit souvent *à tromper les gens avec ses déguisements*?
15. Est-ce que Lady Hurf invitera *les Dupont-Dufort* plusieurs fois encore? (Employez deux négatifs.)
16. De quoi vous méfiez-vous?
17. Qui avez-vous invité pour ce soir?
18. Qui s'expose volontiers à la grippe?
19. A qui avez-vous parlé *de vos affaires*?
20. Qu'est-ce qui vous rassure?

Conditional (**28A**); Subjunctive (**80**)

C. LE PROFESSEUR: Il a retrouvé le faire-part. Je savais bien.
　　L'ÉTUDIANT: 　Je savais bien qu'il retrouverait le faire-part.
　　LE PROFESSEUR: Il fallait bien.
　　L'ÉTUDIANT: 　Il fallait bien qu'il retrouve le faire-part.

Notez l'emploi du conditionnel après *je savais bien que* et l'emploi du subjonctif après *il fallait bien que*. Dans la langue littéraire on emploie l'imparfait du subjonctif après *il fallait*, mais dans le langage courant l'emploi du présent du subjonctif est normal.

1. Lord Edgard s'est méfié. Je savais bien.
2. Il fallait bien.
3. Il est venu en scène. Je savais bien.
4. Il fallait bien.
5. Soudain, il s'est écroulé. Je savais bien.
6. Il fallait bien.
7. Juliette a lu le faire-part. Je savais bien.
8. Il fallait bien.
9. Elle a fait beaucoup de bruit. Je savais bien.
10. Il fallait bien.
11. Les autres sont venus. Je savais bien.
12. Il fallait bien.
13. Les voleurs ont eu peur. Je savais bien.
14. Il fallait bien.
15. Ils ont voulu s'échapper. Je savais bien.

16. Il fallait bien.
17. Edgard s'est redressé. Je savais bien.
18. Il fallait bien.
19. Peterbono a été très gêné. Je savais bien.
20. Il fallait bien.
21. Les Dupont-Dufort se sont réjouis. Je savais bien.
22. Il fallait bien.
23. Mais Edgard a perdu le faire-part. Je savais bien.
24. Il fallait bien.
25. Lady Hurf est intervenue. Je savais bien.
26. Il fallait bien.
27. Elle a su tout arranger. Je savais bien.
28. Il fallait bien.
29. Et ils sont tous allés au bal. Je savais bien.
30. Il fallait bien.

Adjectives (1–2)

D. LE PROFESSEUR: un homme naïf
L'ÉTUDIANT:　　une femme naïve
LE PROFESSEUR: une étudiante paresseuse
L'ÉTUDIANT:　　un étudiant paresseux

SUBSTITUEZ AU NOM INDIQUÉ LE NOM CORRESPONDANT DE L'AUTRE
GENRE EN FAISANT TOUS LES CHANGEMENTS NÉCESSAIRES.

1. une duchesse morte
2. une vache blanche
3. la grande rousse
4. un faux Anglais
5. un neveu charmant
6. ma tante favorite
7. une voleuse discrète
8. un séducteur dangereux
9. un vieil ami
10. une fille désobéissante
11. une enfant amusante
12. un monsieur sec
13. un vieux fou
14. mon grand cousin
15. une actrice vive
16. un comte français
17. ma grosse chatte

SUJET DE COMPOSITION

Monologue de Lord Edgard. Il dit pourquoi il est certain que Peterbono est un imposteur, et que Lady Hurf veut le protéger.

THÈME D'IMITATION

Listen Eva, I know that Gustave is not the son of a duke. I read the announcement Lord Edgar found when he was leafing through that big pile of papers. I am the one who took it away. I didn't want our aunt to know that Gustave is an impostor. He says he will never succeed as a robber, so he is going to find honest work. I am going to run off with him. We are going to hide for a year, long enough for me to come of age. You must swear to me not to tell our aunt. Anyhow, I think she knows that Gustave and his friends are not really Spanish noblemen. Did you see her pinch Lord Edgar's arm when he announced his dreadful piece of news? I don't know what's got into her.

42

LE BAL DES VOLEURS [VI]

Jean Anouilh

Tout le monde sauf Gustave et Juliette va au Bal des Voleurs. Gustave est amoureux de Juliette. Puisqu'il ne peut pas l'épouser il va cambrioler° la villa et s'en aller. Mais Juliette l'aime. Malgré les protestations de Gustave, elle part avec lui.

Les autres reviennent du bal. Les Dupont-Dufort sont ravis° de découvrir qu'on a cambriolé la villa. Ils se rendent compte que c'est Gustave le coupable, et que Peterbono et Hector sont ses complices. Ils téléphonent à la police, et ensuite appellent les autres à grands cris.

LADY HURF: Je ne veux pas de police chez moi. . . .

DUPONT-DUFORT PÈRE: C'est trop tard. Ils sont certainement en route.

[*Hector et Peterbono tentent brusquement de se sauver.*°]

DUPONT-DUFORT PÈRE: Tenez! Les voilà qui fuient!°

DUPONT-DUFORT FILS: Oh! C'est trop fort! Nous vous sauverons malgré vous. Haut les mains!°

DUPONT-DUFORT PÈRE: Haut les mains!

[*Ils les menacent de leurs revolvers.*]

LADY HURF: Messieurs, je suis ici chez moi! Je vous somme° de rentrer° ces armes!

DUPONT-DUFORT FILS: Non!

DUPONT-DUFORT PÈRE: Non. Vous nous remercierez plus tard. . . .

LADY HURF: Éva, je vais avoir une crise de nerfs!° Appelle les domestiques!° Emile! Quelqu'un vite! Joseph! quelqu'un!

LES AGENTS: [*Entrent sur ces cris.*] Nous voici. Sosthène, à toi le gros![1]

[*Ils ont vu ces deux horribles têtes de bandits[2] qui menaçaient ces gentlemen de leurs armes. Ils n'ont pas hésité. Ils se précipitent sur les Dupont-Dufort.*]

LES AGENTS: Ah! mes lascars,° Nous vous tenons!

DUPONT-DUFORT PÈRE ET FILS: [*Qui reculent.*°] Mais. . . . Mais. . . . Mais ce

---

[1] *Sosthène, à toi le gros!*—Sosthène, you take the fat one!

[2] *ces têtes de bandit*—the Dupont-Duforts are still wearing the robber costumes they wore to the Bal des Voleurs. The others are not.

n'est pas nous.... Pas nous! Au contraire.... C'est nous qui avons téléphoné. C'est insensé! C'est eux!

[*Les agents les attrapent et les chargent sur leurs épaules.*³]

LES AGENTS: Et voilà! [*A Hector:*] Si vous voulez nous donner un coup de main° pour ouvrir la porte, monsieur, ce n'est pas de refus!⁴

HECTOR: Volontiers! Très volontiers!

[*Les agents emmènent les Dupont-Dufort, malgré leurs protestations déchirantes.°*]

LORD EDGARD: [*Affolé.*] Mais chère amie....

LADY HURF: [*Sévère.*] Edgard, taisez-vous.

DUPONT-DUFORT PÈRE: [*Emporté,° hurle° en vain.*] Mais dites-leur quelque chose, voyons! Dites-leur quelque chose....

DUPONT-DUFORT FILS: [*Passant près d'Eva.*] Mademoiselle Éva.°...

[*Les Dupont-Dufort sont sortis, sur le dos° des agents, salués par leur petite ritournelle.*]

LADY HURF: [*Tranquillement.*] Eh bien! je suis très contente. Voilà trois semaines que ces gens-là étaient chez moi et je ne savais comment m'en débarrasser.°

LORD EDGARD: [*Vaincu° par ces émotions, est tombé à demi évanoui dans un fauteuil.°*] Et dire que° je suis ici pour me soigner° le foie!°⁵

VOCABULAIRE

cambrioler to rob; ransack	*déchirant* piercing
ravi delighted	*emporté* carried off
se sauver to escape	*hurler* to howl; yell
fuir to run away	*le dos* the back
haut les mains stick 'em up	*se débarrasser de* to get rid of
sommer to command; summon	*vaincu* overcome
rentrer to put away	*le fauteuil* armchair
une crise de nerfs hysterics	*et dire que ...* and to think that ...
le domestique the servant	*soigner* to take care of
le lascar the fellow, knave	*le foie* the liver
reculer to withdraw; go backward	
donner un coup de main to give a hand	

QUESTIONNAIRE

1. Qu'est-ce qui arrive pendant que tout le monde est au Bal des Voleurs?
2. Pourquoi les Dupont-Dufort sont-ils ravis quand ils reviennent?
3. Que font-ils?

---

³ *Ils les chargent sur leurs épaules.*—They lift them up onto their shoulders.

⁴ *Ce n'est pas de refus.*—It would be a great help.

⁵ *Et dire que je suis ici pour me soigner le foie!*—And to think that I came here to take care of my liver trouble! (Vichy water is said to be good for liver and other ailments.)

4. Comment Lady Hurf continue-t-elle à protéger les voleurs?
5. Que font Hector et Peterbono?
6. Que font les Dupont-Dufort pour les arrêter?
7. Que fait Lady Hurf quand les Dupont-Dufort sortent leurs revolvers?
8. Pourquoi les agents se précipitent-ils sur les Dupont-Dufort?
9. Quelle objection les Dupont-Dufort font-ils?
10. Qu'est-ce que les agents demandent à Hector de faire?
11. Qu'est-ce que Dupont-Dufort père hurle?
12. Comment les Dupont-Dufort sont-ils sortis?
13. Pourquoi Lady Hurf est-elle contente?
14. Pourquoi Lord Edgard tombe-t-il dans un fauteuil?
15. Quelle exclamation fait-il?

ETUDE DE MOTS

1. *tête de bandit*

Il a une tête d'assassin.
Quelle tête de lard!
Il en a fait une tête!

Tête sometimes means face, expression, often in a pejorative sense.
He looks like an assassin.
What a fathead!
He certainly looked surprised!

2. *Ils les chargent sur leurs épaules.*
Leurs revolvers sont chargés.
J'ai un programme chargé.
Il m'a chargé de vous dire.

They load them onto their shoulders.
Their revolvers are loaded.
I have a heavy program.
He told me to tell you.

EXERCICES

Etre verbs (32D)

A. LE PROFESSEUR: Il sort.
  L'ÉTUDIANT: Il est sorti.
  LE PROFESSEUR: Il sort son crayon.
  L'ÉTUDIANT: Il a sorti son crayon.

Les verbes qui sont conjugués normalement avec *être* se conjuguent avec *avoir* quand ils ont un complément d'objet direct.

1. Je sors. Je sors mon crayon.
2. Il descend. Il descend l'escalier.
3. Elle monte. Elle monte une pièce de théâtre.
4. Nous rentrons. Nous rentrons le linge à cause de la pluie.
5. Elle retourne. Elle retourne l'omelette.
6. Où passent les balles? Qui passe l'examen?
7. Ils rentrent au commissariat. Ils rentrent leurs armes.

Interrogatives (45–47)

B. Le professeur dit quelque chose mais vous n'entendez pas très bien la fin de sa phrase. Vous lui posez donc une question:

LE PROFESSEUR dit: L'ÉTUDIANT demande:
Je sortirai *demain*.   Quand sortirez-vous?
J'ai invité *les Dupont-Dufort*.   Qui avez-vous invité?

1. Tout le monde va *au Bal des Voleurs*.
2. Gustave est amoureux de *Juliette*.
3. Il va s'en aller *puisqu'il ne peut pas l'épouser*.
4. Mais elle part avec lui malgré *ses protestations*.
5. Les autres reviennent du *bal*.
6. Les Dupont-Dufort découvrent *qu'on a cambriolé la villa*.
7. Ils se rendent compte *que c'est Gustave le coupable*.
8. Ils téléphonent à *la police*.
9. Ils appellent les autres *à grands cris*.
10. Ils vont arrêter les voleurs malgré *Lady Hurf*.
11. Elle va avoir *une crise de nerfs*.
12. Elle appelle *les domestiques*.
13. Les agents arrivent *à ce moment-là*.
14. Les Dupont-Dufort menacent les voleurs avec *leurs revolvers*.
15. Ils se précipitent sur *eux*.
16. Hector leur donne *un coup de main*.
17. Les agents emportent les Dupont-Dufort *sur leurs épaules*.
18. Ils sont salués en sortant par *leur petite ritournelle*.
19. Ils ont passé dans la villa *trois semaines interminables*.
20. Lady Hurf le dit *tranquillement*.
21. Edgard est vaincu par *ses émotions*.

Avoiding dependent clauses (20E); Infinitive (44)

C. LE PROFESSEUR: Le clarinettiste a fini son morceau.
　　　　　　　　　Les estivants ont applaudi.
　　L'ÉTUDIANT:　Après que le clarinettiste eut fini son morceau, les estivants ont
　　　　　　　　　applaudi.
　　LE PROFESSEUR: Il a fini son morceau. Il est parti.
　　L'ÉTUDIANT:　Après avoir fini son morceau, il est parti.

Il faut employer le passé antérieur dans une proposition subordonnée introduite par *quand, lorsque, dès que, aussitôt que,* ou *après que* pour exprimer un fait qui venait d'avoir lieu quand un autre fait s'est réalisé. Le verbe de la proposition principale est d'ordinaire au passé composé. Cependant on remplace *après que* + passé antérieur par *après* + infinitif parfait quand les deux propositions ont le même sujet.

1. Ils ont emmené les Dupont-Dufort. Edgard est tombé dans un fauteuil.
2. Ils sont revenus du bal. Ils ont téléphoné à la police.
3. Juliette est partie. Les autres sont arrivés.
4. Edgard a annoncé sa nouvelle. Peterbono s'est approché de la fenêtre.
5. Lady Hurf le pince plusieurs fois. Lord Edgard a fini par comprendre.
6. Elle leur a fait part de son idée. Elle est passée sur la terrasse.
7. Ils ont rentré leurs revolvers. Ils ont emmené les voleurs.
8. Je suis sorti. J'ai vu qu'il pleuvait.
9. Nous avons fini notre café. Nous avons demandé l'addition.
10. Vous vous êtes levé. Vous êtes sorti.
11. Elle s'est approchée de lui. Il l'a reconnue.
12. La musique s'est arrêtée. On a applaudi.
13. Il a examiné la bague. Il a rangé sa loupe.
14. Ils ont sauvé le bambin. Ils ont bavardé.
15. On a apporté du vin blanc. Elle a décidé qu'elle voulait du vin rouge.

THÈME D'IMITATION

The plot of *Le Bal des voleurs* is full of disguises and surprises. Lady Hurf pretends to take Peterbono for the Duke of Miraflor. Then the policemen think that the two financiers are robbers and loading them on their shoulders they carry them off in a sort of dance step, while the clarinet for the last time plays the gay little tune which always accompanies them. The Dupont-Duforts are still wearing their robber costumes, which explains why the policemen misunderstand (p. 269, l. 26) the situation. But upon reflection one can ask if the truth is hidden or revealed by disguise. Aren't the Dupont-Duforts the real robbers? As Lady Hurf says, "They want to squeeze a lot of money out of us." Whereas Peterbono never succeeds in robbing anything at all and is happy merely to be a guest at Lady Hurf's.

SUJET DE COMPOSITION

La rentrée des agents au bureau de police. Ils sont fiers de leur travail. Un coup de téléphone de la villa leur apprend leur erreur.

↞ ⚶ 43 ⚶ ↠

LE BAL DES VOLEURS [VII]

Jean Anouilh

Lady Hurf regarde Peterbono, qui depuis l'arrestation des autres s'étrangle,° pris d'un fou rire inextinguible.[1]

LADY HURF: Mon cher, ce n'est pas la peine de tant rire,[2] je sais parfaitement que c'est vous le vrai voleur.

[*Il s'arrête net.° Elle fouille dans sa poche.*]

LADY HURF: Rendez-moi mes perles. Vous n'êtes pas très fort.°

PETERBORO: Mais comment cela se fait-il?[3]

LADY HURF: Vous avez de grands bagages? Seront-ils longs à faire?

PETERBONO: [*Minable.°*] Oh! non. . . .

LADY HURF: Alors, je vous conseille° de monter vite là-haut.°

PETERBONO: Oh! oui. . . .

HECTOR: [*Entre, superbe.°*] Voilà, milady, les coquins° sont en de bonnes mains.

[*Peterbono tousse.°*]

HECTOR: Vous n'êtes pas bien, mon cher père?

LADY HURF: Non. Il n'est pas très bien. Montez donc avec lui dans vos chambres.

HECTOR: Vraiment, mais d'où souffrez-vous?

LORD EDGARD: [*Qui est revenu à lui.[4]*] Vous voyez bien que le duc de Miraflor était mort en 1904!

LADY HURF: Je le savais depuis longtemps, mon cher.

HECTOR: [*Ne comprenant toujours pas les signes de Peterbono, badin.°*] Ha, ha, ha. . . . C'est cette vieille plaisanterie?

LADY HURF: Le duc est mort entre mes bras, ou peu s'en faut.° Je savais donc parfaitement à qui nous avions affaire.[5] Seulement, je m'ennuie tant, mon vieil Edgard!

---

[1] *pris d'un fou rire inextinguible*—shaken with uncontrollable laughter.
[2] *Ce n'est pas la peine de tant rire.*—Don't bother laughing so much.
[3] *Comment cela se fait-il?*—How did it happen? (How did you find out?)
[4] *qui est revenu à lui*—who has come to.
[5] *à qui nous avions affaire*—with whom we were dealing (i.e., she knew all along that they were crooks).

HECTOR: [*Se rapproche enfin de Peterbono.*] Mais enfin qu'est-ce que c'est?

PETERBONO: Imbécile, il y a une heure que j'essaie de te le dire, nous sommes découverts, mais elle nous laisse partir.

HECTOR: Hein? Mais puisqu'on vient d'arrêter les autres?

LADY HURF: [*Va à eux, souriante.*] Je ne pense pas, messieurs, que vous vouliez attendre la visite du commissaire.

HECTOR: Mais c'est inadmissible!° De quoi nous accuse-t-on? Nous avons été avec vous toute la soirée.

PETERBONO: Ne fais pas le malin.⁶ Viens donc!

LADY HURF: Allez donc, monsieur, puisque tout le monde vous le conseille. . . .

HECTOR: Mais. . . . C'est inconcevable. . . .

PETERBONO: [*Bas.*] Fais donc vite, idiot. Elle m'a repris le collier,° mais j'ai conservé la bague.

[*Ils sortent très dignes. Une petite musique allègre° salue leur départ.*]

LADY HURF: [*Les a regardés partir avec un sourire attendri.°*] Pauvre vieux! Je lui ai laissé ma bague. En somme,° ils sont restés quinze jours ici à cause de moi.

Quelques moments plus tard Juliette et Gustave reviennent et, pour eux, tout finit bien.

VOCABULAIRE

s'étrangler to strangle; choke
s'arrêter net to stop cold
fort clever; able
minable pitiable
conseiller to advise
là-haut upstairs
superbe in a lordly manner
le coquin the knave

tousser to cough
badin playfully
peu s'en faut very nearly; almost
inadmissible unacceptable; unheard of
le collier the necklace
allègre joyful
attendri affectionate; fond
en somme after all

QUESTIONNAIRE

1. Que fait Peterbono à l'arrestation des Dupont-Dufort?
2. Pourquoi s'arrête-t-il net?
3. Pourquoi Lady Hurf fouille-t-elle dans la poche de Peterbono?
4. Pourquoi lui conseille-t-elle de monter dans sa chambre?
5. Que dit Hector en entrant?

⁶ *Ne fais pas le malin.*—Don't try to be so smart.

6. Pourquoi Peterbono tousse-t-il?
7. Quelles questions Hector lui pose-t-il?
8. Que dit Lord Edgard?
9. Comment Lady Hurf sait-elle que le duc est mort? Que savait-elle donc parfaitement?
10. Pourquoi a-t-elle fait semblant de reconnaître le duc de Miraflor?
11. Que dit Peterbono à Hector quand celui-ce se rapproche enfin de lui?
12. Quelle objection Hector lui fait-il?
13. Quelle objection fait-il à Lady Hurf?
14. Qu'est-ce que Peterbono lui dit de faire? Pourquoi est-il pressé de partir?
15. Comment Lady Hurf les regarde-t-elle partir? Qu'est-ce qu'elle leur a laissé? Pourquoi?

DIALOGUE

A. Hector demande à Peterbono ce que c'est.
B. Peterbono dit qu'il essaie de le lui dire depuis une heure, qu'ils sont découverts, mais qu'elle les laisse partir.
A. Hector demande de quoi on les accuse, et prouve son alibi.
B. Peterbono lui dit de ne pas faire le malin. Il explique pourquoi ils ne s'en iront pas les mains vides.

ETUDE DE MOTS

1. *Ne fais pas le malin.*   Don't pretend to be smart.
   Ne fais pas l'idiot. (Ou *Ne fais pas*   Stop acting like a fool (fooling around).
   l'imbécile.)   (*Also*, Don't pretend to be dumber than you are.)

2. *pris d'un fou rire*   overcome by laughter
   Elle fut prise d'une crise de nerfs.   She broke out into hysterics.
   Mais qu'est-ce qui vous prend?   What's got into you?

EXERCICES

Imparfait (**40**)

A. Le professeur raconte l'histoire au présent; l'étudiant la répète au passé.
   1. Depuis l'arrestation des autres Peterbono s'étrangle, pris d'un fou rire.
   2. Soudain Lady Hurf s'adresse à lui.
   3. Elle lui explique que ce n'est pas la peine de tant rire,
   4. qu'elle sait parfaitement que c'est lui le vrai voleur.
   5. Peterbono s'arrête net.

6. Quand il comprend que ses protestations sont inutiles, il change de ton.
7. Il se rend compte qu'il faut s'en aller.
8. Mais Hector, qui revient tout joyeux, ne sait pas ce qui s'est passé.
9. Enfin il se rapproche de Peterbono;
10. et celui-ci dit qu'ils doivent s'en aller tout de suite.
11. D'abord Hector demande de quoi on les accuse.
12. Il dit qu'ils ont été avec eux toute la soirée.
13. Mais enfin les deux voleurs s'en vont.
14. Lady Hurf leur laisse la bague,
15. parce qu'ils sont restés là quinze jours à cause d'elle.

Subjunctive (**81E.2**)

B. LE PROFESSEUR: Il faut que la police *arrive* au moment où ils essaient de s'échapper.

    L'ÉTUDIANT: Il faut que la police soit arrivée au moment où ils essaient de s'échapper.

    LE PROFESSEUR: Je veux qu'on les *arrête* à huit heures.

    L'ÉTUDIANT: Je veux qu'on les ait arrêtés à huit heures.

On emploie le parfait du subjonctif quand le fait exprimé par la proposition subordonnée est antérieur au fait exprimé par la proposition principale.

1. Je voudrais que vous *allumiez* quand les invités arrivent.
2. Il faut que vous *changiez* quand ils arrivent.
3. Je tiens à ce que tu *partes* quand ils arrivent.
4. Pour qu'ils *arrivent* à une heure, je les invite à midi.
5. Pourvu qu'ils me *comprennent*, ils arriveront vers une heure.
6. Quoique je les *invite* à midi, ils arriveront à une heure.
7. Il est incroyable qu'il se *couche* à huit heures du soir.
8. J'ai du mal à croire qu'il *puisse* faire une chose pareille.
9. Il vaut mieux qu'il *parte* à minuit.
10. Je regrette qu'ils vous *emportent*.
11. J'ai peur qu'il ne *tombe*.
12. Je crains qu'il n'*ait* raison.

Subjunctive (**81**); Future (**36–37**); Present (**73B**); *Imparfait* (**40**); Conditional (**28**)

C. LE PROFESSEUR: avoir la bague. Je sais qu'il _____.

    L'ÉTUDIANT: Je sais qu'il a la bague.

    LE PROFESSEUR: avoir la bague. Je suis content qu'il _____.

    L'ÉTUDIANT: Je suis content qu'il ait la bague.

    LE PROFESSEUR: avoir la bague. Il est heureux depuis qu'il _____.

    L'ÉTUDIANT: Il est heureux depuis qu'il a la bague.

    LE PROFESSEUR: avoir la bague. Il sera heureux quand il _____.

    L'ÉTUDIANT: Il sera heureux quand il aura la bague.

rendre les perles
1. Elle insiste pour qu'il _____.
2. Il a l'air misérable quand il _____.
3. Il ne sera plus coupable quand il _____.
4. Il se sent innocent depuis qu'il _____.
5. Hector est étonné que Peterbono _____.

s'en aller
1. Il faut que Peterbono et Hector _____.
2. Je veux que ces deux voleurs _____.
3. On va s'ennuyer dans la villa quand ils _____.
4. La police les a arrêtés pendant qu'ils _____.
5. Hector est malheureux parce qu'ils _____.

revenir du bal
1. Ils seront surpris quand ils _____.
2. Partons avant qu'ils _____.
3. Elle n'a pas encore découvert qu'on a cambriolé la villa. Cependant il y a dix minutes qu'elle _____.
4. J'attends jusqu'à ce qu'ils _____.
5. On les a cambriolés pendant qu'ils _____.

faire la cure à Vichy
1. Je vais beaucoup mieux depuis que je _____.
2. Si vous _____, vous iriez beaucoup mieux.
3. Si vous m'en croyez, vous _____.
4. Je viendrai vous visiter quand vous _____.
5. Vous reviendrez à Paris tout rayonnant de santé quand vous _____.

SUJET DE COMPOSITION

Lady Hurf explique à Lord Edgard pourquoi elle a invité les voleurs dans sa villa.

THÈME D'IMITATION

You should have seen Peterbono when Lady Hurf told him that he was the real robber. He certainly looked surprised! Lady Hurf had pretended to recognize him because she was bored to tears. She knew very well with whom she was dealing. Hector could not remember which disguise he was wearing when Eva had told him that everything about him delighted her and he still hoped to find it, but Peterbono realized it was time to pack their bags and leave while he still had the ring in his pocket. He finally went over to him and said, "Stop acting so smart. She knows who we are." In a sense it is still Lady Hurf who has the last word since she left him the ring on purpose so that he would not have spent fifteen days in her house for nothing.

REVIEW LESSON VIII
Review of Lessons 39–43

Vocabulary and Idioms

TRANSLATE

1. Come, come, try to remember. — Voyons, souvenez-vous.
2. For three weeks they had been at my house. — Voilà trois semaines qu'ils étaient chez moi.
3. I am here for my liver trouble. — Je suis ici pour me soigner le foie.
4. He breaks out into wild laughter. — Le fou rire le prend.
5. How can that be? (How did it happen?) — Comment cela se fait-il?
6. Do you know whom you're dealing with? — Savez-vous à qui vous avez affaire?

REPLACE THE EXPRESSIONS IN ITALICS BY A SYNONYM

1. Edgard est *simple et naïf.* — ingénu
2. Il reste vous; *c'est à dire presque rien.* — autant dire rien
3. Elle dit qu'Edgard est un *sot.* — benêt
4. Peterbono est un *voleur.* — filou
5. Notre *destin* est entre vos mains. — sort
6. Elle *embrasse Peterbono impétueusement.* — se jette au cou de Peterbono
7. *musique que l'on joue aux funérailles* — marche funèbre
8. C'est *fou*! — insensé
9. Racontez les circonstances de *sa mort.* — son trépas
10. Il se touche le cœur *plusieurs fois.* — à plusieurs reprises
11. Il *prend une chose (ou une personne) pour une autre.* — se méprend
12. Il *cherche soigneusement* dans un tas de papiers. — fouille
13. Il pousse un cri et *tombe tout à coup.* — s'écroule
14. *lettre pour annoncer la naissance, le mariage, la mort de quelqu'un* — faire-part
15. Quand elle lit la lettre elle est très *agitée.* — bouleversée
16. Elle la cache *rapidement.* — précipitamment
17. Il le regarde d'un air *railleur, moqueur.* — goguenard
18. Ce n'est pas le moment de *dire des plaisanteries.* — plaisanter
19. Il se dirige vers la porte *imperceptiblement.* — insensiblement
20. Je reste pour *m'informer sur l'état de la santé* de mon hôte. — prendre des nouvelles
21. Il *cherche dans ses poches.* — se fouille

22. *C'est vrai.* Je me suis trompé.   en effet
23. J'ai dû le *prendre pour* le duc d'Orléans.   confondre avec
24. Je vais vous *dire* mon idée.   faire part de
25. Ils éclatent *immédiatement* de rire.   aussitôt
26. Il va *dévaliser* la villa.   cambrioler
27. Les Dupont-Dufort sont *très heureux.*   ravis
28. Ils *comprennent* que c'est Gustave le voleur.   se rendent compte
29. Ils appellent les autres *en criant très fort.*   à grands cris
30. Ils tentent *tout à coup* de se sauver.   brusquement
31. Les voilà qui *se sauvent!*   fuient
32. Voulez-vous nous *aider?*   donner un coup de main
33. Comme voleur vous n'êtes pas très *habile.*   fort
34. *Qu'est-ce que vous avez, où avez-vous mal?*   D'où souffrez-vous?
35. Il est mort entre mes bras, ou *presque.*   peu s'en faut
36. une petite musique *joyeuse*   allègre
37. Quand Lady Hurf voit les voleurs elle *agit comme* fait semblant de les recon-
    si elle les reconnaissait.   naître
38. *perdre connaissance*   s'évanouir
39. *approcher en courant*   accourir
40. *Je ne peux pas refuser.*   Ce n'est pas de refus.
41. *Levez les mains en l'air!*   Haut les mains!
42. Il *s'écrie.*   pousse un cri
43. *Toi, tu prendras* le gros!   à toi
44. Je voulais *ne plus les avoir dans la maison.*   m'en débarrasser
45. Et *quand je pense* qu'il est voleur!   dire
46. Il *avait l'air tout à fait étonné!*   en a fait une tête
47. Il a *l'air d'un* assassin.   une tête d'
48. Il *a repris connaissance.*   est revenu à lui
49. Edgard se *relève* lentement.   redresse
50. *douleur causée par la mort de quelqu'un*   deuil
51. Il prend un air *enjoué et rieur.*   badin
52. *Après tout*, ils sont restés quinze jours ici à cause   en somme
    de moi.

ANSWER BRIEFLY THE FOLLOWING QUESTIONS

1. Pourquoi Edgard devrait-il défendre ses nièces   C'est leur tuteur.
   contre les financiers qui sont à la poursuite de
   leur dot?
2. Quelle est toujours la réaction d'Edgard quand   Il est surpris et gêné.
   Lady Hurf lui adresse la parole?
3. Qu'est-ce que Lady Hurf et le duc de Miraflor   les courses de taureaux
   allaient voir à Pampelune en 1902?
4. Dans quoi Edgard est-il en train de fouiller avant dans un tas de papiers
   de s'écrouler évanoui?

5. Que fait Lady Hurf pour indiquer à Edgard qu'il   Elle le pince.
   ne doit pas parler de la mort du vrai duc de
   Miraflor?

6. Comment Peterbono se sent-il quand l'incident   soulagé
   de la mort du duc de Miraflor est clos?

7. Quel joyau porte-t-on autour du cou?   un collier

8. Que fait Peterbono pour avertir Hector de ne pas   Il tousse.
   faire le malin?

New Grammar

1. Distinction between adjectives and pronouns

Each girl is here.	Chaque fille est ici.
Each one is here.	Chacune est ici.
Some gentlemen are here.	Quelques messieurs sont ici.
Some are here.	Quelques-uns sont ici.
All the men are here.	Tous les hommes sont ici.
All are here.	Tous sont ici.
I know them all.	Je les connais tous.
I know some of them.	J'en connais quelques-uns.

2. Object pronouns (59D, E)

I am interested in her.	Je m'intéresse à elle.
I go to her.	Je vais à elle.
I speak to her.	Je lui parle.

3. Subjunctive (81A.6, 7; 81E.2)

the best restaurant I know	le meilleur restaurant que je connaisse
There is no one who can understand it.	Il n'y a personne qui puisse le comprendre.
I want you to have left when I get there.	Je veux que vous soyez parti quand j'arrive.

4. *Etre* verbs (32D)

He went out.	Il est sorti.
He took out his pencil.	Il a sorti son crayon.

5. Avoiding dependent clauses (20E)

After speaking, he left.	Après avoir parlé, il est parti.
After I spoke, he left.	Après que j'eus parlé, il est parti.

Review Grammar

1. Subjunctive (**80–81**)

2. Future (**36–37**)

3. Present (**73B**)

4. Stressed pronouns (**79**)

5. Negatives (**48, 51**)

6. Adjectives (**1–2**)

7. Interrogatives (**45–47**)

GRAMMATICAL APPENDIX

Each exercise refers to a part of the appendix that explains the point or points of grammar drilled. It is a good practice to read the explanation before or after doing the exercise. But remember that your object is not simply to understand the pattern drilled, but to be able to use it actively.

This appendix may also be used in the correction of compositions and *thèmes d'imitation.* If your instructor uses abbreviations on your compositions, look up the abbreviation in the table of contents and abbreviations, and read the part of the appendix to which it refers. This should enable you to make most of the corrections yourself, and to learn why what you have written is wrong. For example, if your instructor marks your composition as follows,

cond   S'il *viendrait*, je serais content.

look up *cond* (conditional) in the appendix, and you will discover that the *imparfait* and not the conditional should be used here. If the instructor wishes to refer you directly to the relevant rule, he will give you the paragraph number and letter, in this case, **28E.**

The appendix can also be useful when you are writing compositions, when you are reviewing for an examination, or when you cannot remember a given rule or form. Become familiar with its organization. The headings are arranged alphabetically. Under each tense you will find the rules for the formation and use of that tense. Verbs which take *à* or *de* or no preposition before an infinitive are listed under *prepositions.* The partitive article is treated under *articles.* There are separate headings for *agreement* and *repetition* and the treacherous complexities of the English *would, could,* and *should* are listed under *conditional.*

TABLE OF CONTENTS AND ABBREVIATIONS

		Paragraph
adj	adjectives	1–5
adv	adverbs	6–7
ag	agreement	8–12
art	articles	13–19
av dep	avoiding dependent clauses	20
av pas	avoiding the passive	21
ce	*ce* or *il*	22–25
comp	comparative and superlative forms	26
cond	conditional	27–28
dem	demonstrative adjectives and pronouns	29–30

el	elision	21
être	*être* verbs	32
faire	*faire* + infinitive	33
fam	familiar form	34
fut	future	35–37
gen	gender	38
imp	*imparfait*	39–40
imper	imperative	41
inf	infinitive	42–44
inter	interrogatives	45–47
neg	negatives	48–53
obj	object pronouns	54–59
o v	orthographic changing verbs	60–61
p c	*passé composé*	62
p p	past participle	63
plu	pluperfect	64
poss	possessive adjectives and pronouns	65–66
prep	prepositions	67–71
pres	present	72–73
pres p	present participle	74–75
ref	reflexive verbs	76
rel	relative pronouns	77
rep	repetition	78
st p	stressed pronouns	79
sub	subjunctive	80–81
verb	verb tables	82–84

Other abbreviations which may be used in correcting compositions:

Id   French idiom used incorrectly or English idiom translated literally into French.

s   Improper syntax: words missing, superfluous words, or wrong word order.

sp   Spelling.

t   Wrong tense or wrong tense sequence.

v   Check verbs in verb tables.

Voc   Wrong word used. Cannot be used in this sense or is not a French word. Either restate the thought, or carefully consult a good dictionary.

?   Meaning unclear.

ADJECTIVES

1. Formation of the Feminine of Regular Adjectives

A. If the adjective ends in an -*e* in the masculine, it remains unchanged in the feminine.

jeune–jeune   vide–vide   autre–autre

B. To spell the feminine form of other adjectives, add *-e* to the masculine form. Thus final consonants which are silent in the masculine are pronounced in the feminine, and final nasal vowels are denasalized.

petit–petite   féminin–féminine   chaud–chaude

2. Formation of the Feminine of Irregular Adjectives

A. Adding the *-e* to the masculine form of certain adjectives causes other changes in the spelling and pronunciation. Note the following patterns:
   (1) Doubling the consonant of adjectives ending in *-el, -eil, -en, -on,* and the *-s* of *bas, las, gras, gros, épais*
       bon–bonne   gros–grosse   pareil–pareille
   (2) *Accent grave* on the penultimate *-e* of adjectives ending in *-er* and of some ending in *-et*
       premier–première   étranger–étrangère   secret–secrète
   (3) *x* becomes *s*
       heureux–heureuse   curieux–curieuse
   (4) *f* becomes *v*
       neuf–neuve   actif–active
   (5) Usually *-eur* becomes *-euse,* and *-teur* becomes *-trice*
       moqueur–moqueuse   directeur–directrice
       Exceptions: meilleur–meilleure, supérieur–supérieure, inférieur–inférieure
   (6) Exceptional spellings
       blanc–blanche   frais–fraîche   doux–douce
       franc–franche   sec–sèche   faux–fausse
       long–longue

B. *Beau, nouveau, fou, mou,* and *vieux* have special masculine forms used only before a vowel or a mute *h: bel, nouvel, fol, mol, vieil.* The feminine forms are pronounced like these special forms, but are spelled *belle, nouvelle, folle, molle, vieille.*

3. Formation of the Plural of Regular Adjectives

To spell the plural form add *-s;* add nothing to the masculine plural if the adjective ends in *-s* or *-x* in the singular.
grande–grandes   petit–petits   gros–gros

4. Formation of the Plural of Irregular Adjectives

The masculine plural ending of adjectives ending in *-al: -aux; eau: eaux.*
loyal–loyaux   beau–beaux

5. Position of Adjectives

A. In general the adjective follows the noun.

B. Certain common short adjectives usually precede the noun. Note that if an adjective precedes a noun its antonym often does so also.

jeune; nouveau	young; new	*vieux*	old
bon	good	*mauvais*	bad
meilleur	better	*pire*	worse
grand; gros	big; fat	*petit*	little
joli; beau	pretty; beautiful	*vilain*	ugly
autre	other	*même*	same
long	long		
haut	high		

If these adjectives are modified, however, they usually follow the noun.

une femme incroyablement belle	an incredibly beautiful woman
un étudiant beaucoup trop jeune	much too young a student

All numbers, *premier, dernier, deuxième, deux, trois*, and so on, precede the noun.

C. Certain adjectives vary in meaning according to their position. Note that the meaning is often literal or physical if the adjective follows the noun, but figurative if it precedes it.

un ancien élève	a former student
une maison ancienne	an ancient house
un brave homme	a good man
un homme brave	a brave man
une certaine chose	a certain thing
une chose certaine	a sure thing
un cher ami	a dear friend
un restaurant cher	an expensive restaurant
le dernier samedi du mois	the last Saturday of the month
samedi dernier	last Saturday
un grand homme	a great man
un homme grand	a tall man
une nouvelle tasse	a new cup
une tasse nouvelle	a different cup
une pareille chose	such a thing
une chose pareille	a similar thing
un pauvre homme	an unfortunate man
un homme pauvre	a penniless man
ma propre chambre	my own room
ma chambre propre	my clean room
un sale coup	a dirty trick

les mains sales	dirty hands
un vrai désastre	a veritable disaster
une histoire vraie	a true story

ADVERBS

6. Formation of Adverbs

A. Adverbs are formed by adding *-ment* to the feminine form of the adjective.

heureuse–heureusement   secrète–secrètement   active–activement

B. *-ment* is added to the masculine form if the adjective ends in a vowel.

joli–joliment   poli–poliment

C. If the adjective ends in *-ant* or *-ent*, the adverb ends in *-amment* or *-emment*, pronounced *a-ment*.

évident–évidemment   indépendant–indépendamment

D. There are a few irregularly formed adverbs, quite a number of which end in *-ément*.

bon–bien	confus–confusément	fou–follement
mauvais–mal	profond–profondément	mou–mollement
gentil–gentiment		

7. Position of Adverbs

A. In simple tenses the adverb usually comes directly after the verb. It may also come at the beginning of the sentence for emphasis or at the end. The adverb never comes directly in front of the verb, as it often does in English.

Elle porte toujours du vert.	She always wears green.
Il répond souvent.	He often answers.

B. In compound tenses most short adverbs come between the auxiliary and the past participle.

Je n'ai pas encore vu ce film.	I have not seen that movie yet.
Est-il déjà parti?	Has he left already?

C. Adverbs of time, such as *tard* and *demain*; adverbs of place, such as *ici* and *là*; and adjectives used adverbially, such as *bas* and *cher* follow the past participle.

Cela a coûté cher.	It was expensive.
Je suis allé là-bas.	I went over there.
Elle est arrivée hier.	She arrived yesterday.

D. Adverbs ending in -*ment* do not come between the auxiliary and the past participle. Exceptions: *certainement, probablement, seulement, vraiment.*

AGREEMENT

8. Adjectives

The adjective agrees with the noun it modifies.

des maisons anciennes   old houses   Quelle idée!   What an idea!

9. Pronouns

The pronoun must correspond to the noun it represents.

J'ai lu la leçon. Elle est facile.   I read the lesson. It's easy.
Voilà Georges. Tu le connais?   There's George. Do you know him?

10. Verbs

The verb form must correspond to its subject.

Marie et Louise nous parlaient.   Marie and Louise were talking to us.
C'est nous qui avons parlé.   We are the ones who spoke.

11. Past Participles

A. *Etre* verbs. The past participle agrees with the subject of the verb.

Elle est née.   She was born.   Elle est morte.   She died.

B. *Avoir* verbs. The past participle agrees with the *preceding direct* object. Note: it must be the *direct* object and it must *precede* the verb. There is no agreement with *en.*

Les livres que j'ai lus. . . .   The books I have read. . . .
Quelle règle? Celle que j'ai apprise.   What rule? The one I learned.
Combien de films avez-vous vus?   How many movies have you seen?
Je l'ai vue.   I saw her.

C. Reflexive verbs. Reflexive verbs are conjugated with *être*. In most cases the past participle can be said to agree with the subject, just as it does in *être* verbs.

Elle s'est assise.   She sat down.
Nous nous sommes lavés.   We got washed. (Literally, We washed ourselves.)

Strictly speaking, the agreement is with the preceding direct object, which is the reflexive pronoun. When a reflexive verb is followed by a direct object, the past participle does not agree.

Nous nous sommes lavé les mains.   We washed our hands.

Here *les mains* is the direct object. The reflexive pronoun *nous* is the *indirect* object. Hence there is no agreement.

12. Present Participles

A. When the present participle is adjectival it agrees with the noun it modifies.

une fille charmante   a charming girl

B. When it is verbal it is invariable.

Elle réussit en charmant tout le monde.   She succeeds by charming everyone.

ARTICLES

13. Definite Article

The definite articles (*le, la, l', les*) or their contractions (*au, aux, du, des*) are often required in French where they are not required in English:

A. Before a noun in the general or abstract sense; before the name of a country.

J'aime le vin.   I like wine.
Nous avons parlé de la cuisine fran-   We talked about French cooking.
çaise.
La France et l'Allemagne étaient en   France and Germany were at war.
guerre.

B. Before a title or adjective preceding a proper name, except in direct address.

J'ai parlé au commandant Dupont.   I spoke to Major Dupont.
Tu connais le vieux Charles, n'est-ce You know old Charles, don't you?
pas?

C. Before a noun designating a part of the body.

Il a levé la main.   He raised his hand.

But if the noun is preceded by an adjective the possessive adjective is used.

Il m'a donné sa petite main.   He gave me his little hand.

The possessive adjective is also used to avoid ambiguity.

Ses mains tremblaient.   His hands were trembling.

D. With expressions indicating the day of the week or the time of the day when the verb expresses habitual action.

fermé le lundi	closed on Monday
Le soir, il sort.	He goes out evenings.
Les dimanches on allait à l'église.	Sundays we went to church.

14. Omission of the Definite Article

A. Almost always after the preposition *en*. (*En* is used before feminine countries and in many idiomatic expressions.)

Je vais en France.	I am going to France.
Il est en prison.	He is in prison.

B. After the preposition *de* in adjectival phrases.

un cercueil de paille	a straw coffin
une classe d'histoire	a history class
un curé de campagne	a country priest

C. After certain verbs followed by *de*.

un village entouré de montagnes	a village surrounded by mountains
Il manque de tact.	He lacks tact.
Il a besoin de discipline.	He needs discipline.
Je meurs d'ennui.	I'm dying of boredom.
Il se trompe de restaurant.	He goes to the wrong restaurant.

But:

Il se méfie du restaurant.	He is suspicious of the restaurant.
Il s'approche de la ville.	He approaches the city.

D. In a list or enumeration of three or more nouns.

Prêtres, hommes d'état, maîtres d'école, militaires sont ses victimes.	Priests, statesmen, school-teachers, military men are his victims.

E. Before a noun in apposition.

Paris, capitale de la France	Paris, the capital of France

F. After *parler* + name of language.

Il parle français.	He speaks French.

15. Indefinite Article

The indefinite articles are *un* and *une*. The plural form is *des*. After a negative, *de* replaces the indefinite article.

Regarde! un chat!	Look! a cat!
Je ne vois pas de chat.	I don't see a cat.

But if the indefinite article is emphasized, *un* or *une* should be used.

Pas un chat dans les rues!   Not a (single) cat in the streets!

16. Omission of the Indefinite Article

A. After *être, devenir,* and similar verbs followed by unmodified nouns of profession, nationality, or title.

Il est marin.	He is a sailor.
Elle est devenue professeur.	She became a professor.
Je suis Américain.	I am an American.

But if the noun is modified, an article is used.

M. Meyer est un médecin excellent.   Mr. Meyer is an excellent doctor.

B. After *sans* and *avec* in adverbial or adjectival phrases; after *ni . . . ni . . .* (See **19**).

C. In certain idiomatic expressions.

Il a bon cœur.	He has a good heart.
Il le trouve très gentil garçon.	He thinks he is a very nice boy.
Ils restent bons amis.	They remain good friends.

17. Partitive Article

A. A noun used in the partitive sense is preceded by the partitive articles *du, de la, de l'*, or *des.* The English partitive *some* (or *any*) is usually omitted, but the French is not. It is therefore important to know whether the noun is used in the partitive or in the general sense. A noun used in the general sense is preceded by *le, la, les.*

Il lit des livres.	He reads (some) books.
Il étudie la littérature.	He studies literature (in general).
Il tombe de la neige.	(Some) snow is falling.
La neige est blanche.	Snow (in general) is white.

B. The partitive cannot be stressed in French. Where *some* + noun is stressed in English, use *il y a* + partitive article + noun or *certain(e)s* + noun in French.

Il y a des étudiants qui aiment ça.   *Some* students enjoy it.
(*Ou,* Certains étudiants aiment ça.)

18. The Partitive *de*

De alone is used instead of the partitive article in the following cases:

A. After a negative.

Il n'a pas d'amis.	He has no friends.
Il n'y a jamais de neige ici.	There is never any snow here.

Note that *ne . . . que* is not a negative.

Il n'a que des amis.   He has only friends.

B. After expressions of quantity.

beaucoup de vin a lot of wine   un litre d'eau   a liter of water
assez d'argent   enough money   combien de temps? how much time?
plein de vin   full of wine

La plupart and *bien* are exceptions to this rule.

bien de la peine   much sorrow
bien des Français   many Frenchmen
la plupart du temps   most of the time
la plupart des Francais   most Frenchmen

Note that *tout* meaning *all of* is followed by the definite article, not by *de*.

tout le vin   all of the wine

C. Usually before an adjective which precedes a plural noun, whether the noun is expressed or omitted.

Voici d'autres livres.   Here are other books.
En voici d'autres.   Here are others.

It is permissible, however, to use the partitive article before a preceding adjective.

des bons livres   good books
des petits yeux   little eyes

If the adjective + noun form a set expression the use of the partitive article is preferable.

des bons mots   bons mots
des jeunes gens   young people
des petits pois   peas

D. It is important to form the habit of using *de* automatically in the above situations. Phrases like *pas de livres, beaucoup de livres*, should become automatic. But one must remember that they are used only in the partitive sense. In the general sense or specific sense, the definite article is used.

Beaucoup des meilleurs livres sont   A lot of the better books are already sold.
  déjà vendus.   (The modifier *meilleur* makes the
                                         books specific.)

Je ne parle pas des livres que vous   I'm not talking about the books you
  voulez.   want. (The dependent clause makes
                                         the books specific.)

19. Omission of the Partitive Article

A. After the preposition *sans*.

une chambre sans fenêtres	a room without windows
Il répond sans confiance.	He answers without confidence.

But:

Il répond sans la confiance qui lui est habituelle.	He answers without his usual confidence. (The dependent clause makes the confidence specific.)

B. After the preposition *avec* in an adverbial expression.

Enveloppez-le avec soin.	Wrap it up with care.

But:

Servez-le avec du vin.	Serve it with wine. ("With wine" is not an adverbial expression.)

C. After the negative *ni . . . ni . . . .*

Nous n'avons ni vin ni bière.	We have neither wine nor beer.

AVOIDING DEPENDENT CLAUSES

20. Dependent Clauses

A. One generally avoids using a dependent clause, if it has the same subject as the main clause. Use the infinitive or, if the sense requires it, the past infinitive instead. Note that this form is simple and shorter than the dependent clause which must be introduced by a relative pronoun, and in many cases must be in the subjunctive. The subjects of main and dependent clauses are in italics in these examples.

Il croit comprendre.	*He* thinks *he* understands.
Vous prétendez ne pas le connaître?	Are *you* claiming that *you* don't know him?
Après l'avoir fini, je suis rentré.	After *I* finished it, *I* went home.
Elle l'a fait avant de partir.	*She* did it before *she* left.

B. If the main verb is *penser, croire, considérer, estimer,* or a similar verb a dependent clause with a predicate adjective may be avoided by using an object pronoun.

Il la trouve belle.	*He* thinks *she* is pretty.
Je nous croyais brouillés.	*I* thought *we* weren't friends any more.

C. When *quand, lorsque, aussitôt que,* and *pendant que* introduce dependent clauses whose action is simultaneous or nearly simultaneous with the action of the main verb, *en* + present participle can often be used instead of the dependent clause.

Je me suis couché tout de suite quand je suis rentré (*ou,* en rentrant).	I went right to bed when I got home.

D. When the subject of the dependent clause and the subject of the main clause are different, a dependent clause is usually required. Sometimes a noun may be substituted for a dependent clause, however.

Elle l'a fait avant que je ne sois parti (*ou,* avant mon départ).	She did it before I had left (*or,* before my departure).
Nous avons attendu jusqu'à ce que le concert se termine (*ou* jusqu'à la fin du concert).	We waited until the concert ended (*or* until the end of the concert).

E. When the main clause is in the past tense, the verb of a dependent clause introduced by *après que,* or other expressions of time like *quand, lorsque, aussitôt que,* must be in the *passé antérieur,* that is, the *passé simple* + past participle, if it expresses action previous to the action of the main verb. Here too a noun may sometimes be substituted for the dependent clause.

Instead of:	*Say:*
On a commencé après que la cloche eut sonné.	*On a commencé après la cloche.*
(We began after the bell rang.)	(We began after the bell.)
On est parti après qu'ils furent arrivés.	*On est parti après leur arrivée.*
(We left after they arrived.)	(We left after their arrival.)

Note the *passé simple* of the auxiliary verbs.

avoir		*être*	
j'eus	nous eumes	je fus	nous fumes
tu eus	vous eutes	tu fus	vous futes
il eut	ils eurent	il fut	ils furent

AVOIDING THE PASSIVE

21. The Passive

A. A verb is passive when the subject does not act, but is acted upon. What acts upon the subject is called the agent. In *Marie was given a prize by the committee,* the agent is *the committee.* Often the agent is not stated: *Marie was given a prize.* The passive exists in French but is used less frequently than in English.

La maison a été vendue par le propriétaire.	The house was sold by the owner.

In French the indirect object of a transitive verb cannot become the subject of a passive verb, as it can in English. In such sentences the passive cannot be used.

Le comité a donné un prix à Marie.	Marie was given a prize by the committee.

B. When the agent is not stated, the passive can be avoided by making *on* the subject if the agent is a person.

On a volé sa bague.	Her ring was stolen.
On a vendu la maison.	The house was sold.

C. When the agent is stated, the passive can be avoided by making the agent the subject of the sentence.

Giraudoux a écrit *Ondine*.	*Ondine* was written by Giraudoux.
Le propriétaire a vendu la maison.	The house was sold by the owner.

D. *On* stands for a person. If the agent is not a person, the passive must be used. Note that in French as in English, the passive consists of the appropriate form of the verb *être* or *to be* plus the past participle.

On a détruit la maison.	The house was destroyed (by a person or persons).
La maison a été détruite.	The house was destroyed (not necessarily by a person or persons).

E. A reflexive verb is often used in French where English uses the passive.

Comment ça se dit-il en français?	How is that said in French?
Ces vins se boivent avec le plat de viande.	These wines are drunk with the meat course.

CE OR IL

22. *Ce + Etre*

Ce, as a pronoun meaning *it, he, she,* or *they*, is used only as the subject of *être*. *Ce + être* is used in the following cases:

A. Before a stressed pronoun, often for emphasis.

C'est moi qui ai dit ça.	I'm the one who said that.
Ce sera lui le président?	Will *he* be the president?

B. Usually, before any noun preceded by an article. (Note that all nouns except those indicating profession and nationality *are* preceded by an article.)

C'est une jolie jeune fille.	She's a pretty girl.

C. Before an adjective, adverb, or adjectival or adverbial phrase when *ce* refers to no specific antecedent. (The singular masculine form of the adjective is used.)

C'est à Paris que je l'ai rencontrée.	I met her in Paris.
Tout le monde a ri. C'était drôle.	Everybody laughed. It was funny.
Vous comprenez parce que c'est facile.	You understand because it's easy.

D. Usually, when the subject of the sentence is a clause or an infinitive. (With verbs other than *être* use *cela*.)

Ce qui m'intéresse c'est la littérature.	What interests me is literature.
Parler rapidement c'est difficile.	Speaking fast is hard.

23. *Cela* (or *Ça*)

The demonstrative pronoun *cela* (or *ça*) is used rather than *ce* if the verb following is a verb other than *être*.

Qu'en pensez-vous? Ça m'intéresse.	What do you think of it? It interests me.
Cela devient ennuyeux.	It gets boring.

24. *Il, Elle, Ils,* and *Elles* + *Etre*

Il, elle, ils, or *elles,* meaning *it, he, she,* or *they,* are used in the following cases:

A. Before a noun which is not preceded by an article, that is, a noun indicating profession or nationality.

Il est professeur.	He's a professor.

B. Before an adjective, adverb, or adjectival or adverbial phrase which refers to a specific antecedent.

Et cette peinture-là? Elle est belle.	How about that painting? It's beautiful.

25. *Il*

The invariable and impersonal *il,* meaning *it,* is used in the following cases:

A. In impersonal expressions. These may be verbs or expressions that can have no other subject but *il*: il pleut, il neige, il fait froid, il fait chaud, il faut, il s'agit de, il se peut, etc., or they may be verbs which can be used as impersonal expressions when preceded by *il*: il convient, il vaut mieux, il semble, il paraît, etc.

B. Usually, before the verb *être* followed by (1) adjective + *de* + infinitive or (2) adjective + *que* + dependent clause. But *ce* is sometimes permissible also, particularly before an adjective expressing an emotional reaction.

Il est impossible de le faire.

It is impossible to do it.

Il est étonnant que vous le disiez.
(*ou*, C'est étonnant que vous le disiez.)

It is astonishing that you should say it.

COMPARATIVE AND SUPERLATIVE FORMS

26. Comparative and Superlative Adjectives and Adverbs

A. The comparative and superlative forms of adjectives and adverbs (using *gentil* and *gentiment* as examples) are:

le moins gentil	the least nice	le moins gentiment	the least nicely
moins gentil	less nice	moins gentiment	less nicely
aussi gentil	as nice	aussi gentiment	as nicely
plus gentil	nicer	plus gentiment	more nicely
le plus gentil	the nicest	le plus gentiment	the most nicely

B. The comparative forms of the adjective *bon* and the adverb *bien* are:

le moins bon	the least good	le moins bien	the least well
moins bon	less good	moins bien	less well
aussi bon	as good	aussi bien	as well
meilleur	better	mieux	better
le meilleur	the best	le mieux	the best

C. The irregular comparative and superlative forms of *mauvais* (*pire*, *le pire*) and *mal* (*pis*, *le pis*) are used less frequently than the regular forms *plus mauvais* and *le plus mauvais*, *plus mal* and *le plus mal*.

CONDITIONAL AND PAST CONDITIONAL

27. Formation of the Conditional

The conditional is formed by adding the *imparfait* endings, -*ais*, -*ais*, -*ait*, -*ions*, -*iez*, -*aient*, to the infinitive, or in the case of irregular verbs, to the irregular future stem.

finir—infinitive: *finir*

je finirais	nous finirions
tu finirais	vous finiriez
il finirait	ils finiraient

tenir—irregular future stem: *tiendr-*

je tiendrais	nous tiendrions
tu tiendrais	vous tiendriez
il tiendrait	ils tiendraient

The past conditional is formed by the conditional of the auxiliary verb followed by the past participle.

voir—past conditional: *j'aurais vu*, I would have seen
aller—past conditional: *je serais allé*, I would have gone

28. Use of the Conditional

A. Generally these tenses are used the same way in French as in English.

Il a dit qu'il viendrait.	He said he would come.
Le croiriez-vous?	Would you believe it?
Je n'y aurais jamais songé.	I never would have thought of it.

B. *Would* + verb is usually translated by the conditional, but not always. It has two other meanings:

A l'école elle parlait beaucoup.	In school she would talk a lot.

Would here means *used to*. It expresses an habitual action in the past, which is expressed in French by the *imparfait*.

Je lui ai servi une truite, mais elle ne voulait pas la manger.	I served her a trout, but she would not eat it.

Would not eat it means she did not want to eat it; she refused to eat it.

C. *Should* usually means *ought to*, which is the conditional form in English for *must* and therefore should be translated by the conditional of *devoir*. Similarly, *should have* should be translated by the past conditional of *devoir*.

Je devrais le lire.	I should read it; I ought to read it.
J'aurais dû le lire.	I should have read it; I ought to have read it.

Occasionally, however, *should* is used in place of *would* in the conditional. In this case, of course, it is translated by the conditional form of the verb it precedes.

J'aimerais vous voir.	I should like to see you.

D. *Could* may be translated either as the conditional, the *imparfait*, or the *passé composé* of *pouvoir*, depending on the meaning.

Il pourrait le faire, s'il voulait.	He could do it, if he wanted to.
Il pouvait le faire, mais il n'a pas voulu.	He could have done it (was in a position to), but he didn't want to.
Il a pu le faire, et il en est fier.	He could do it (was able to, managed to), and he is proud of it.

E. Conditional sentences. These sentences consist of an *if* clause and a *result* clause.

if clause	*result clause*
Si vous lui demandiez,	il répondrait.
If you asked him,	he would answer.

The tense sequence is normally the same in French as in English. There is more latitude in English, however, than in French. In English it is possible to use the conditional in an *if* clause (*if you would ask him* instead of *if you asked him*), or the future (*if you will ask him* instead of *if you ask him*). In French neither the conditional nor the future can be used in an *if* clause.

(1) When the *if clause* is in the present, the *result clause* is in the future:

PRESENT	FUTURE
if clause	*result clause*
Si vous l'invitez,	il viendra.
If you invite him,	he will come.

(2) When the *if clause* is in the *imparfait*, the *result clause* is in the conditional:

IMPARFAIT	CONDITIONAL
if clause	*result clause*
Si vous l'invitiez,	il viendrait.
If you invited him,	he would come.
(would invite him, were	
to invite him)	

(3) When the *if clause* is in the pluperfect, the *result clause* is in past conditional:

PLUPERFECT	PAST CONDITIONAL
if clause	*result clause*
Si vous l'aviez invité,	il serait venu.
If you had invited him,	he would have come.

F. The conditional, like the future, can be used to express probability or conjecture.

| Elle parle si bien! Serait-elle Française? | She speaks so well! Could she be French? |
| Il aurait tout perdu en 1929. | It is alleged (or reported) that he lost everything in 1929. |

DEMONSTRATIVE ADJECTIVES AND PRONOUNS

29. The Demonstrative Adjective

A. ce moment — this moment, that moment. (masculine singular)

cet homme — this man, that man. *Cet* is used only before a masculine singular noun beginning with a vowel or with a mute *h*.

cette idée — this idea, that idea. (feminine singular)

ces personnes — these persons, those persons. (plural)

B. To distinguish between *this* and *that* the suffix *-ci* or *-là* is added to the noun.

| ce moment-là | that moment | cet homme-ci | this man |

30. Demonstrative Pronouns

A. The demonstrative pronoun must agree with its antecedent. Masculine: *celui* (singular) and *ceux* (plural). Feminine: *celle* (singular) and *celles* (plural). These forms cannot stand alone; they must be followed by one of the following: *-ci* or *-là*, *de* or another preposition, a relative pronoun.

(1) *-ci* or *-là*

Quelle robe? Celle-ci ou celle-là?	Which dress? This one or that one?
Quel chapeau préférez-vous? Celui-ci?	Which hat do you like best? This one?
Ceux-ci sont les meilleurs.	These are the best.

Note that the demonstrative pronoun + *-ci* can mean the latter, + *-là* the former.

J'aime Prévert et Aymé; celui-ci pour ses pièces, celui-là pour ses poèmes.	I like Prévert and Aymé; the latter for his plays, the former for his poems.

(2) *de* or another preposition

celui de Robert	Robert's
ceux d'Italie	the Italian ones
celles des étudiants	the students'

(3) a relative pronoun

Ceux qui demeurent dans des maisons de verre ...	People who live in glass houses ...
Celui que je connais ...	The one I know ...
Celles dont tout le monde parle ...	The ones everyone talks about ...
Celle à qui je parle ...	The one I am talking to ...

B. *Ceci* (this) and *cela* or *ça* (that) are the demonstrative pronouns without any definite antecedents.

Ceci m'intéresse.	This interests me.
Ça m'étonne.	That astonishes me.

DISJUNCTIVE PRONOUNS

See *Stressed Pronouns*

ELISION

31. Before a Vowel or a Mute *h*

A. *La* drops its *a*.

B. *Si* drops its *i* before *il* and *ils*.

C. Monosyllables ending in *e* drop the *e*: *je, me, te, se, de, le, ne, que,* and also longer words ending in *-que* such as *lorsque* and *puisque*.

D. *Ce* as a pronoun drops its *e* (*c'est, c'était*), but as a demonstrative adjective it becomes *cet* before a masculine word beginning with a vowel or a mute *h* (*cet homme*).

ETRE VERBS

32. Verbs of Motion

A. Certain intransitive verbs of motion are always conjugated with *être*. (Note that reflexive verbs are also conjugated with *être*.) Generally, these verbs indicate the direction of a motion but do not describe it. For example, *sortir* (to go out) tells *where* you are going and is conjugated with *être*. *Marcher* (to walk) tells *how* you are going and is conjugated with *avoir*. Learn them by using them in the *passé composé* and in the other compound tenses as they are listed below. Note that they form pairs of antonyms.

je suis venu	I came	je suis allé	I went
tu es arrivé	you arrived	tu es parti	you left
il serait monté	he would have gone up	il serait descendu	he would have gone down
nous étions entrés	we had gone in	nous étions sortis	we had gone out
vous êtes resté	you stayed	vous êtes rentré	you went home
		vous êtes retourné	you returned
ils sont nés	they were born	il sont morts	they died
je suis accouru	I ran up		
elle était tombée	she had fallen		

B. The following forms of the above verbs are also conjugated with *être*:

repartir	rentrer
revenir	retomber
devenir	ressortir
remonter	

C. *Passer* used intransitively may be conjugated with *être* or with *avoir*.

Où sont passées les balles?	What has happened to the bullets?
Il a passé.	He passed by.

D. All of these verbs are intransitive, that is they do not take an object. Some of them can take an object, but when they do they are conjugated with *avoir*, and their meaning is altered to some extent.

J'ai descendu la valise.	I took the suitcase downstairs.
J'ai monté l'escalier.	I climbed the stairs.
Il a rentré les bagages.	He brought the luggage in.
Elle a retourné son fauteuil.	She turned her armchair around.
Il a sorti son stylo.	He took out his pen.

FAIRE + **INFINITIVE**

33. Causative Construction

Faire + infinitive means to have something done, to make someone do something.

A. *Faire* is followed directly by the infinitive. Note the difference in word order between the French and the English.

J'ai fait cirer mes souliers.	I had my shoes shined.
Vous faites lire vos étudiants.	You have your students read.

B. Object pronouns come before *faire*, not before the infinitive. Again note the difference in word order between the French and the English. Note also that there is no agreement of the past participle *fait* in the *faire* construction.

Je les ai fait cirer.	I had them shined.
Je les fais réciter.	I have them recite.

C. If both the subject and the object of the infinitive are stated, the word order is *faire* + infinitive + object + *à* + subject.

J'ai fait cirer mes souliers au valet de chambre.	I had the valet shine my shoes.
Je fais lire Balzac aux étudiants.	I have the students read Balzac.

Note that *J'ai fait lire Balzac aux étudiants* could mean either, I had the students read Balzac, or I had Balzac read to the students. To avoid ambiguity one can say: *J'ai fait lire Balzac par les étudiants*: I had the students read Balzac.

D. If the object of the infinitive is stated, and the subject is replaced by a pronoun, the word order is the *indirect* object pronoun + *faire* + infinitive + object.

Je lui ai fait cirer mes souliers.	I had him shine my shoes.
Je leur fais lire Balzac.	I have them read Balzac.
Il nous fait lire Balzac.	He has us read Balzac.

Note, however, that if the object of the infinitive is not stated, and the subject is replaced by a pronoun, the *direct* object pronoun + *faire* + infinitive is used.

Je l'ai fait travailler.	I had him work.
Je les fais lire.	I have them read.

FAMILIAR FORM

34. Use of *tu*

The familiar form *tu* is used when addressing a child, an animal, a close friend, or a relative. It has no plural form. If you are addressing more than one person or animal you must always use *vous*. Young people tend to use it among themselves, even upon casual acquaintance. Remember to use it consistently. That is, if you address someone as *tu*, you must use the object pronoun *te* (or *t'*), the stressed pronoun *toi*, the possessive pronouns, *le tien, la tienne, les tiens, les tiennes*, and the possessive adjectives *ton, ta, tes*.

Tu emmènes ta famille avec toi?	Are you taking your family with you?

FUTURE

35. Formation of the Future

A. The future is formed by adding the endings *-ai, -as, -a, -ons, -ez, -ont* to the infinitive, or to the irregular future stem. Note that these endings are identical with the present of *avoir*, except that the *nous* and *vous* endings are *-ons* and *-ez*, rather than *avons* and *avez*. *Spelling*: when an infinitive ends in an *-e*, the *-e* is dropped. See also **60**.

parler future stem: *parler-*		*rendre* future stem: *rendr-*	
je parlerai	nous parlerons	je rendrai	nous rendrons
tu parleras	vous parlerez	tu rendras	vous rendrez
il parlera	ils parleront	il rendra	ils rendront

B. Irregular future stems. In certain verbs the infinitive is shortened or its vowel is weakened in the future form. These futures must be learned by frequent repetition and practice. They can be grouped according to whether the stem ends in *-dr*, *-vr*, *-rr*, or simply *-r*. Note that *-r* is the distinctive sound of all future (and conditional) forms, whether regular or irregular.

-dra		*-vra*	
falloir	il faudra	devoir	il devra
tenir	il tiendra	pleuvoir	il pleuvra
appartenir	il appartiendra	recevoir	il recevra

-dra

venir	il viendra
se souvenir	il se souviendra
valoir	il vaudra
vouloir	il voudra

-rra		*-ra*	
courir	il courra	aller	il ira
envoyer	il enverra	avoir	il aura
mourir	il mourra	être	il sera
voir	il verra	faire	il fera
		savoir	il saura

36. Use of the Future

A. Generally speaking, the future is used the same way in French as in English.

Note, however, the translation of these sentences:

Elle aura peur quand elle ira en avion.	She will be afraid when she takes a plane trip.
Toto comprendra dès qu'il grandira.	Toto will understand as soon as he grows up.

If the main clause is in the future the dependent clause introduced by *quand, lorsque, dès que, aussitôt que,* or *à partir du moment où* is in the future when it is in the present in English.

Note that the use of the future in the dependent clause is logical since the action expressed is in the future, not in the present.

B. Similarly, the future is used in the dependent clause if future time is implied in the main clause.

Reviens quand le curé partira.	Come back when the priest leaves.

C. The future, like the conditional, can be used to express probability.

Il sera fatigué après ce voyage.	He must be tired after that trip.

37. Future Perfect

A. The future perfect is formed by the future of the auxiliary + past participle. As in English it expresses an event that will be completed before another future event.

Quand il arrivera, je serai déjà parti.	When he gets there, I will already have left.

B. If the main clause is in the future the dependent clause introduced by *quand*, *dès que*, etc., is in the future perfect when in English it is in the present perfect.

Je me coucherai quand j'aurai fini   I will go to bed when I have finished
    mon travail.   my work.

GENDER

38. General Rules

When you learn a noun, try to learn it with some determiner in front of it, *un* or *une*, if the noun begins with a vowel or a mute *h*, for then you can hear the difference in gender. It is hard to tell when you hear a noun without a determiner whether it is feminine or masculine. But certain general rules can be helpful.

A. Feminine nouns.

(1) Nouns designating female beings.

la vache	the cow	*la mère*	the mother

(2) Most nouns ending in *-e, preceded by a vowel or double consonant.*

la baie	the bay	*la hutte*	the hut

(3) Abstract nouns ending in *-té, -tié, -eur, -tion, -on, -ance, -oire, -esse.*

la vérité	truth	*la comparaison*	the comparison
la nation	the nation	*la chaleur*	heat (but *le bonheur*)
la petitesse	smallness	*la mémoire*	memory
la pitié	pity		
une espérance	a hope		

B. Masculine nouns.

(1) Nouns designating masculine beings and professions.

le fils	the son	*le marin*	the sailor
le pompier	the fireman		

(2) Most nouns ending in a vowel other than mute *-e.*

un abri	a shelter	*le trou*	the hole
le passé	the past		

(3) Abstract nouns ending in *-isme, -asme,* and *-ment.*

le réalisme	realism	*le mouvement*	movement
un enthousiasme	an enthusiasm		

(4) Concrete nouns ending in *-eur.*

le facteur	the mailman	*le professeur*	the professor

(5) Most nouns ending in *-ge, -oir,* and *-toire.*

   le visage   le promontoire   le dortoir

IMPARFAIT

39. Formation of the *Imparfait*

To the stem derived from the *nous* form of the present add the endings *-ais, -ais, -ait, -ions, -iez, -aient. Etre* has the only irregular *imparfait.*

finir. Nous form: *finissons.* Stem: *finiss-*		*être*	
je finissais	nous finissions	j'étais	nous étions
tu finissais	vous finissiez	tu étais	vous étiez
il finissait	ils finissaient	il était	ils étaient

40. Use of the *Imparfait* and of the *Passé Composé*

A. When the verb forms *was* _____*-ing, were* _____*-ing, used to* _____, or *would* _____ (when *would* means *used to*) are used in English, the *imparfait* is usually used in French. These uses of the *imparfait* are:

(1) To express habitual action in the past.

   J'allais à l'école.   I used to go to school.

(2) To express an action that was going on in the past. This action is interrupted, or an interruption is implied. (The event interrupting the action is expressed by the *passé composé.*)

   Nous nous promenions.   We were taking a walk.

   The action is incomplete. The implication is that something happened, an event interrupted the walk, or took place during it. Compare with *we took* a walk: *nous nous sommes promenés,* where the action is complete.

B. There are other uses of the *imparfait* which are not necessarily translated by *was* _____*-ing* or *used to* _____. These are:

(1) To express a condition, a mental or emotional state, an attitude, or a process.

   Je savais qu'il avait raison.   I knew he was right.
   Nous croyions qu'il comprenait.   We thought he understood.
   Il aimait jouer au bridge.   He liked to play bridge.
   Le restaurant avait des huîtres.   The restaurant had oysters.

(2) To *describe* something, or some condition, like the weather.

   C'était une grande maison.   It was a big house.
   Elle avait plusieurs chambres.   It had several rooms.

Elle donnait sur un parc.   It looked out on a park.
Il faisait froid.   It was cold.

(3) With *depuis* or *il y avait . . . que* to express an action that had been going on when another action, implied or expressed, occurred.

Il parlait depuis dix minutes   He had been talking for ten minutes
    quand j'y suis arrivé.   when I got there.
Depuis sa naissance il nageait.   He had been swimming since his birth.

C. A state of affairs or a repeated action in the past is expressed by the *imparfait* when no limit to its duration is stated. If a limit is stated, however, the *passé composé* is used. Note the contrast between these two sentences.

Je me couchais de bonne heure.   I used to go to bed early.
Jusqu'à l'âge de douze ans, je me   Until I was twelve years old, I went to
    suis couché de bonne heure.   bed early.

D. Since the *imparfait* expresses a state or a condition, verbs which express a state or condition like *aimer, être, avoir, pouvoir, savoir, penser*, etc., are often used in the *imparfait*. Such verbs are used in the *passé composé*, however, when the condition they express is seen as taking place at a specific moment in the past.

J'avais peur.   I was afraid.
J'ai eu peur, et je me suis sauvé.   I was frightened (i.e., I suddenly became
    afraid) and I ran away.

Je n'y pensais pas.   I was not thinking about it.
Je n'y ai pas pensé.   I did not think of it (i.e., the thought did
    not occur to me).

IMPERATIVE

41. Formation of the Imperative

A. The imperative has three forms. They are the *tu, nous,* and *vous* forms of the present, *with the pronoun omitted.*

dire—present	imperative	
tu dis	*dis*	say (familiar form)
nous disons	*disons*	let's say
vous dites	*dites*	say (polite form)

B. There are four irregular imperatives, all derived from the subjunctive.

être		*avoir*	
sois	be	*aie*	have
soyons	let's be	*ayons*	let's have
soyez	be	*ayez*	have

savoir		*vouloir*	
sache	know	————	
sachons	let's know	————	
sachez	know	*veuillez*	be so kind as to

C. Spelling: In *-er* verbs and in *aller*, the *-s* ending of the *tu* form of the present is dropped in the imperative.

present	*imperative*
tu parles	parle
tu l'invites	invite-la
tu vas	va

However, the *-s* is restored when the familiar form of the imperative is followed by *en* or *y*.

manges-en   eat some   *songes-y*   think of it   *vas-y*   go ahead

INFINITIVE AND PAST INFINITIVE

42. Formation

Infinitives end in *-er*, *-ir*, *-re*, and *-oir*. There are no convenient rules whereby one can form the infinitive from other forms of the verb. The infinitive is a verb form which must be memorized. The many drills in the text in which you are called upon to use the infinitive are meant to help you do this.

43. Use of the Infinitive

The infinitive is used where we use the infinitive in English, and also in many cases where we use the verb form ending in *-ing*:

(1) In the infinitive construction, subject + verb + infinitive, as in English, *I like to swim, I want to leave.* (Sometimes *à* or *de* may come between the verb and the infinitive; see **68.**)

Je les ai invités à venir.	I invited them to come.
Je leur ai dit de ne pas rester.	I told them not to stay.

When the infinitive is *laisser, sentir, voir, écouter, entendre, regarder*, the subject of the infinitive follows it.

Il entend chanter les enfants.	He hears the children singing.
J'écoute parler la classe.	I listen to the class speaking.

But if the object is stated the subject must precede the infinitive.

Il entend les enfants chanter leur chanson.	He hears the children singing their song.
J'écoute la classe parler anglais.	I listen to the class speaking English.

(2) As a noun.

Voir c'est croire.	Seeing is believing.
Lire est son plus grand plaisir.	Reading is his greatest pleasure.

When the infinitive is the subject, *ça* (or *ce* if the verb is *être*) often precedes the verb (see **22D**).

Parler français ça devient facile.　　Speaking French gets to be easy.

(3) After such prepositions as *au lieu de*, *avant de*, *pour*, and *sans* (but note that *en* is followed by the present participle).

avant de partir	before leaving
sans parler	without speaking
au lieu de travailler	instead of working

44. Use of the Past Infinitive

The past infinitive (for example, *to have spoken, to have given*) occurs more frequently in French than in English, because in English we often use the present infinitive (or an *-ing* form) where the past infinitive would render the meaning more precisely. In French, the past infinitive must be used whenever the action expressed is in the past.

On l'a accusé d'avoir tué sa femme.　　He was accused of killing his wife.

The action is not in the present. Strictly speaking he was accused of *having killed* his wife. Hence the French: *avoir tué*.

après être parti　　　　　　　　after leaving

Again the action is not in the present, but in the past. After *après* the past infinitive must always be used.

INTERROGATIVES

45. Interrogative Word Order

A. A statement can be made into a question

(1) By a rising intonation on the last syllable.

Vous y êtes allé?	Did you go?
Le général répond?	Does the general answer?

(2) By beginning the statement with *est-ce que*.

Est-ce que vous y êtes allé?
Est-ce que le général répond?

(3) By inversion.

> Y êtes-vous allé?
> Le général répond-il?

Note that in compound tenses the subject pronoun comes after the auxiliary, and that in the third person a *t* is always heard between the verb and the inverted subject. Final *d* is pronounced *t* when linked to a following vowel. If the verb does not end in a -*t* or a -*d*, a -*t*- is inserted.

> A-t-il répondu?   Did he answer?

B. A noun subject cannot usually follow the verb. When inversion is used, the noun subject will remain in place, and the appropriate pronoun (*il, elle, ils,* or *elles*) will follow the verb.

> Vos parents viennent-ils avec vous?   Are your parents coming with you?

C. After the interrogatives *où, combien, comment, quand, pourquoi, que,* and after *qui* or *quoi* preceded by a preposition, the noun subject preferably follows the verb, if the verb does not have an object.

> A quoi rêvent les jeunes filles?   What do girls dream about?
> Où demeurent vos parents?   Where do your parents live?
> Quand part le train?   When does the train leave?
> Que dit le père?   What does the father say?
> A qui parle votre père?   To whom is your father talking?

D. Interrogative word order is used after a quotation, and after *peut-être* and *aussi* (therefore).

> "Non," a-t-il dit.   "No," said he.
> Peut-être a-t-il raison.   Perhaps he is right.
> Aussi a-t-il raison.   Therefore he is right.

46. Interrogative Pronouns

A. Questions referring to persons:

1. If the interrogative word is the subject of the verb, use either *qui* or *qui est-ce qui.*

> Qui parle?   Who is speaking?
> Qui est-ce qui comprend?   Who understands?

2. If it is the object or follows a preposition, use either *qui est-ce que* or *qui* + inverted word order.

> Qui accuse-t-il?   Whom does he accuse?
> Qui est-ce qu'il accuse?   Whom does he accuse?
> De qui parle-t-il?   Whom is he talking about?
> A qui est-ce qu'il parle?   Whom is he talking to?

B. Questions referring to things.

(1) If the interrogative word is the subject of the verb, use *qu'est-ce qui.*

Qu'est-ce qui intéresse les enfants? What interests the children?

(2) If it is the object, use *qu'est-ce que* or *que* + inverted word order.

Qu'est-ce qu'il a perdu?   What did he lose?
Qu'a-t-il dit?   What did he say?

(3) If it follows a preposition, use *quoi* + inverted word order, or *quoi est-ce que.*

Dans quoi est-il tombé?   What did he fall into?
A quoi est-ce qu'il pense?   What is he thinking about?

47. *Quel, Lequel, Qu'est-ce Que C'est Que,* and *Quoi*

A. *Quel* (*quelle, quels, quelles*) is an interrogative adjective. It precedes either the verb *être* or the noun it modifies.

Quel âge a-t-il? Quelle est la réponse?   How old is he? What is the answer?

B. *Lequel* (*laquelle, lesquels, lesquelles*) is an interrogative pronoun. It corresponds to *which one, which ones.* It elides with *à* to form *auquel, auxquels,* and *auxquelles,* and with *de* to form *duquel, desquels,* and *desquelles.*

Voici deux pommes. Laquelle voulez-   Here are two apples. Which do you
vous?   want?
Il y a deux généraux. Duquel parlez-   There are two generals. Which one are
vous?   you talking about?

C. *Qu'est-ce que c'est que* asks for a definition or an explanation and is followed by a noun.

Qu'est-ce que c'est que ces lumières?   What are those lights?

D. In addition to being used after a preposition, *quoi* is used alone in the sense of the English *what.* (*Comment* is also used in this sense.)

Quoi? Je ne vous ai pas entendu.   What? I didn't hear you.

NEGATIVES

48. Negatives

A. *ne ... pas*   not   *ne ... guère*   scarcely
ne ... point not at all   *ne ... plus*   no longer
ne ... jamais never

Ne comes before the verb, *pas* after it. *Point, guère, plus,* and *jamais* come where *pas* does in the sentence.

ne and *pas* around the verb:	Il ne parle pas.
around the auxiliary:	Il n'a pas parlé.
pas after inverted pronoun:	Ne parle-t-il pas?
ne before object pronoun:	Il ne le parle pas.
combination of the above:	Ne l'a-t-il pas parlé?

B. *ne . . . que* only. This is not a true negative since it limits rather than negates. *Que* comes directly before the word or phrase which it modifies.

Il n'y a dans ce livre qu'un seul per-   There is only one character in that book.
sonnage.

If *que* modifies the verb a special form is used.

Il ne fait que plaisanter.   He is only joking.

If *que* modifies the subject a special form is used.

Il n'y a que Jean qui sache la réponse   Only John knows the answer. (Note the
or Jean seul sait la réponse.   subjunctive, required here in cor-
                                      rect speech.)

C. *ne . . . personne* nobody; *ne . . . rien* nothing. Like their English equivalents, *rien* and *personne* can be either the object or the subject of the verb. In either case, *ne* must precede the verb. As subjects they come at the beginning of the sentence.

Personne ne l'aime.   Nobody likes him.
Rien ne lui fait peur.   Nothing frightens him.

As an object, *rien* comes between the auxiliary and the past participle but *personne* follows the past participle.

Je n'ai rien fait.   I didn't do anything.
Je n'ai vu personne.   I didn't see anyone.

Rien and *personne* may also follow a preposition.

Je n'ai parlé à personne.   I didn't speak to anyone.
Je ne pensais à rien.   I wasn't thinking of anything.

D. *ne . . . ni . . . ni* neither . . . nor. Each *ni* precedes the word or phrase it modifies. *Ne* precedes the verb. The partitive and the indefinite article are omitted after *ni*.

Ni Jean ni Louis ne viendront.   Neither Jean nor Louis will come.
Je ne l'ai ni lu ni vu.   I have neither read it nor seen it.
Je n'ai ni frère ni sœur.   I don't have a brother or a sister.
Je ne veux ni café ni thé.   I don't want any coffee nor any tea.

E. *ne . . . aucun(e)*. *Aucun* may be an indefinite pronoun (often followed by a partitive phrase) or an adjective. It is an emphatic form meaning not any, not a single one, none.

Il n'a aucun talent.   He has no talent.

Aucun de ses films ne m'intéresse.	Not one of his movies interests me.
Je ne connais aucun de ses films.	I am not acquainted with any of his movies.

If the pronoun *aucun* is used as an object and is not followed by a partitive phrase, *en* is used before the verb:

Je n'en connais aucun.	I do not know any.

F. *jamais* may come at the beginning of the sentence for emphasis.

Jamais je n'ai dit une chose pareille.	I *never* said such a thing.

49. Negative Infinitive

In the negative infinitive, both negative words come before the infinitive.

Il a dit de ne pas parler.	He said not to speak.
Il a promis de ne rien dire.	He promised not to say anything.

Ne . . . personne is an exception.

Il m'a dit de ne voir personne.	He told me not to see anyone.

50. Negative in Incomplete Sentences

If a statement has no verb, *ne* is dropped from the negative.

Pas de café.	No coffee.
Qui est là? Personne.	Who's there? Nobody.
Qu'est-ce qu'il y a? Rien.	What's wrong? Nothing.
Plus d'étudiants.	No more students.
Que des professeurs.	Only professors.

51. Combinations of Negatives

Negative expressions other than *ne . . . pas* and *ne . . . point* are often combined. Notice English translations of these expressions.

Je n'irai plus jamais là-bas.	I'll never go there again.
Nous n'avons plus que du rosbif.	All we have left is roast beef.
Il n'y a jamais rien de bon ici.	There's never anything good here.

52. Pleonastic *ne*

A. A *ne* which has no meaning is required in a dependent clause following *plus . . . que* or *moins . . . que.*

Paris est plus grand qu'il ne l'était avant la guerre.	Paris is bigger than it was before the war.

B. This *ne* is also used frequently in dependent clauses after expressions of fear, *empêcher que*, *à moins que*, and *avant que*. Note that these expressions take the subjunctive.

Je crains qu'il ne se fasse mal.	I'm afraid he may hurt himself.
Ecrivez-lui avant qu'il ne se fâche.	Write to him before he gets angry.

53. Omission of *pas*

Pas is often omitted with *cesser*, *oser*, *pouvoir*, and *savoir*.

Il ne cesse de parler.	He never stops talking.

OBJECT PRONOUNS

54. Outline of Personal Pronouns

Subject	Direct object	Indirect object	Reflexive object	Stressed
je	me (*moi* after verb)	me (*moi* after verb)	me	moi
tu	te (*toi* after verb)	te (*toi* after verb)	te (*toi* after verb)	toi
il, elle	le, la	lui	se	lui, elle
on	vous	vous	se	soi
nous	nous	nous	nous	nous
vous	vous	vous	vous	vous
ils, elles	les	leur	se	eux, elles

For the use of stressed pronouns see **79.**

55. *Le, La, Les*

The third person direct object pronoun is sometimes required where it is omitted in English.

Est-il riche? Il l'est.	Is he rich? He is.
Il me l'a dit.	He told me (so).

56. *Lui* and *Leur*

Only in the third person singular and plural is it necessary to distinguish between direct and indirect object pronouns. When English and French follow the same pattern it is easy to make this distinction.

Je lui parle.	I speak to him.
Je le vois.	I see him.

But the indirect object pronoun in English is not necessarily preceded by *to*, and furthermore, many verbs which take direct objects in English take indirect objects in French. Therefore mistakes are often made in translating sentences like *I answer him, I promise her, I obey them*, etc. To avoid these mistakes one must learn by frequent drill which verbs take indirect objects. See list, **67B**. Note that *lui* and *leur* refer only to persons. For things use *y*.

Je lui ai répondu.   I answered him.

57. *Y*

While *lui* and *leur* replace *à* + a noun referring to a person, *y* replaces *à* + a noun not referring to a person, or *à* + infinitive. It also replaces prepositions of place like *dans, en, sur*, etc. (but not *de*) + a noun of place.

J'obéis aux règles. J'y obéis.   I obey the rules. I obey them.
Je vais en France. J'y vais.   I'm going to France. I'm going there.
Je me résouds à le faire. Je m'y   I resolve to do it. I am resolved on it.
  résouds.

58. *En*

A. *En* replaces *de* + a noun or pronoun (but usually only when referring to things) and, in some cases, *de* + the infinitive.

Il a besoin de se reposer. Il en a   He needs to rest. He needs to.
  besoin.
Vous allez au restaurant? Mais non,   Are you going to the restaurant? No, I
  j'en reviens. (*En* stands for *du*   just came from there.
  restaurant.)
Je viens d'écrire un poème. Voulez-   I just wrote a poem. Will you give me
  vous m'en donner votre opinion?   your opinion of it?
  (*En* stands for *du poème*.)
Vous parlez des examens? Oui, nous   Are you talking about the exams? Yes,
  en parlons.   we are talking about them.

But if a noun refers to a person, it is preferable to use the stressed pronoun.

Vous parlez de Marie?   Are you talking about Marie?
    Oui, je parle d'elle.   Yes, I am talking about her.

B. *En* also replaces the partitive *de, de l', du, de la*, and *des* + a noun, referring either to things or to persons.

A-t-il des amis? Oui, il en a.   Does he have friends? Yes, he does.
Y a-t-il encore du pain? Oui, il y en   Is there any more bread? Yes, there is
  a encore.   some more.

C. *En* also replaces a noun preceded by a number or an expression of quantity.

Il a trois livres. Il en a trois.	He has three books. He has three (of them). (Note that *of them* may be omitted. *En* may not.)
Combien de livres a-t-il?	How many books does he have?
Combien en a-t-il?	How many does he have?

59. Position and Use of Object Pronouns

A. Object pronouns come before the verb. In compound tenses they come before the auxiliary. Two exceptions: the positive imperative, and certain verbs (see **D, E**). In the case of a double object pronoun the order of object pronouns is:

me								
te		*le*		*lui*				
nous	before	*la*	before		before *y*	before *en*	before verb
vous		*les*		*leur*				
se								

Je vous le donne.	I give it to you.
Il se le dit.	He says it to himself.
Je les lui promets.	I promise them to him.
Il leur en parle.	He speaks to them about it.
Je l'y invite.	I invite him to it.
Voulez-vous m'en donner?	Will you give me some?

B. *Me, te, nous, vous*, and *se* may not form double objects with each other nor with *lui* nor *leur*. Note that such combinations of personal object pronouns (you to me, me to him, us to them, etc.) occur only with certain verbs: to present, to recommend, to give, etc. In these cases the indirect object is expressed by *à* + stressed pronoun:

Je vous ai présenté à lui.	I presented you to him.
Il me recommande à eux.	He recommends me to them.
Il vous a enlevé à moi.	He took you away from me.
Présentez-vous à elle.	Present yourself to her.

C. In the positive imperative the object pronoun follows the verb. *Me* becomes *moi* and *te* becomes *toi*. Before *en*, however, they are *m'* and *t'*. In the negative imperative, the object pronoun precedes the verb.

Parlez-moi.	Talk to me.	Parlez-m'en.	Talk to me about it.
Assieds-toi.	Sit down.	Donne-le-lui.	Give it to him.
Ne t'assieds pas.	Don't sit down.	Ne le lui donne pas.	Don't give it to him.

The order of object pronouns after the positive imperative is:

			moi		
	le		*toi*		
			nous		
verb before	*la*	before		before *y*	before *en*
	les		*vous*		
			lui		
			leur		

D. *Aller à, être à, penser à, songer à, tenir à.* In these verbs, and a few others like them, the pronoun referring to a person does not precede the verb. It comes after the preposition *à*, and the stressed pronoun form is used.

Je vais à elle.	I go to her.	Il est à moi.	It's mine.
Je pense à eux.	I think about them (people, not things).	Vous songez à lui?	Are you thinking about him?

E. In reflexive verbs followed by *à* or *de*, the indirect object pronoun referring to a person does not precede the verb. It comes after the preposition *à* or *de*, and the stressed pronoun form is used.

Il s'est adressé à moi.	He talked to me.
Fiez-vous à lui.	Trust in him.
Ils s'intéresse à eux.	He's interested in them (people, not things).
Je me méfie de vous.	I don't trust you.
Il s'est moqué de moi.	He made fun of me.
Qui va s'occuper d'eux?	Who is going to take care of them (people, not things)?
Il se souvenait de nous.	He remembered us.

Note, however, that one sometimes hears *en* referring to a person (never *y*). The form is probably somewhat less correct.

Et les enfants? Qui va s'en occuper?	How about the children? Who's going to take care of them?

F. Object pronouns precede the verb of which they are the object.

Je voudrais vous l'offrir.	I would like to give it to you.
Je lui dis de me le lire.	I tell him to read it to me.

ORTHOGRAPHIC CHANGING VERBS

60. Verbs Like *Appeler, Acheter, Espérer,* and *Employer*

The stems of these verbs undergo certain changes in spelling and pronunciation whenever they are followed by a mute *e*. The mute *e* may be spelled *e*, *es*, or *ent*.

Thus the stem of the *je, tu, il,* and *ils* forms of the present and of the subjunctive, is distinct in spelling and pronunciation from the stem of the *nous* and *vous* forms.

A. In some verbs, the consonant is doubled before the mute *e*. The most important of these are:

appeler	*jeter*
j'appelle	je jette
tu appelles	tu jettes
il appelle	il jette
nous appelons	nous jetons
vous appelez	vous jetez
ils appellent	ils jettent

B. In other verbs, the preceding *e* takes an *accent grave*. Some of these are:

acheter	*achever* (to finish)	*lever*	*mener*
j'achète	j'achève	je lève	je mène
tu achètes	tu achèves	tu lèves	tu mènes
il achète	il achève	il lève	il mène
nous achetons	nous achevons	nous levons	nous menons
vous achetez	vous achevez	vous levez	vous menez
ils achètent	ils achèvent	ils lèvent	ils mènent

Verbs conjugated like the above: *élever, soulever, enlever, se promener, amener, emmener.*

C. In verbs like *espérer,* the *accent aigu* changes to an *accent grave* when the stem is followed by a mute *e*. The most important of these are:

céder	*célébrer*	*espérer*	*s'inquiéter*
je cède	je célèbre	j'espère	je m'inquiète
nous cédons	nous célébrons	nous espérons	nous nous inquiétons

préférer	*protéger*	*régner*
je préfère	je protège	je règne
nous préférons	nous protégeons	nous régnons

D. In verbs ending in *-yer,* the *y* changes to an *i* when followed by a mute *e*. This change is optional, however, in verbs ending in *-ayer*. Typical *-yer* verbs are:

employer	*essuyer*	*appuyer*	*payer*
j'emploie	j'essuie	j'appuie	je paie *or* je paye
nous employons	nous essuyons	nous appuyons	nous payons

E. In all future and conditional forms of *-er* verbs the stem is followed by a mute *e*. Therefore the changes mentioned above (doubling of the consonant, *accent grave* over the preceding *e*, *y* changing to *i*) occur throughout these forms:

appeler	*acheter*	*employer*	*payer*
j'appellerai	j'achèterai	j'emploierai	je paierai *or* je payerai

F. Verbs like *espérer* form an exception to the above rule because they retain the *accent aigu* in the future and conditional forms:

espérer	*préférer*	*protéger*	*s'inquiéter*
j'espérerai	je préférerai	je protégerai	je m'inquiéterai

61. Verbs Like *Commencer* and *Manger*

In verbs ending in *-cer* and *-ger* the *c* and *g* are pronounced the same throughout the various forms and tenses. To retain the pronunciation, *c* is spelled *ç* whenever it is followed by *a*, *o*, or *u*, and *g* is spelled *ge* whenever it is followed by *a* or *o*.

commencer	*manger*
commençant	mangeant
commençons	mangeons
je commençais	je mangeais
tu commençais	tu mangeais
il commençait	il mangeait
ils commençaient	ils mangeaient

PASSÉ COMPOSÉ

62. Formation and Use

A. Formation. The *passé composé* is formed by the auxiliary verb *avoir* or *être* + past participle (see PAST PARTICIPLE, **63**).

B. Use. See *Imparfait* (**40C, D**).

PAST PARTICIPLE

63. Formation

A. Formation from regular verbs.

    (1) *-er* verbs. The past participle has the same sound as the infinitive, but ends in *-é*, rather than *-er*: *parler–parlé*.

    (2) *-ir* verbs. The past participle ends in *-i*: *finir–fini*.

    (3) *-re* verbs. The past participle ends in *-u*: *rendre–rendu*.

B. Formation from irregular verbs. Irregular past participles must be learned by frequent repetition and practice. Note that the past participles of all verbs ending in *-oir*, except *asseoir*, end in *-u*, and that irregular past participles are often one syllable shorter than they would be if they were formed regularly. The most frequently used irregular past participles are listed below. They are listed by endings, and in columns showing similarities of formation. Note, however, that these similarities are not absolute: *suivre–suivi* but *vivre–vécu*; *rire–ri* but *lire–lu*.

(1) Ending in *-u*

avoir–eu	appartenir–appartenu	connaître–connu
boire–bu		paraître–paru
croire–cru		
devoir–dû	souvenir–souvenu	
falloir–fallu	tenir–tenu	plaire–plu
pleuvoir–plu	venir–venu	taire–tu
recevoir–reçu		
savoir–su		
valoir–valu	courir–couru	vivre–vécu
voir–vu	lire–lu	
vouloir–voulu		

(2) Ending in *-i, -is, -it* (all pronounced *i* in the masculine)

rire–ri	mettre–mis	apprendre–appris
suffire–suffi	promettre–promis	comprendre–compris
suivre–suivi		prendre–pris
conduire–conduit	asseoir–assis	
dire–dit		
écrire–écrit		
réduire–réduit		

(3) Ending in *-é*

être–été	naître–né

(4) Ending in *-ert*

couvrir–couvert
découvrir–découvert
offrir–offert
ouvrir–ouvert
souffrir–souffert

(5) Ending in *-int*

atteindre–atteint
craindre–craint
éteindre–éteint
feindre–feint
joindre–joint
peindre–peint
plaindre–plaint

(6) Others

faire–fait	mourir–mort

PLUPERFECT

64. Formation and Use

A. Formation. The pluperfect is formed by the *imparfait* of the auxiliary verb followed by the past participle.

voir—pluperfect: *j'avais vu; aller*—pluperfect: *j'étais allé*

B. Use. The pluperfect, in French as in English, expresses what had already happened when another event occurred in the past.

Je suis sorti.	I went out. (An event in the past.)
Je suis sorti quand j'avais fini mon déjeuner.	I went out when I had finished my lunch. (Finishing my lunch is an event that occurred *before* I went out.)

POSSESSIVE ADJECTIVES AND PRONOUNS

65. Possessive Adjectives

	Singular		Plural
	Before a masculine noun and before a feminine noun beginning with a vowel or a mute *h*	Before a feminine noun beginning with a consonant	Before any plural noun
my	*mon*	*ma*	*mes*
your	*ton*	*ta*	*tes*
his, her, its, one's	*son*	*sa*	*ses*

	Before any singular noun	
our	*notre*	*nos*
your	*votre*	*vos*
their	*leur*	*leurs*

Note that linking will cause the final consonant to be pronounced before a vowel or a mute *h* in *mon, ton, son, mes, tes, ses, nos, vos, leurs*, and that the *-re* of *notre* and *votre* is usually not pronounced before a consonant. *Votre père* is usually pronounced *vot' père*.

66. Possessive Pronouns

le mien	la mienne	les miens	les miennes
le tien	la tienne	les tiens	les tiennes
le sien	la sienne	les siens	les siennes
le nôtre	la nôtre	les nôtres	les nôtres
le vôtre	la vôtre	les vôtres	les vôtres
le leur	la leur	les leurs	les leurs

A possessive pronoun replaces a noun accompanied by a possessive adjective. Instead of *mon livre, le mien,* instead of *ton amie, la tienne.*

Moi, j'ai mon idée et lui, il a la sienne.   I have my idea and he has his.

After the verb *être* the possessive pronoun can be avoided as follows:

A qui est ce livre? Il est à eux?   Whose book is this? Is it theirs?

PREPOSITIONS

67. Use or Omission of Prepositions Before Nouns

A. Many verbs that take a preposition before the noun in English do not take a preposition in French. The most important ones are:

listen to	I listen to the music.	J'écoute la musique.
wait for	I'm waiting for Louis.	J'attends Louis.
look for	I'm looking for my tie.	Je cherche ma cravate.
ask for	I ask for an answer.	Je demande une réponse.
pay for	What did you pay for your car?	Qu'est-ce que vous avez payé votre voiture?
look at	Look at John!	Regarde Jean!
tell about	He tells about his trip.	Il raconte son voyage.

B. Conversely, many verbs which do not take a preposition before the noun in English, do take one in French.

apprendre . . . à	J'apprends l'anglais aux enfants.	I teach the children English.
demander à	Je leur demande.	I ask them.
dire à	Que lui dites-vous?	What do you tell him? (or say to him)
échapper à	Il a échappé à ses ennemis.	He escaped his enemies.
jouer à (games)	Il joue au bridge.	He plays bridge.
obéir à	Vous leur obéissez?	Do you obey them? (people, not things)

pardonner à	Vous lui avez pardonné.	You pardoned him.
permettre à	Il permet aux enfants de jouer.	He allows the children to play.
plaire à	Ça lui plaît.	That pleases him.
promettre à	Il leur promet des bonbons.	He promises them candy.
refuser à	Il leur refuse des bonbons.	He refuses them candy.
répondre à	Je lui ai répondu.	I answered him.
reprocher à	Il leur reproche leurs manières.	He reproaches them for their manners.
résister à	Il résiste à l'attaque.	He resists the attack.
succéder à	Il succède à son père.	He succeeds his father.
jouer de (instruments)	Il joue du piano.	He plays the piano.
s'approcher de	Il s'approche du mur.	He approaches the wall.
se douter de	Il s'en doute.	He suspects it.
manquer de	Il manque de tact.	He lacks tact.
se servir de	Il se sert de sa fourchette.	He uses his fork.
entrer dans	Il entre dans la chambre.	He enters the room.

C. Other verbs take different prepositions before a noun than in English.

acheter à	Il achète un livre à son ami.	He buys a book *from* his friend.
remercier de	Il le remercie du compliment.	He thanks him *for* the compliment.
remplir de	Il remplit sa poche de bonbons.	He fills his pocket *with* candies.
ressembler à	Il ressemble à son frère.	He looks *like* his brother.
penser de	Voici ce que je pense de lui.	Here is what I think *about* him (i.e., my opinion of him).
penser à	Je pense à lui souvent.	I think *about* him often (i.e., he is often on my mind).

D. Certain expressions which take a preposition in English do not take a preposition in French:

parts of the body:

Ils entrent, les bras encombrés de pendules.	They come in with their arms full of clocks.

street address:

Il demeure place des Vosges.	He lives on place des Vosges.

68. Use or Omission of Prepositions Before Infinitives

A verb may be followed directly by the infinitive, or the infinitive may be preceded by *à* or *de*. Note that the infinitive may correspond to an English *-ing* form, or even to a dependent clause.

A. Verbs followed directly by the infinitive.

aimer	Il aime parler.	He likes to talk.
aller	Il va partir.	He's going to leave.
croire	Il croit partir.	He thinks he's going to leave.
désirer	Il désire partir.	He wants to leave.
devoir	Il doit partir.	He must leave.
écouter	Il écoute chanter les enfants.	He listens to the children singing.
entendre	Il entend parler les enfants.	He hears the children speaking.
espérer	Il espère partir.	He hopes to leave.
falloir	Il faut partir.	One must leave.
laisser	Il nous laisse partir.	He lets us leave.
oser	Il n'ose pas partir.	He doesn't dare leave.
pouvoir	Il peut partir.	He can leave.
préférer	Il préfère partir.	He prefers to leave.
prétendre	Il prétend partir.	He claims he's going to leave.
savoir	Il sait nager.	He knows how to swim.
sembler	Il semble comprendre.	He seems to understand.
valoir mieux	Il vaut mieux partir.	It is better to leave.
venir	Il vient nous voir.	He's coming to see us.
voir	Il voit danser les enfants.	He sees the children dancing.
vouloir	Il veut partir.	He wants to leave.

B. Verbs followed by *à* + infinitive.

aider à	help to	*enseigner à*	teach to
s'amuser à	have fun	*s'habituer à*	get used to
apprendre à	learn to, teach to	*hésiter à*	hesitate to
arriver à	succeed in	*inviter à*	invite to
avoir à	have to	*se mettre à*	start to
chercher à	try to	*parvenir à*	succeed in
commencer à	begin to	*réussir à*	succeed in
consentir à	consent to	*songer à*	think about
continuer à	continue to	*tarder à*	delay

C. Verbs followed by *de* + infinitive. Note that several of these verbs tell, command, or express emotion.

s'arrêter de	stop	*négliger de*	neglect to, forget to
avoir envie de	want to	*ordonner de*	order to
avoir peur de	be afraid of	*oublier de*	forget to
cesser de	stop	*permettre de*	permit to
commander de	order to	*persuader de*	persuade to
craindre de	be afraid to	*prier de*	ask to, beg to
défendre de	forbid to	*promettre de*	promise to
demander de	ask to	*refuser de*	refuse to
se dépêcher de	hurry to	*regretter de*	be sorry to, regret to
dire de	say to	*remercier de*	thank for (+ past
essayer de	try to		infinitive)
finir de	finish	*tenter de*	try to

69. Use of Prepositions After Adjectives

A. Many adjectives, particularly those expressing emotion or certainty, are followed by *de* + infinitive.

Je suis heureux de vous voir. (Je suis content de vous voir.)	I am happy to see you.
Je suis désolé de vous le dire.	I am sorry to tell you.
Elle est certaine de comprendre.	She is sure she understands, or
Elle est sûre de comprendre.	She is sure to understand.
Je suis fatigué de l'entendre.	I am tired of hearing it.
Je suis fier de le dire.	I am proud to say so.

B. Other adjectives are followed by *à* + infinitive (but see **C**).

C'est facile à faire.	It is easy to do.
Il est lent à comprendre.	He is slow to understand.
Je suis habitué à me taire.	I am used to being quiet.

C. After the impersonal expression *il est* the adjective is followed by *de* + infinitive. Note the contrast between the following pairs of sentences.

Je suis facile à convaincre. Il est facile de le faire.	I am easy to convince. It is easy to do it.
J'aime ce journal. Il est intéressant à lire.	I like this newspaper. It is interesting to read.
J'aime la lecture. Il est intéressant de lire.	I like reading. It is interesting to read.
Ce vin est bon à boire. Il est bon de boire le vin.	This wine is good to drink. It is good to drink wine.

70. Use of Prepositions Before Countries

The following prepositions are used to express *to* or *in*.

A. *à* before cities: *à Paris.* If the name of the city begins with *le* the preposition contracts: *Le Havre, au Havre, du Havre.*

B. *en* before feminine countries, provinces, and continents (all feminine countries end in *-e* except *le Mexique*): *en Asie, en Normandie, en France.*

C. *au* or *aux* before masculine names of countries and provinces (countries that do not end in *-e* are masculine): *aux Etats-Unis, au Canada, au Maroc.*

D. *dans* before the name of any country if it is modified: *dans la France du nord.*

71. Some Uses of *à, de, pour,* and *pendant*

A. *à* often indicates the purpose for which a noun serves, or the way in which an adjective or adverb applies.

une salle à manger	a dining room	*bon à manger*	good to eat
un verre à vin	a wine glass	*intéressant à lire*	interesting to read
beaucoup à lire	a lot to read	*assez à manger*	enough to eat

B. *de* often indicates the material of which an object is made, or what is in it.

un verre de vin	a glass of wine
un chapeau de paille	a straw hat

C. *pour* with an infinitive means *in order to.* Remember to use *pour* when *to* means *in order to, with the purpose of.*

Contrast: Je veux comprendre.   I want to understand.
          Je lis pour comprendre.   I read to understand.

D. *pendant* means *for* with an expression of time and stresses duration. *Pour* may be used, however, with the verb in the present or future to indicate *for a period of.*

J'y suis resté pendant trois semaines.   I stayed for three weeks.
Les livres se prêtent pour deux   Books are loaned for (a period of) two
  semaines.   weeks.

PRESENT

72. Formation of the Present

A. Singular forms. In the present tense (as in the conditional, the *imparfait*, and the subjunctive) the *je, tu,* and *il* forms all sound alike.

je parle	je prends	je veux
tu parles	tu prends	tu veux
il parle	il prend	il veut

There are only three exceptions to this rule:

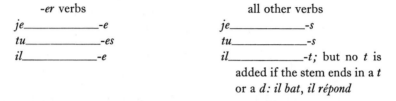

être	*avoir*	*aller*
je suis	j'ai	je vais
tu es	tu as	tu vas
il est	il a	il va

Spelling of the singular forms:

-er verbs	all other verbs
je_____-e	je_____-s
tu_____-es	tu_____-s
il_____-e	il_____-t; but no *t* is added if the stem ends in a *t* or a *d: il bat, il répond*

There are three exceptional spellings in the singular forms:

je veux	je vaux	je peux
tu veux	tu vaux	tu peux

B. Plural forms.

   (1) *Vous* form ends in *-ez*; three exceptions: *vous êtes, vous dites, vous faites.*
   (2) *Nous* form ends in *-ons*; one exception: *nous sommes.*
   (3) *Ils* form ends in silent *-ent*; four exceptions: *ils sont, ils ont, ils font, ils vont.*

C. *-er* verbs. (Note that *ouvrir, couvrir, découvrir, offrir, souffrir,* and *cueillir* are conjugated like *-er* verbs in the present.) In *-er* verbs the singular forms and the *ils* form all sound alike. The *nous* and *vous* forms have the same stem as the other forms,[1] but add *-ons* and *-ez* respectively. Therefore to move from the *nous* or *vous* form to any other form, drop the last syllable.

vous parlez	nous oublions	vous ouvrez
je parle	il oublie	ils ouvrent

D. Verbs not ending in *-er*. In most of these verbs a consonant is heard in the plural forms. *This sound is not heard in the singular forms. (Mourir* and *courir* are exceptions.) In the following examples, the consonant is italicized.

nous me*tt*ons	nous choisi*ss*ons	ils ser*v*ent	vous répon*d*ez
je mets	je choisis	il sert	tu réponds

Note that the consonant may appear in the spelling of the singular form, but it is not pronounced. Thus in moving from a plural to a singular form, one must drop the consonant. Conversely, to move from a singular to a plural form, one must know what consonant to use.

---

1 Orthographic changing verbs form an exception to this rule. See **60.**

(1) *-re* verbs. Regular *-re* verbs take the consonant used in the plural from the infinitive; the consonant is not heard in the singular form, but appears in the spelling.

rendre	*battre*	*répondre*
nous rendons	vous battez	nous répondons
je rends	il bat	je réponds

(2) *Dormir, mentir, partir, sentir, servir, sortir,* like *-re* verbs, take the consonant used in the plural from the infinitive. The consonant is dropped in the singular; it does *not* appear in the spelling.

nous dormons	ils sentent	vous servez
je dors	tu·sens	il sert

(3) *-ir* verbs. Regular *-ir* verbs take the consonants *-ss* in the plural. This sound is dropped from the singular.

polir	*finir*
vous polissez	nous finissons
il polit	je finis

(4) Irregular verbs

   (*a*) The infinitives of *-ire, -aire,* and *-aître* verbs do not furnish any consonant for the plural. The most important of these verbs are listed below. Note that the consonant used in the plural is usually *-s* or *-ss*.

-ire:	*dire*	*lire*	*conduire*	*écrire*
	je dis	je lis	je conduis	j'écris
	nous disons	nous lisons	nous conduisons	nous écrivons
(*but* vous dites)				

-aire:	*faire*	*plaire*	*se taire*
	je fais	je plais	je me tais
	nous faisons	nous plaisons	nous nous taisons
(*but* vous faites, ils font)			

-aître:	*connaître*	*paraître*
	je connais	je parais
	il connaît	il paraît
	nous connaissons	nous paraissons

   (*b*) Some irregular verbs have one stem in the *nous* and *vous* forms and another stem in the remaining forms. All of these verbs, except *prendre* and *boire,* take the consonant used in the plural from the infinitive. Note that the *ils* form has the same stem as the singular forms, but can be distinguished from them because of the consonant: *il doit–ils doivent.* If the stem is nasal in the singular forms, it is denasalized in the *ils* form because of the consonant following it: *il vient–ils viennent, il prend–ils prennent*. The most important of these verbs are:

boire	*devoir*	*mourir*
je bois	je dois	je meurs
nous buvons	nous devons	nous mourons
ils boivent	ils doivent	ils meurent

pouvoir	*recevoir*	*vouloir*
je peux	je reçois	je veux
nous pouvons	nous recevons	nous voulons
ils peuvent	ils reçoivent	ils veulent

tenir (and *appartenir*)	*venir* (and *se souvenir*)	*prendre* (and *apprendre, comprendre*)
je tiens	je viens	je prends
nous tenons	nous venons	nous prenons
ils tiennent .	ils viennent	ils prennent

(c) Some irregular verbs have one stem in the singular forms, and another throughout the plural forms. The most important of these are:

craindre (and *atteindre, éteindre, feindre, joindre, plaindre, peindre*)

je crains
nous craignons

s'asseoir	*savoir*	*valoir*
je m'assieds	je sais	je vaux
nous nous asseyons	nous savons	nous valons

(d) *être, avoir, aller, faire, dire*. The irregularities of these verbs are covered in **72A** and **B**.

73. Use of the Present

A. Generally, the present is used the same way in French as in English, but while it has two distinct forms in English, it has only one in French.

I speak, I am speaking   je parle

B. The present is used to express an action which began in the past and continues into the present. To indicate the duration the expressions *il y a ... que, voilà ... que*, and *depuis ...* are used.

Il pleut depuis trois jours.	It has been raining for three days.
Il y a une semaine qu'il est ici.	He has been here for a week.
Voilà deux ans que nous travaillons.	We have been working for two years.

C. The present can also be used to express the immediate future or the immediate past.

Les véritables propriétaires sortent d'ici.   The real owners just left.

Nous partons samedi.   We are leaving (will be leaving) Saturday.

PRESENT PARTICIPLE

74. Formation of the Present Participle

To the stem derived from the *nous* form of the present add *-ant*.

boire   *nous* form: *buvons*   stem: *buv-*   present participle: *buvant*
craindre   *nous* form: *craignons* stem: *craign-*   present participle: *craignant*

There are three exceptions:

avoir–ayant   *savoir–sachant*   *être—étant*

75. Use of the Present Participle

A. The *-ant* ending of the present participle is the equivalent of *-ing*. But the *-ing* ending in English occurs in many different ways, whereas the present participle is used in French only to express an action simultaneous or nearly simultaneous with the action of the main verb. It is usually preceded by *en*, meaning either *while* or *by*.

Il parle en mangeant.   He speaks while eating.
On apprend en lisant.   One learns by reading.

B. The present participle can also be used as an adjective.

une jeune fille charmante   a charming girl

REFLEXIVE VERBS

76. Formation and Use

A. In a reflexive verb, the subject and object refer to the same person. Most verbs which can take objects can be reflexive; the reflexive pronoun may stand for a direct object or an indirect object.

Nonreflexive verb, direct object   Reflexive verb, direct object
Je regarde Marie. I look at Marie.   *Je me regarde.*   I look at myself.

Il a perdu.	He lost.	*Il s'est perdu.*	He lost himself, he got lost.

Nonreflexive verb, indirect object	Reflexive verb, indirect object
Il parle à son frère. He speaks to his brother.	*Il se parle.* He speaks to himself.

B. *Me, te, nous,* and *vous* are used both with reflexive and nonreflexive verbs, but in the third person singular and plural *se* is the reflexive object. All reflexive verbs are conjugated with *étre* in compound tenses. Remember that the reflexive object must correspond to the subject before an infinitive as before any other verb form.

Je me suis mis à me raser.	I started to shave.
Tu es allé te promener?	Did you go for a walk?

C. When myself, himself, yourself, themselves are used as direct or indirect objects of the verb, they are translated by the reflexive pronoun.

Ils se regardent.	They look at themselves.
Vous vous êtes fait mal?	Did you hurt yourself?

Note, however, that when they are not direct or indirect objects they are translated by the stressed pronoun + *-même*.

L'avez-vous fait vous-même?	Did you make it yourself?
Il parle contre lui-même.	He speaks against himself.

RELATIVE PRONOUNS

77. Use of Relative Pronouns

A. The relative pronoun introduces a dependent clause. It cannot be omitted, as it often is in English.

le livre que je lis	the book I'm reading
les choses dont il a besoin	the things he needs
la jeune fille avec qui vous parlez	the girl you're talking with

B. *Qui* is used as the subject of the dependent clause. It is never elided. The antecedent may be a person or a thing.

C'est un livre qui a coûté cinq francs.   It's a book which cost five francs.

Que or *qu'* is used as the object of the dependent clause. The antecedent may be a person or a thing.

C'est un livre que j'ai acheté hier.   It's a book I bought yesterday.

C. *Lequel* is used after a preposition when there is a specific antecedent. (But *qui* may be used if the antecedent is a person.) *Lequel* must agree with its antecedent, and contract with *à* or *de*, as follows: *auquel, auxquels, auxquelles, duquel, desquels, desquelles.*

les principes pour lesquels il est mort	the principles he died for
la femme avec qui il parlait (*ou* la femme avec laquelle il parlait)	the woman with whom he was talking
le pays auquel je pense	the country I am thinking about

Remember to use *lequel* with verbs followed by *à*.

obéir à   to obey   la règle à laquelle j'obéis   the rule I obey

D. *Dont* replaces *de* + relative pronoun. The word order in the dependent clause following *dont* is always subject + verb + object, if there is an object. Do not let English word order mislead you.

la personne dont vous parliez	the person about whom you were talking
l'homme dont j'ai acheté la voiture	the man whose car I bought

Remember to use *dont* with verbs followed by *de*.

se souvenir de	to remember
la ville dont je me souviens	the city I remember

E. *Duquel* (*de laquelle, desquels, desquelles*) is used after prepositional phrases that end in *de*. (*Dont* cannot be used after a preposition.)

la table au-dessous de laquelle il se cache	the table under which he hides
les personnes à côté desquelles je me suis assis	the people next to whom I sat down

It must also be used after noun + preposition + noun when the relative pronoun refers to the first of the two nouns.

le square au centre duquel il y a une statue	the square in the center of which there is a statue

Duquel is used because the reference is to *le square*, the first of the two nouns.

la façade de la cathédrale dont je vous ai parlé	the facade of the cathedral about which I told you

Dont is used because the reference is to *la cathédrale*, the second of the two nouns.

F. When the relative pronouns *qui*, *que*, and *dont* have no antecedent in the main clause they take the invariable *ce* as an antecedent.

With antecedent in the main clause:

J'ai vu le film qui vous intéresse.	I saw the film which interests you.

Without antecedent in the main clause:

J'ai vu ce qui vous intéresse.	I saw what interests you.

With antecedent in the main clause:

Je ne comprends pas les mots que vous me dites.	I do not understand the words you are saying to me.

Without antecedent in the main clause:

Je ne comprends pas ce que vous me dites.	I do not understand what you are saying to me.

With antecedent in the main clause:

Je ne comprends pas le problème dont il parle.	I do not understand the problem he is talking about.

Without antecedent in the main clause:

Je ne comprends pas ce dont il parle.	I cannot understand what he is talking about.

Note that *ce que, ce qui,* and *ce dont* are often translated by *what.* They are also used when the main clause itself is the antecedent. In this use they are translated by *which.*

Il a répondu tout de suite, ce qui m'a étonné.	He answered immediately, which surprised me.

G. *Où* after a noun indicating place or time. (Do not use *quand* in this position.)

Le pays où vous allez est-il loin?	Is the country you're going to far off?
C'est la ville d'où je viens.	That's the city I come from.
Le jour où cela arrivera. . . .	The day that happens. . . .

H. *Quoi* as a relative pronoun is normally used after a preposition when there is no specific antecedent in the main clause.

Je me demande avec quoi il a écrit cette lettre.	I wonder what he wrote this letter with.

Quoi preceded by a preposition may have the invariable *ce* as an antecedent.

Voici ce avec quoi il a écrit la lettre.	Here is what he wrote the letter with.

Quoi may also be used colloquially instead of *lequel* when there is a specific antecedent.

la chose à laquelle je pense (*ou* la chose à quoi je pense)	the thing I am thinking about

REPETITION

78. Repetition of Articles, Adjectives and Prepositions

Articles, adjectives, and prepositions which are often omitted in English must usually be repeated in French.

A. Repetition of articles.

Les autobus et les trains arrivaient.   The buses and trains were arriving.

In a series of three or more, however, all articles may be omitted.

Autobus, trains, bicyclettes, moto-   Buses, trains, bicycles, motorcycles, all
    cyclettes, tous avaient disparus.   had disappeared.

B. Repetition of the object pronoun.

Cela me surprend et me choque.   It surprises and shocks me.

C. Repetition of the subject pronoun (preferable if there are two different auxiliaries, optional otherwise).

Je me suis levé et j'ai regardé par la   I got up and looked out the window.
    fenêtre.

Je traverse la rue et j'entre dans le   I cross the street and enter the café.
    café.

D. Repetition of the possessive adjective.

ma mère et mon père   my mother and father
votre chapeau et votre pardessus   your hat and coat

E. Repetition of the preposition.

le père de Marinette et de Delphine   Marinette and Delphine's father
en France et en Italie   in France and Italy

STRESSED PRONOUNS

79. Use of Stressed Pronouns

See the outline of personal pronouns (**54**). Note that subject pronouns are used for unstressed subjects, object pronouns for unstressed objects. Stressed pronouns are used in all other cases:

(1) After a preposition.

Allez avec eux.   Go with them.

(2) Alone.

Qui est là? Moi.	Who's there? I (am).

(3) After *ce + être.*

C'est lui.	It is he.

(4) To stress an object or a subject pronoun.

Moi, je reste.	*I*'m staying.
Il parle à toi, pas à moi.	He is talking to you, not to me.

When the stressed pronoun is used in the third person, the subject pronoun may be omitted.

Eux comprennent.	*They* understand.

(5) In compound subjects or objects.

Lui et elle viendront.	He and she will come.
Je les connais, eux et leurs amis.	I know them and their friends.

(6) After reflexive verbs that are followed by *à* or *de*, and a few other verbs which cannot be preceded by the object pronoun (see **59D**).

Je me souviens de lui.	I remember him.
Il s'adresse à eux.	He talks to them.
Il va à elle.	He goes to her.

(7) Preceding *même*, meaning self.

Il est venu lui-même.	He came himself.

SUBJUNCTIVE

80. Formation of the Subjunctive

A. The *nous* and *vous* forms of the subjunctive are identical with the *nous* and *vous* forms of the *imparfait*.

venir—imparfait: *nous venions*   subjunctive: *que nous venions*

B. The *je, tu, il,* and *ils* forms are identical in sound with the *ils* forms of the present. *Spelling*: add the endings -*e*, -*es*, -*e*, and -*ent* to the stem of the *ils* form. Note that in -*er* verbs these forms are identical in the present and in the subjunctive.

venir—*ils* form of the present: *viennent*; stem: *vienn-*

que je vienne	que tu viennes	qu'il vienne	qu'ils viennent

parler—*ils* form of the present: *parlent*; stem: *parl-*

que je parle	que tu parles	qu'il parle	qu'ils parlent

C. *Aller*, *valoir*, and *vouloir* have a special subjunctive stem, used in all forms except the *nous* and *vous* forms, which are regular, that is, identical with the *nous* and *vous* forms of the *imparfait*.

aller	*valoir*	*voulo:r*
que j'aille	que je vaille	que je veuille
que tu ailles	que tu vailles	que tu veuilles
qu'il aille	qu'il vaille	qu'il veuille
que nous allions	que nous valions	que nous voulions
que vous alliez	que vous valiez	que vous vouliez
qu'ils aillent	qu'ils vaillent	qu'ils veuillent

D. *Faire*, *pouvoir*, and *savoir* have special stems for all persons of the subjunctive.

faire	*pouvoir*	*savoir*
que je fasse	que je puisse	que je sache
que tu fasses	que tu puisses	que tu saches
qu'il fasse	qu'il puisse	qu'il sache
que nous fassions	que nous puissions	que nous sachions
que vous fassiez	que vous puissiez	que vous sachiez
qu'ils fassent	qu'ils puissent	qu'ils sachent

E. *Etre* and *avoir* have special stems and also irregular endings in the subjunctive.

être	*avoir*
que je sois	que j'aie
que tu sois	que tu aies
qu'il soit	qu'il ait
que nous soyons	que nous ayons
que vous soyez	que vous ayez
qu'ils soient	qu'ils aient

81. Use of the Subjunctive

A. The subjunctive is a mode of the verb used in dependent clauses following certain expressions. These expressions usually indicate a subjective attitude of the speaker towards the action expressed in the dependent clause. In English, for example, such expressions as *it is important that . . .*, *it is necessary that . . .*, *I suggest that . . .* are followed by the subjunctive. Study the contrasts between the indicative and the subjunctive:

indicative	subjunctive
He *studies* his French.	It is important that he *study* his French.
He *is* on time.	I insist that he *be* on time.
He *speaks* French in class.	It is necessary that he *speak* French in class.

Notice that the indicative sentences state facts, while the expressions *it is important that . . ., I insist that . . .*, etc., indicate a subjective attitude of the speaker toward the action expressed in the dependent clause. *I insist that he be on time* means I, the speaker, want him to be on time; but it does not necessarily mean that he is on time. French use of the subjunctive follows this same pattern, but there are many more expressions in French that require the subjunctive than in English. They may be categorized as follows:

(1) Expressions of emotion or personal opinion

je suis heureux que	I am happy that
je suis content que	I am happy that
je suis charmé que	I am charmed that
je suis désolé que	I am very sorry that
je regrette que	I am sorry that
j'ai peur que	I am afraid that
c'est triste que	it's sad that
c'est dommage que	it's a pity that
il est étonnant que	it's surprising that
il est ridicule que	it's ridiculous that

(2) Expressions of desirability, or undesirability

il faut que	it is necessary that
il ne faut pas que	one must not
il vaut mieux que	it is better that
il est important que	it is important that
il est bon que	it is good that
je veux que	I want
je défends que	I forbid
je tiens à ce que[2]	I insist that
je m'oppose à ce que	I am opposed to
je consens à ce que	I consent to
je préfère que	I prefer that

(3) Contrary to fact expressions

il n'est pas vrai que	it is not true that
il est impossible que	it is impossible that
il n'y a personne que (*or* qui)	there is no one whom (or who)
il n'y a rien que (*or* qui)	there is nothing which
je ne crois pas que[3]	I don't believe that
je ne pense pas que[3]	I don't think that

[2] Verbs which are normally followed by *à* are followed by *à ce que* when they introduce a dependent clause.

[3] Note that *je pense* and *je crois* are followed by the indicative.

(4) Expressions of possibility or hypothesis

il est possible que	it is possible that
il se peut que	it is possible that
serait-il arrivé que	could it have happened that
croyez-vous que	do you believe that
pensez-vous que	do you think that
y aurait-il quelqu'un qui . . .	would there be someone who . . .

(5) Certain conjunctions (Note that these conjunctions generally express emotion, desirability, contrary to fact condition, or possibility.)

afin que	so that	*où que*	wherever
à moins que	unless	*pour peu que*	if only
avant que	before	*pour que*	so that
bien que	although	*pourvu que*	provided that
ce n'est pas que	it's not that	*quel que*	whatever
de crainte que	for fear of	*qui que*	whomever
de peur que	for fear of	*quoi que*	whatever
en attendant que	until	*quoique*	although
jusqu'à ce que	until	*sans que*	without

(6) After a superlative, *le premier*, *le seul*, and *le dernier*, if the speaker is expressing a subjective attitude, rather than simply stating a fact

C'est le meilleur acteur que je connaisse.	He's the best actor I know.
But: le dernier film que j'ai vu	the last film I saw (not subjunctive because it merely states a fact)

(7) In a dependent clause introduced by a relative pronoun when the main clause negates or expresses uncertainty about the existence of the antecedent of the relative pronoun

Uncertainty:

Je cherche quelqu'un à qui je puisse le donner.	I am looking for someone to whom I can give it.

Certainty:

Je connais quelqu'un à qui vous pouvez le donner.	I know someone to whom you can give it.

Uncertainty:

Existe-t-il un livre qui soit sans erreurs?	Is there a book that is without errors?

Certainty:

Il existe un livre qui est sans erreurs.	There is a book that is without errors.

Negation:

Il n'y a personne qui puisse le faire.	There is no one who can do it.

Assertion:

Il y a quelqu'un qui peut le faire.	There is someone who can do it.

Negation:

Il n'y a aucun auteur que je connaisse bien.	There is no author that I know well.

Assertion:

Il y a plusieurs auteurs que je connais bien.	There are several authors that I know well.

B. The subjunctive is used as the third-person imperative with *que*. It is also used without *que* in a few idiomatic phrases expressing a wish or hope.

Qu'il vienne.	Let him come.
Soit.	So be it.
Vive le roi.	Long live the king.

C. The subjunctive should not be used after expressions which indicate that a *fact* will follow.

Je savais que cela te ferait de la peine.	I knew that would upset you.
Il est certain qu'il a raison.	It is certain that he is right.
Je pense que vous avez tort.	I think you are wrong.

But if such expressions are in the negative or interrogative or express doubt or uncertainty they are followed by the subjunctive.

Il n'est pas certain qu'il vienne.	It is not certain that he is coming.
si j'avais su que cela te fasse tant de peine	if I had known that would upset you so much

D. The subjunctive, strangely enough, is not used after *espérer* in the positive, nor after *se douter* in any form.

J'espère que vous viendrez.	I hope you will come.
Je ne me doutais pas que vous alliez venir.	I had no idea you were going to come.

E. Sequence of tenses in the subjunctive.

(1) In spoken French the so-called present subjunctive is used whenever the action is simultaneous with the main verb, or future in relation to the main clause. Note that there is no future of the subjunctive.

Je doute qu'il vienne.	I doubt that he will come.
Je doutais qu'il vienne.	I doubted that he would come.

(2) The past subjunctive, formed by the subjunctive of the auxiliary + past participle is used when the action occurred before the action of the main verb.

Je regrette que vous ne soyez pas   I'm sorry that you didn't come.
    venu.

VERB TABLES

82. Table of the Formation of Tenses

The various forms and tenses of most French verbs can easily be derived from the infinitive, the past participle, and the *je, nous,* and *ils* forms of the present. The way in which the other forms and tenses derive from these is summarized here.

A. The infinitive. One can derive from it:
>   (1) The future. Add the endings *-ai, -as, -a, -ons, -ez,* and *-ont* to the infinitive. If the infinitive ends in *-re* drop the *e.* (Note, however, that some verbs have irregular future stems.)
>   (2) The conditional. Add the *imparfait* endings to the infinitive (or to the irregular future stem).

B. The past participle. One can derive from it:

>   (1) All compound tenses. Add the past participle to the appropriate form of the auxiliary.

C. The *je* form of the present. One can derive from it:

>   (1) The *tu* and *il* forms: same sound. For spelling differences see **72A.**
>   (2) The *tu* form of the imperative: same sound. For spelling differences see **41C.**

D. The *nous* form of the present. One can derive from it:

>   (1) The *vous* form: *-ez* ending instead of *-ons.*
>   (2) The *nous* and *vous* forms of the imperative: identical with the *nous* and *vous* forms of the present.
>   (3) The present participle: *-ant* ending instead of *-ons.*
>   (4) The *imparfait:* drop the *-ons* and add the endings *-ais, -ais, -ait, -ions, -iez -aient.*
>   (5) The *nous* and *vous* forms of the subjunctive: identical with the *nous* and *vous* forms of the *imparfait.*

E. The *ils* form of the present. One can derive from it:

>   (1) The *je, tu, il,* and *ils* forms of the subjunctive: drop the *-ent* and add the endings *-e, -es, -e, -ent.*

83. TABLE OF REGULAR VERBS

Infinitive	Passé Composé	Je Form	Nous Form	Other Forms
-er verbs	parler	j'ai parlé	je parle	nous parlons
-ir verbs	finir	j'ai fini	je finis	nous finissons
-re verbs	répondre	j'ai répondu	je réponds	nous répondons

84. TABLE OF IRREGULAR VERBS

Forms and tenses not given are regular, and can be derived from the table of formation of tenses (82)

Infinitive	Passé Composé	Je Form	Nous Form	Ils Form	Future	Subjunctive	Other Forms
accueillir	(see cueillir)						
acquérir	(see s'enquérir)						
admettre	(see mettre)						
aller	je suis allé	(Irregular Present) je vais, tu vas, il va	nous allons, vous allez, ils vont		j'irai	que j'aille, que tu ailles, qu'il aille, que nous allions, que vous alliez, qu'ils aillent	
s'apercevoir	je me suis aperçu	je m'aperçois	nous nous apercevons	ils s'aperçoivent	je m'apercevrai		
apparaître	(see connaître)						
appartenir	(see tenir)						
apprendre	(see prendre)						
s'asseoir	je me suis assis	je m'assieds or je m'assois	nous nous asseyons or nous nous assoyons		je m'assiérai		
atteindre	j'ai atteint	j'atteins	nous atteignons				
avoir	j'ai eu	(Irregular Present) j'ai, tu as, il a	nous avons, vous avez, ils ont		j'aurai	que j'aie, que tu aies, qu'il ait, que nous ayons, que vous ayez, qu'ils aient	(present participle) ayant (imperative) aie, ayons, ayez

84. TABLE OF IRREGULAR VERBS (*continued*)

Infinitive	Passé Composé	Je Form	Nous Form	Ils Form	Future	Subjunctive	Other Forms
boire	j'ai bu	je bois	nous buvons	ils boivent			
bouillir	j'ai bouilli	je bous	nous bouillons				
commettre	(*see* mettre)						
comprendre	(*see* prendre)						
concevoir	(*see* recevoir)						
conduire	j'ai conduit	je conduis	nous conduisons				
connaître	j'ai connu	je connais / tu connais il connaît	nous connaissons				
conquérir	(*see* s'enquérir)						
construire	j'ai construit	je construis	nous construisons				
contenir	(*see* tenir)						
convenir	(*see* venir)						
coudre	j'ai cousu	je couds	nous cousons				
courir	j'ai couru	je cours	nous courons		je courrai		
couvrir	(*see* ouvrir)						
craindre	j'ai craint	je crains	nous craignons				
croire	j'ai cru	je crois	nous croyons	ils croient			
cueillir	j'ai cueilli	je cueille	nous cueillons				
découvrir	(*see* ouvrir)						
décrire	(*see* écrire)						
détruire	(*see* conduire)						
devenir	(*see* venir)						
devoir	j'ai dû	je dois	nous devons	ils doivent	je devrai		
dire	j'ai dit	je dis	nous disons (vous dites)				
disparaître	(*see* connaître)						
dormir	j'ai dormi	je dors	nous dormons				
écrire	j'ai écrit	j'écris	nous écrivons				
s'endormir	(*see* dormir)						

Infinitive	Perfect	Present	Present (nous / forms)	Present (ils)	Future	Present Subjunctive	Other forms
s'enquérir	je me suis enquis	je m'enquiers	nous nous enquérons	ils s'enquièrent	je m'enquerrai		
envoyer	j'ai envoyé	j'envoie	nous envoyons	ils envoient	j'enverrai		
éteindre	(*see* atteindre)						
être	j'ai été	(*Irregular Present*) je suis tu es il est	nous sommes vous êtes ils sont		je serai	que je sois que tu sois qu'il soit que nous soyons que vous soyez qu'ils soient	(Present participle) étant (*Imparfait*) j'étais tu étais il était nous étions vous étiez ils étaient (Imperative) sois soyons soyez
faire	j'ai fait	(*Irregular Present*) je fais tu fais il fait	nous faisons vous faites ils font		je ferai	que je fasse que tu fasses qu'il fasse que nous fassions que vous fassiez qu'ils fassent	
falloir	il a fallu	il faut			il faudra	qu'il faille	
feindre	(*see* atteindre)						
haïr	j'ai haï	je hais	nous haïssons				
inscrire	(*see* écrire)						
instruire	(*see* conduire)						
joindre	j'ai joint	je joins	nous joignons				
lire	j'ai lu	je lis	nous lisons				
maintenir	(*see* tenir)						
mentir	j'ai menti	je mens	nous mentons				
mettre	j'ai mis	je mets	nous mettons				

Infinitive	Passé Composé	Je Form	Nous Form	Ils Form	Future	Subjunctive	Other Forms
mourir	je suis mort	je meurs	nous mourons	ils meurent	il mourra		
naître	je suis né	je nais { tu nais il naît	nous naissons				
obtenir	(*see* tenir)						
offrir	j'ai offert	j'offre	nous offrons				
omettre	(*see* mettre)						
ouvrir	j'ai ouvert	j'ouvre	nous ouvrons				
paraître	(*see* connaître)						
parcourir	(*see* courir)						
partir	je suis parti	je pars	nous partons				
parvenir	(*see* venir)						
peindre	(*see* atteindre)						
permettre	(*see* mettre)						
plaindre	(*see* craindre)						
plaire	j'ai plu	je plais { tu plais il plaît	nous plaisons				
pleuvoir	il a plu	il pleut			il pleuvra	qu'il pleuve	(*Present participle*) pleuvant (*Imparfait*) il pleuvait
pouvoir	j'ai pu	(*Irregular Present*) je peux tu peux il peut	nous pouvons vous pouvez ils peuvent		je pourrai	que je puisse que tu puisses qu'il puisse que nous puissions que vous puissiez qu'ils puissent	
prendre	j'ai pris	je prends	nous prenons	ils prennent			
prescrire	(*see* écrire)						

prévenir	(*see* venir)				
promettre	(*see* mettre)				
recevoir	j'ai reçu	je reçois	nous recevons	ils reçoivent	je recevrai
reconnaître	(*see* connaître)				
réduire	(*see* conduire)				
rejoindre	(*see* joindre)				
remettre	(*see* mettre)				
se repentir	je me suis repenti	je me repens	nous nous repentons		
résoudre	j'ai résolu	je résouds	nous résolvons		
retenir	(*see* tenir)				
rire	j'ai ri	je ris	nous rions		
satisfaire	(*see* faire)				
savoir	j'ai su	je sais	nous savons		

que je sache
que tu saches
qu'il sache
que nous sachions
que vous sachiez
qu'ils sachent

(Present participle) sachant
(Imperative) sache
sachons
sachez

sentir	j'ai senti	je sens	nous sentons
servir	j'ai servi	je sers	nous servons
sortir	je suis sorti	je sors	nous sortons
souffrir	j'ai souffert	je souffre	nous souffrons
soumettre	(*see* mettre)		
sourire	(*see* rire)		
soutenir	(*see* tenir)		
se souvenir	(*see* venir)		
suffire	j'ai suffi	je suffis	nous suffisons
suivre	j'ai suivi	je suis	nous suivons
surprendre	(*see* prendre)		
se taire	je me suis tu	je me tais	nous nous taisons
tenir	j'ai tenu	je tiens	nous tenons	ils tiennent	je tiendrai
traduire	(*see* conduire)		
vaincre		je vaincs	nous vainquons

Infinitive	Passé Composé	Je Form	Nous Form	Ils Form	Future	Subjunctive	Other Forms
valoir	j'ai valu	je vaux tu vaux il vaut	nous valons			que je vaille que tu vailles qu'il vaille que nous valions que vous valiez qu'ils vaillent	
venir	je suis venu	je viens	nous venons	ils viennent	je viendrai		
vivre	j'ai vécu	je vis	nous vivons				
voir	j'ai vu	je vois	nous voyons	ils voient	je verrai		
vouloir	j'ai voulu	*(Irregular Present)* je veux tu veux il veut	nous voulons vous voulez ils veulent			que je veuille que tu veuilles qu'il veuille que nous voulions que vous vouliez qu'ils veuillent	(Imperative) veuillez

VOCABULARY

à to, with, in, by, against, from
abandonner to abandon, give up
aboiement *m* barking
d'abord first, at first
aboyer to bark
abri *m* shelter
absolument absolutely
absorber to absorb, engross
absurdité *f* absurdity
abuser to abuse, take advantage of
académicien *m* member of one of the Académies, esp. the Académie française
accepter to accept
accès *m* access, attack, fit
accompagner to accompany, go with
accompli, le fait accomplished fact, thing done and therefore beyond argument
d'accord agreed, in agreement
accourir to hasten, run up
accoutumer to accustom
s'accrocher à to cling to, hook on to
accueillir to greet, receive
accuser to accuse
acheter to buy
achever to finish, end, complete
acte *m* act, deed
acteur *m* actor
activement actively
activité *f* activity
actuel present-day, current
addition *f* bill, addition
adieu *m* farewell, goodbye
admettre to admit
admirer to admire
adopter to adopt
adoptif adopted, by adoption
adresse *f* address
s'adresser à to apply to, speak to
aérer to air out, ventilate
aérolithe *m* meteorite, aerolite
affaiblir to weaken

affaire *f* business, job, affair
avoir affaire à to be dealing with
affirmer to state, affirm
affliger to sadden, afflict
affolé panic-stricken, crazy
affoler to panic
affreux frightful
agacer to irritate, annoy
âge *m* age
agence *f* agency
agent de police *m* policeman
agir to act, work
s'agir de to be a question of, to be about
agité excited, upset
agneau *m* lamb
agréable pleasant, agreeable
aide *f* help, assistance, aid
aider to help, aid
aïe ouch
d'ailleurs moreover, besides
aimable pleasant, kind
aimer to love, like
ainsi thus, so, in a like manner
air *m* manner, look, air
avoir l'air de to seem
aise *f* ease, comfort
aisément easily
ajouter to add
alcool *m* alcohol, strong drink
alibi *m* alibi
allègre cheerful, lively
allemand German
aller to go, to suit
s'en aller to go away
allonger to reach out, stretch out, lengthen
allumer to light
amande *f* almond
amant *m* lover
amateur *m* customer, amateur
âme *f* soul, mind
américain American
ami *m* friend

m masculine   *f* feminine   * aspirate h

359

amicalement in a friendly manner
amiral *m* admiral
amour *m* love
amoureux de in love with
amusant funny
s'amuser to enjoy oneself, have a good time
an *m*, **année** *f* year
anglais English
Angleterre *f* England
angoissant agonizing, painful
animal (animaux) *m* animal
annonce *f* announcement, notice
annoncer to announce
s'apercevoir to discover, be aware of
Apollon Apollo
apparaître to appear
appartenir à to belong to
appeler to call
s'appeler to be called, be named
applaudir to applaud
apporter to bring
appréciation *f* evaluation
apprendre (à) to learn (to), to teach, to tell
apprenti *m* apprentice
s'apprêter à to prepare to
s'approcher to approach, draw near
appuyer to lean, press
après after
   et après? so what?
d'après according to
après-midi *m* afternoon
argent *m* money, silver
arme *f* arm, weapon
armoire *f* closet
armure *f* armour, suit of armour
arracher to pull out or away, draw
arranger to arrange, suit
arrestation *f* arrest
arrêt *m* stop
   sans arrêt without stopping
arrêter to stop, halt
s'arrêter to stop, come to a stop
arrière (en—) backwards
arriver to arrive, to happen
arroser to water, sprinkle
asperge *f* asparagus
assassin *m* assassin, murderer
s'asseoir to sit down
assez enough, rather
assiette *f* plate, dish
assister à to attend, be present at

associé *m* business partner
assorti varied, assorted, matched
assurance *f* confidence, assurance, insurance
attaque *f* attack
attaquer to attack
atteindre to reach, attain
attendre to wait for
s'attendre à to expect
attendrir to soften, pity
attendrissant moving, sweet
attente *f* wait, waiting
atterrissage *m* landing, grounding
attraper to catch, seize
attristé saddened
au revoir goodbye
aucun any
   ne ... aucun not any, no, none
audace *f* boldness, audacity, impudence
au-dessous (de) underneath
au-dessus (de) above
aujourd'hui today
auparavant before, previously
auquel, auxquels, auxquelles to which
aussi also, too, therefore
aussi ... que as ... as
autant as much
d'autant plus que the more so since
auteur *m* author
autochtone *m* native
autour (de) around
autre other, another
autrefois formerly
avaler to swallow
d'avance in advance
avancé, être bien to have made fine progress (used ironically)
avancer to gain, advance
avant before
avant-guerre prewar
avantage *m* advantage
avantageux advantageous
avec with
aventure *f* adventure, chance
avertir to warn, inform
aveugle blind
aveugle *m* a blind man
avion *m* airplane
avis *m* opinion
   changer d'avis to change one's opinion
aviser to perceive, to catch a glimpse of
avoir to have

avoir beau to . . . in vain
avouer to confess, swear, avow

badin joyful, joking
bafouiller to stammer, hesitate
bagages *m pl* luggage
    grands bagages heavy luggage
bague *f* ring
baie *f* bay
bain *m* bath
    salle de bains *f* bathroom
baiser *m* kiss
baisser to lower
bal *m* ball, dance
balancer to balance, to swing
    balancer la tête to nod
balcon *m* balcony
balle *f* ball, bullet
ballerine *f* ballet dancer
bambin *m* little child, urchin
banc *m* bench
banque *f* bank
barque *f* boat
bas low
    en bas below
basse-cour *f* farmyard
bassin *m* basin, bowl, pool
bâtard *m* bastard, illegitimate son
bâtiment *m* building, structure
battre to beat
se battre avec to fight with
bavarder to chat, gossip
beau, bel, belle handsome, beautiful
beaucoup much, very much, many
beau-père *m* father-in-law
beauté *f* beauty
belle-mère *f* mother-in-law
benêt *m* simpleton, boob
besoin *m* need
    avoir besoin de to need
bête *f* beast, animal
bête stupid
bêtise *f* stupid thing, blunder
beurre *m* butter
bien well, very well, fine, good-looking
bien du, de la, des much, many
bientôt soon
bienvenu *m* welcome person
bigrement very, extremely, terribly (colloquial)
bijou *m* jewel
bille *f* ball
    stylo à bille *m* ball-point pen

billet *m* ticket
bizarre peculiar, odd, strange
blanc, blanche white
blesser to wound
bleu blue
bœuf *m* beef, ox
boire to drink
bois *m* wood, woods
boisson *f* drink, beverage
bon, bonne good, O.K., fine
bonbon *m* candy
bonheur *m* happiness, good luck
bonhomme *m* fellow, chap
bond *m* leap, bound
bonjour *m* good day, good morning
bonne *f* maid
bord *m* edge, border
borné stupid, limited
bouche *f* mouth
boucher to stop up, plug up
boucher *m* butcher
boucherie *f* butcher shop
bouchon *m* stopper, cork
bouder to sulk
bouger to budge, stir
bougre de galopin *m* young scamp (a term of abuse)
bouillir to boil
bouleverser to upset, overturn
boulot *m* work (colloquial)
bouquin *m* book (colloquial)
bousculer to knock things over, upset, shove, push around
bout *m* end, bit
    à bout portant point blank
bouteille *f* bottle
boxeur *m* boxer, prize fighter
braquer (sur) to aim, point at
bras *m* arm
brave *m* courageous man, good man
bredouiller to jabber, mumble
briller to shine
brimborion *m* trifle, bauble
brin *m* shoot (of a tree)
brin de causette bit of a chat
briser to break, smash, shatter
britannique British
brouhaha *m* brouhaha, noise
brouillé angry at each other, mixed up
bruit *m* noise, rumor
brun *m*, **brune** *f* person with brown hair
brusque abrupt, blunt
brusquement abruptly, suddenly

bureau *m* office, desk
buvard *m* blotter

ça that
cabane *f* shed, hut
cacher to hide
   se cacher to hide oneself
cadeau *m* gift
café *m* coffee
   café au lait coffee with milk
caisse *f* box, chest, cash box
calmement calmly
cambriolage *m* housebreaking, burgling
cambrioler to break into, burgle
campagne *f* (open) countryside
canapé *m* sofa, couch
canard *m* duck
cancre *m* dunce, poor student
capitaine *m* captain
capoter to overturn, crash
caractère *m* character, nature
carafe *f* carafe, water bottle
caresse *f* caress
carnet *m* notebook
carte *f* menu, card
   carte postale postcard
cas *m* case
   le cas écheant in case of need;
     should the case arise
casser to break
catéchisme *m* catechism
cause *f* cause
   à cause de because of
causer to talk, chat; to cause
causette *f* chat
cave *f* cellar
ce, cet, cette, ces this, that, these, those
ce qui, ce que what
céder to give, give way
célèbre famous
célébrer to celebrate
cela, ceci that, this
celui, ceux, celle, celles the one, this one, that one, those, these
celle-ci, celle-là, celui-là, celui-ci the former, the latter
cendre *f* ash
cendrier *m* ashtray
censé supposed
cent one hundred
centimètre *m* centimeter

cercueil *m* coffin, casket
cérémonie *f* ceremony
certifier to certify, attest
cesser to cease, stop
cet, ce, cette, ces this, that, these, those
ceux, celui, celle, celles those, these
chacun each, each one
chair *f* flesh
   chair de poule goose pimples
chaisière *f* lady who rents chairs
chagrin *m* grief, sorrow
chagriner to grieve, distress
chaleur *f* heat
chambre *f* bedroom
champ *m* field
chance *f* luck, chance
changement *m* change
changer to change
chanson *f* song
chant *m* song, singing
chanter to sing
chapeau *m* hat
chaperon *m* riding hood
chapitre *m* chapter
charge *f* load, responsibility
charger (de) to load (with), to be responsible for
se charger de to undertake, to be responsible for
charme *m* charm, spell
charmant charming
charrette *f* cart
chasse *f* hunt, chase
chasser to hunt, chase
chat *m* cat
chat perché *m* a children's game
chaud hot
chauffeur *m* driver
chemin *m* way, path, road
cheminée *f* chimney, fireplace, mantelpiece
cher, chère dear (beloved), expensive
chéri dearest, darling
chercher to seek, look for, get
cheval *m* horse
chevalerie *f* knighthood, chivalry
chevalier *m* knight
chevaline of, or pertaining to horses
cheveux *m pl* hair
chez with, at (to) the home of, in the case of
chien *m* dog

chiffre *m* figure, number
choisir to choose
choix *m* choice
choqué shocked
choquer to strike, shock
chose *f* thing
ciel *m* sky
cinéma *m* movies, movie theatre
cinq five
circonstance *f* circumstance
cirage *m* wax, waxing, polishing
cirer to wax, polish
cirque *m* circus
citation *f* quotation, citation
citer to quote
citoyen *m* citizen
civilisé civilized
clair clear
clarinettiste *m* clarinet player
clé *or* **clef** *f* key
client *m* client, customer
cloche *f* bell
clos closed
cochon *m* pig
cœur *m* heart
coffre *m* box, coffer
coin *m* corner
col *m* collar, neck
colère *f* anger
    en colère angry
se coller to get stuck, to lose (a game)
collier *m* collar, necklace
colonne *f* column, pillar
combat *m* combat, fight
combien how much, how many
comble *m* the limit, the last straw, heaping measure
comble crowded
comédie *f* comedy
comité *m* committee, board
comique comic, funny
commandant *m* major, commanding officer
commander to order
comme as, like, since, because, how
commencer à to begin to
comment how, what
commissaire de police *m* police superintendent
commissariat *m* police station
commission *f* message, errand
commode easy to get along with, convenient, easy

compagnie *f* company
compagnon *m* companion, pal
comparaison *f* comparison
comparer à to compare to (with)
compartiment *m* compartment
complément *m* object
compléter to finish
complice *m* accomplice
compliment *m* compliment
se compliquer to become complicated
se comporter to behave
comportement *m* behavior
comprendre to understand
comprimé *m* pill
compter to count, count on, plan
comte *m* count, lord
concierge *m* & *f* house porter, caretaker
conditions *f pl* conditions, cost
conduire to lead, conduct
se conduire to conduct oneself, behave
conduite *f* behavior
confesser to confess
confiance *f* confidence
confident *m* person in whom one confides
confondre to mistake, confuse
conformisme *m* conformity
confus embarrassed, ashamed
conjuguer to conjugate
connaissance *f* acquaintance, knowledge, consciousness
connaître to know, be acquainted with
consacrer to consecrate, dedicate
conseil *m* advice
conseiller to advise
consentir to consent, agree to
conséquence *f* consequence
conserver to save
considérer to consider, look at
consoler to console
consonne *f* consonant
constamment constantly
constant constant
consterné dismayed, amazed
constituer to constitute, make, form
construire to build
consulter to refer to, consult
conte *m* tale, story
contempler to contemplate, look at
contentement *m* contentment, satisfaction
se contenter de to be satisfied with

continuer to continue
contradictoire contradictory
contrainte *f* constraint, lack of freedom
contraire *m* opposite, contrary
contrariété *f* vexation, hitch
contre against
se contredire to contradict oneself
contribuable *m* taxpayer
convenir to be suitable, to agree
convulsif convulsive
copier to copy, transcribe
coq *m* rooster
coquin *m* rascal, scamp
corne *f* horn
corps *m* body
côté *m* side
    à côté de beside
    de ce côté in that respect
    du côté de in the direction of
    d'un autre côté on the other hand
cou *m* neck
se coucher to go to bed
coudre to sew
couler to run, flow
couleur *f* color
coup *m* blow, knock, shot, trick
    coup de sonnette ring at the door
coup d'œil *m* glance
coupable *m* guilty person
couper to cut, interrupt
cour *f* court, courtyard
    faire la cour to court
cours *m* course
craindre to fear
crête *f* coxcomb, crest
crise *f* crisis
    crise de nerfs attack of hysteria
    crise cardiaque heart attack
croire to believe
croquer to munch
cuiller or **cuillère** *f* spoon
cuire to cook, to burn
cuisine *f* kitchen, cooking
culte *m* cult, creed
curé *m* parish priest
cure-dent *m* toothpick
curieux curious, interesting
cuvette *f* wash basin, dish
cylindrique cylindrical

dame *f* lady
dangereux dangerous
dans in, into, inside, on

date *f* date
davantage more
de of, with, about, for, from
se débarrasser de to get rid of
débiter to turn out, utter, yield
debout standing
début *m* beginning
débutant(e) *m* & *f* beginner
décevoir to disappoint
déchirant piercing
déchirer to tear (up)
décidément definitely
décider (de) to decide (to)
décimètre *m* decimeter
déconcerter to disconcert
décourager to discourage
découverte *f* discovery
découvrir to discover
décrire to describe
défaillant failing, swooning
défendre to defend
défier to defy, challenge
définir to define
dégager to redeem, release, free, bring
    out
dégoûtant disgusting, loathsome
déguisement *m* disguise
déguiser (en) to disguise (as)
dehors out, outside
déjà already
déjeuner *m* lunch
déjeuner to have lunch
délaisser to forsake, desert, abandon
délicat delicate, refined
délicieux delicious
demain tomorrow
demande *f* request
demander to ask (for)
se demander to wonder
déménager to move house, change
    one's abode, move out
demeurer to remain, live, dwell
demi half
démonté upset, flustered (colloquial)
dent *f* tooth
dénicher to find, discover (colloquial)
départ *m* departure
dépasser to go beyond
se dépêcher to hurry
dépeindre to depict
dépense *f* expense
dépit *m* spite
    en dépit de in spite of

déplaire to displease
déposer une plainte to prefer a charge, to lodge a complaint
depuis since, for, from
se déranger to bother, move
dernier last
se dérober to escape, give way
derrière behind
dès que as soon as
désagréable disagreeable
descendre to descend, go down
désert *m* desert, wasteland
désespoir *m* despair
déshonoré disgraced, dishonored
désigner to point out
désintéressé not involved, disinterested
désirer to desire, want
désobligeant unkind, disagreeable
désolé grieved, very sorry
désordre *m* disorder, confusion
désormais henceforth, from now on
dessert *m* dessert
dessin *m* design, drawing, plan
dessiner to draw, sketch
dessous under, beneath
    au dessous de below, under
dessus above, over
    au dessus de above
destin *m* fate, destiny
détester to detest
se détourner to turn aside
détruire to destroy
dette *f* debt
deuil *m* grief, sorrow, mourning
    faire le deuil de to mourn for, to be resigned to the loss of
deux two
deuxième second
dévaliser to rob
devant in front of, before
devenir to become
deviner to guess, suppose
se deviner to be obvious
devinette *f* riddle
devoir *m* duty, assignment
devoir (devrais) to have to, to owe (ought to)
dévorer to devour
diable *m* devil
diagnostic *m* diagnosis
diamant *m* diamond
Dieu *m* God
différer to differ, defer

difficile difficult
digne dignified, worthy
dignement with dignity
dignité *f* dignity
dimanche *m* Sunday
diplôme *m* diploma
dire to say, tell, tell about
    se dire to call oneself
    autant dire that is to say, in other words
diriger to plan, direct
se diriger (vers) to head (towards)
discerner to distinguish
discours *m* speech
discrètement discreetly, cautiously
discuter to discuss
disparaître to disappear
disposer to dispose, display
se disputer to wrangle, argue
disque *m* phonograph record
distingué distinguished, refined
distraitement distractedly, absent-mindedly
divorcer to divorce, to get a divorce
dix ten
dix-huit eighteen
domestique *m* servant
domicile *m* residence
dommage a pity
    c'est dommage it's a pity
don *m* gift
donc thus, then, so
donner to give, produce
dont of which, whose
dormir to sleep
dos *m* back
dot *f* dowry
doucement softly, gently
doute *m* doubt
douter (de) to doubt
se douter de to suspect
doux sweet, gentle
douzaine *f* dozen
douze twelve
dramatique dramatic
droit *m* right, law
droite *f* right
drôle funny
drôlement queerly, strangely
duquel, desquels, desquelles of which
duc *m* duke
duchesse *f* duchess

dur hard
durer to last

eau *f* water
ébouriffé rumpled, dishevelled
échanger to exchange
échapper to escape
échouer to fail
éclairer to light, enlighten
s'éclairer to light up
éclater to burst (out)
écœurant disgusting
école *f* school
économiser to economize
écouler to pass by, flow by
écouter to listen (to)
s'écrier to cry out
écrire to write
écriteau *m* placard, sign, notice
s'écrouler to drop, collapse
effacer to efface, erase
effet *m* effect, result
   en effet in fact, that's right
effrayant frightful, frightening
effrayer to frighten
effronté shameless, bold
également likewise
égard *m* regard
   à l'égard de with regard to
égoïste selfish
électricité *f* electricity
élégamment elegantly
élève *m & f* pupil
élever to lift, raise, bring up
elle, elles she, it, they
éloge *f* eulogy, praise
s'éloigner to go away, withdraw
embarrassé embarrassed, bothered
embrasser to embrace, kiss
s'embrouiller to tangle, get confused
emménager to move into a new house
emmener to take along (someone)
émotion *f* emotion
empêcher to prevent
employé *m* employee, clerk
employer to use
empoisonner to poison
emporter to carry off (something)
en of it, of them, some, any
en in, at, while, as
encombré encumbered, congested, full
encontre *f* opposite direction
   à l'encontre de unlike, contrary to

encore still, yet, again
s'endormir to go to sleep
endroit *m* spot, place
énergie *f* energy
enfant *m & f* child
enfin finally
engager (**à**) to make a commitment, to involve
enlever to abduct, take away, take off
ennemi *m* enemy
ennui *m* boredom, bother
s'ennuyer to be annoyed, bothered, bored
   s'ennuyer à périr to be bored to tears
ennuyeux boring, tiresome
énorme enormous
s'enquérir (**de**) to inquire (after)
enquête *f* inquiry
enseigner to teach, show
ensemble together
ensuite afterwards, then
s'ensuivre to follow, ensue
entendre to hear, to understand, to intend
s'entendre to understand one another, to get along
entendu understood
   bien entendu of course
enterrement *m* burial
s'entêter to be stubborn
enthousiasme *m* enthusiasm
entier entire, whole
entourer to surround
entraîner to carry along, lead
entre between, among
entrer to enter, go in
envelopper to envelop, wrap up
envers to, toward
envie *f* desire
   avoir envie de to want
envier to envy
environner to surround
envoler to take flight, fly way
envoyer to send
épaule *f* shoulder
épée *f* sword
s'éponger to mop, wipe, sponge
époque *f* period, epoch
épouser to marry
erreur *f* error, mistake
escalier *m* staircase
   escalier de service backstairs, service stairs

escorter to escort
espagnol Spanish
espèce *f* kind, sort, species
espérance *f* hope
espérer to hope
essayer (de) to try, attempt
essoufflé out of breath
essuyer to wipe, wipe up, dry
estime *f* esteem
estivant *m* summer visitor
étable *f* stable, cow shed
établir to establish
s'établir to settle down
état *m* state, condition
état-major *m* general staff
été *m* summer
éteindre to extinguish
éteint extinguished, toneless
étendre to spread, stretch out
étonnement *m* astonishment
étonner to stun, astonish
étrange strange, odd
être to be
être *m* being, existence, person
étude *f* study
étudiant *m* student
étudier to study
étymologie *f* etymology
eux them
évanouir to disappear, faint
évidemment evidently
éviter to avoid
examen *m* examination
examiner to examine
exaspérer to aggravate
excentrique eccentric
exceptionellement exceptionally
excessivement excessively
s'excuser to excuse oneself
exemple *m* example
par exemple! my word! the idea!
exercé experienced, practiced
exercer to exert, practice
exercice *m* exercise
exister to exist
expliquer to explain
exprès on purpose
exprimer to express
extérieur exterior, outer

face *f* face
    en face de opposite
se fâcher to get angry

facile easy
facilement easily
façon *f* manner, mode
faible feeble, weak
faible *m* weakness
faiblesse *f* feebleness, weakness
faillir to fail, to come close to
faim *f* hunger
    avoir faim to be hungry
faire to do, make, say, have
    faire part to inform
    faire l'affaire to do the trick, to suit
    faire mal to harm, hurt
    faire semblant to pretend
se faire to develop, to get used to
faire-part *m* announcement
fait *m* fact, deed
fait accompli accomplished fact, thing
    done and therefore beyond argument
falloir to be necessary
familier familiar, colloquial
famille *f* family
fantaisie *f* fantasy
fantastique fantastic, full of fantasy
faribole *f* stuff and nonsense
fatiguer to tire
se fatiguer to grow tired
fauteuil *m* armchair
faux, fausse false
faveur *f* favor
favori, favorite favorite
fébrilement feverishly, deliriously
feindre to feign, pretend
féminin feminine
femme *f* woman, wife
fenêtre *f* window
ferme *f* farm
fermer to close
fessée *f* spanking
fiancée *f* fiancée
ficher to do (colloquial)
    se ficher de not to care about, to
      make fun of
fier proud
se fier to trust
fièvre *f* fever
figurer to represent
se figurer to imagine
file *f* file, line
filer to run, hurry along (colloquial)
filet *m* fillet, steak
fille *f* daughter, girl
    jeune fille girl

filou *m* thief
fils *m* son
    fils naturel illegitimate son
filtre *m* filter
    café filtre a cup of coffee with its own filter
fin *f* end
finir (de) to finish
fiston *m* son, youngster (colloquial)
flacon *m* bottle, flask
flair *m* flair, scent, sense of smell
flatter to flatter, please
flatteur *m* flatterer
fleur *f* flower
fleuve *m* river
flot *m* wave
    remettre à flot to restore to one's fortunes
foi *f* faith
    ma foi indeed, upon my word
foie *m* liver
foin *m* hay
fois *f* time
    à la fois both, together
folle *f* madwoman
follement madly, foolishly
fonction *f* function, office
fonctionnaire *m* official, civil servant
fond *m* bottom
    dans le fond after all
forcé forced
forêt *f* forest
former to form
fort strong, loud, very
fou mad, insane
fou *m* madman, lunatic
foudroyant striking, overwhelming
fouiller to search
se fouiller to search in one's pockets
foule *f* crowd
four *m* oven
fournir to furnish
fox *m* fox-terrier
frais, fraîche fresh
franc *m* franc
français French
frapper to hit, beat, strike, knock
frelater to adulterate (food)
fréquentation *f* frequentation, close acquaintance with
frère *m* brother
fripouille *f* rascal, cad
frisson *m* shiver

frissonner to shiver
frivole frivolous
froid cold
fromage *m* cheese
front *m* forehead, front
frotter to rub
fuir to flee
fumée *f* smoke
funèbre dismal, gloomy, funeral
funérailles *f pl* funeral
fureur *f* fury, rage
    en fureur in a rage
furieux furious
furtivement furtively, slyly
futilité *f* futility

gagner to earn, reach, win
gai gay, merry
galant gallant, attentive to women
galopin *m* scamp
garantie *f* guarantee
garantir to warrant, guarantee
garçon *m* boy, waiter
garde *f* guard
    prendre garde to beware, take care
garder to keep, guard
gardien *m* guardian, caretaker
gardien de la paix policeman
gare *f* railway station
gare à beware of
gascon of, or pertaining to Gascony
gâter to ruin, spoil
gauche left, clumsy
gaz *m* (heating) gas
géant *m* giant
gémir to groan, moan
gêne *f* discomfort
    sans gêne inconsiderate, free and easy
gêné embarrassed
généreux generous
génie *m* genius
genou *m* knee
gens *m* or *f pl* people
gentil nice
gentillesse *f* graciousness
géographie *f* geography
germanique Germanic
geste *m* gesture, motion
gesticuler to gesticulate
gibier *m* game, quarry
gigot *m* leg of mutton
glacé iced

goguenard mocking, jeering
gorge *f* throat
goût *m* taste
gouverner to govern, rule
gracieux graceful, gracious
grand large, big, great
grandir to grow tall, grow up
grand'mère *f* grandmother
grange *f* barn
gras fat
    en être plus gras to be better off for it
grippe *f* flu
grippé suffering from flu
grogner to grunt
gronder to growl, scold
gros big
guère (ne . . .) scarcely
guérir to cure, heal
guerre *f* war
gueule *f* mouth (of an animal); face, mug (colloquial)
guillotiner to guillotine

habile clever
s'habiller to dress
habit *m* suit of clothes
habitant *m* inhabitant
habiter to live, dwell
habitude *f* habit, custom
s'habituer à to get used to, grow accustomed to
*haie *f* hedge
*haïr to hate
*halte *f* stop, halt
    faire halte to make a stop
*haricot *m* bean
*hasard *m* chance, luck
    par hasard by chance
se hâter to hasten
*hausser to raise, lift, shrug
*haut high, aloud
    du haut de from the top of
*hauteur *f* height
*hein? eh?
hélas alas
hésiter to hesitate
heure *f* hour
    de bonne heure early
    à l'heure on time
heureusement happily, luckily
    heureusement que it's a good thing that

heureux happy
hier yesterday
histoire *f* story, history
homme *m* man
homme d'état *m* statesman
honnête honest
honneur *m* honor
*honte *f* shame
horloge *f* clock
horreur *f* horror
*hors-d'œuvre *m* hors d'oeuvre, side-dishes served as first course
hôte *m* host, guest
hue giddap
huées *f pl* jeers, booing
huit eight
huître *f* oyster
humeur *f* mood, humor, bad humor
humilité *f* humility
humoriste *m* humorist
hurler to howl, bawl
hurluberlu *m* scatter-brain
*hutte *f* hut, shed
hypocrite hypocritical

ici here
idée *f* idea
s'identifier to identify oneself
ignorer to be ignorant of, not to know
il, ils he, it, there, they
il y a there is, there are, ago
illogique illogical
imaginer to imagine
imbécile imbecile, foolish
imiter to imitate
immobile motionless, still
imparfait unfinished, imperfect
s'impatienter to grow impatient
impératif imperative, imperious
imperméable *m* raincoat
impétueusement impetuously
impoli impolite
importer to be of importance, to matter
n'importe it doesn't matter
imposteur *m* impostor
imposture *f* imposture, deception
impôt *m* tax
imprévu *m* unforeseen event, the unpredictable
à l'improviste unexpectedly
    pris à l'improviste taken unaware
inadmissible inadmissible, unheard of
inanimé inanimate, lifeless

inaperçu unseen, unnoticed
inattendu unexpected
s'incliner to bow
incohérent incoherent
inconcevable inconceivable, unthinkable
inconvénient *m* disadvantage, drawback
incroyable incredible, unbelievable
indécis unsettled, undecided
indépendamment independently
les Indes *f pl* India
indicateur *m* timetable
indiquer to indicate, point
inespéré unhoped for, unexpected
inextinguible inextinguishable, irrepressible
infaillible certain, unfailing
inférieur inferior, below
infini infinite, endless
infinitif *m* infinitive
influencer to influence
informer to inform, inquire
ingénu ingenuous, naive
initiative *f* initiative
injure *f* insult
innocemment innocently
inquiet restless, fidgety, worried
inquiétant disturbing, upsetting
s'inquiéter to become anxious, trouble oneself
insensé mad, insane
insensiblement imperceptibly
insister to insist, go on trying
insolemment impudently
inspirer to inspire
s'installer to settle down
instant *m* instant
    à l'instant a moment ago
instruire to inform, teach
insulte *f* insult
insupportable unbearable
intelligemment intelligently
intéresser to interest
    s'intéresser à to become interested in
intérêt *m* interest
interlocuteur *m* speaker (engaged in conversation)
interrompre to interrupt
interpréter to interpret
intervenir to intervene
intimité *f* intimacy, closeness

intitulé entitled
intrigue *f* plot, intrigue
introduire to introduce, to show in
inutile useless
inventaire *m* inventory
inventer to invent, find out
invité *m* guest
inviter to invite
ironique ironic, ironical
irrémédiable irreparable
isolé isolated, lonely
ivre drunk

jamais ever, never
    ne ... jamais never
jambe *f* leg
jardin *m* garden
jargonner to talk jargon
jasmin *m* jasmine
jaune yellow
je I
jeter to throw
jeu *m* game
jeu de mots *m* play on words, pun
jeune young
jeunesse *f* youth
joie *f* joy, pleasure
joindre to join
joli pretty
jouer to play
jour *m* daylight
jour *m*, **journée** *f* day
journal (journaux) *m* newspaper
joyeux joyful, happy
juge *m* judge
juger to judge
jurer to swear
jusqu'à (ce que) until
juste right, just
justement justly, rightly, just so
justifier to justify

képi *m* military cap
kiosque *m* newstand
    kiosque à musique bandstand

la the, her, it
là there, here
là-bas over there
labour *m* tillage, ploughing
lac *m* lake
lâche *m* coward
laid ugly

laisser to let, leave
lait *m* milk
laitier *m* milkman, dairyman
se lamenter (de) to lament, wail (over)
langage *m* language
langoureux languid
langue *f* language, tongue
languir to languish
large wide
largeur *f* width
lascar *m* scoundrel
laver to wash
le the, him, it
lécher to lick
leçon *f* lesson
légende *f* legend
Légion d'honneur *f* the Legion of
    Honor
légume *m* vegetable
lent slow
lentement slowly
lenteur *f* slowness
lequel, lesquels, laquelle, lesquelles
    which, who, whom
les the, them
lettre *f* letter
leur their, to them
le leur, la leur, les leurs theirs
lever *m* rise
se lever to get up
liberté *f* liberty
libre free
lier to tie
lieu *m* place
    au lieu de in place of, instead of
    avoir lieu to take place
se limiter to limit oneself, restrict
    oneself
lire to read
lit *m* bed
litre *m* liter
littérature *f* literature
livre *m* book
se livrer à to engage in
locataire *m* & *f* tenant, occupant
logique logical
loin far
lointain distant, remote
long long
    de long in length
    le long de along
longtemps long, long time
longueur *f* length

lorsque when
louer to rent
loufoque loony, eccentric (colloquial)
loup *m* wolf
loupe *f* (de bijoutier) jeweler's glass
lourd heavy
lubie *f* whim, fad
lui him, to him, to her
lumière *f* light
lune *f* moon

ma, mon, mes my
magnifique magnificent, grand
main *f* hand
    haut les mains! stick 'em up!
maintenant now
maire *m* mayor
mais but
maison *f* house, home
maître *m* master, teacher
maître d'hôtel headwaiter
maîtresse *f* mistress
majeur of age, over twenty-one
mal badly
mal *m* evil, difficulty, pain
maladie *f* illness, sickness
malentendu *m* misunderstanding
malgré in spite of
malheur *m* misfortune, bad luck
malheureusement unfortunately
malin sly, clever
maman *f* mama
manger to eat
manière *f* manner, way, mannerism
manquer (à) to miss, to fail to
manteau *m* coat
    manteau de pluie raincoat
marchand *m* merchant, shopkeeper
    marchand de quatre saisons
        street vendor, hawker
marche *f* march
marché *m* market
marcher to walk
mari *m* husband
mariage *m* marriage
marié married
se marier to get married
marin *m* sailor
marmonner to mumble, mutter
marque *f* mark, brand
marquer to mark, stand out
masqué masked
masquer to mask, cover

massif *m* solid mass, mountain range
match *m* game, match
mathématique *f* mathematics
matin *m* morning
mauvais bad
maxime *f* maxim
me me, to me
méchant bad, mean
mécontent discontent, unhappy
médecin *m* doctor
médecine *f* medicine
médiocrement moderately,
   indifferently
méfiant suspicious
se méfier de to distrust
meilleur better
   le meilleur best
même same, even, self
   tout de même all the same
mémoire *f* memory
menace *f* threat, menace
menacer to threaten
ménage *m* housework, married couple
ménagère *f* housewife, housekeeper
mener to lead
mentalement mentally
mentionner to mention
mensonge *m* lie
mentir to lie
se méprendre to be mistaken
mépriser to scorn
merci thank you
mère *f* mother
mérite *m* merit
merveille *f* marvel, wonder
merveilleux marvelous, wonderful
messieurs *m pl* gentlemen
mesurer to measure, calculate
méthode *f* method
métier *m* trade, profession, craft
mètre *m* meter
mettre to put, put on
se mettre à to begin
meublé furnished
midi *m* noon
**le mien, les miens, la mienne, les
   miennes** mine
mieux better, best, better looking
migraine *f* migraine headache
milieu *m* center, middle
militaire *m* soldier
mille thousand
milligramme *m* milligram

mimer to mime, ape, mimic
mimique *f* mimic, mimicry
minable shabby, pitiable
mi-semestre *m* mid-semester
mode *m* manner
modèle *m* model, pattern
modifier to alter, change
moi me, I
moindre least
moins less
   du moins at least
   de moins less
mois *m* month
moitié *f* half
monde *m* world
   tout le monde everyone
monologue *m* monologue
monsieur *m* (**messieurs**) mister, sir,
   gentleman
montagne *f* mountain
monter to climb, raise; to put on (a
   play)
montre *f* (wrist) watch
montrer to show
se moquer de to make fun of
moqueur mocking
morale *f* moral
morceau *m* piece
mort *m* dead person
mort *f* death
mot *m* word
mouiller to wet, moisten
mourir to die
moustache *f* moustache
mouvement *m* movement, change
moyen *m* means, way
multiplier to multiply
mur *m* wall
mûr mature, ripe
murmurer to murmur
museau *m* muzzle, snout (of animal)
musicien *m* musician
musique *f* music

nager to swim
naissance *f* birth
naître to be born
naturel *m* naturalness, poise
nausée *f* nausea
nécessaire necessary
négatif negative
négliger to neglect, disregard
neige *f* snow

nerf *m* nerve
nerveusement energetically, impatiently
net clean, clear
neuf new
neveu *m* nephew
névrite *f* neuritis
ni . . . ni neither . . . nor
nièce *f* niece
nier to deny
niveau *m* level
noblement nobly
noir black
nom *m* name
nombre *m* number
nombreux numerous
non (—plus) no, (neither)
nos, notre our
notaire *m* notary
notamment especially
note *f* note, bill
noter to note, write
notre, nos our
le nôtre, la nôtre, les nôtres ours
nous we, us, to us
nourriture *f* food
nouveau new, another
    de nouveau again
nouvelle *f* news
    prendre des nouvelles de inquire about
noyer to drown
noyé *m* a drowned or nearly drowned person
nuage *m* cloud
nuit *f* night
numéro *m* issue of newspaper, number, turn (in circus, vaudeville)

obéir à to obey
objet *m* object
obligé obliged
    être obligé de to be obliged to, to have to
observer to observe, see
obtenir to obtain, get
occasion *f* opportunity
s'occuper de to keep oneself busy with, to be concerned with, take care of
odeur *f* odor, smell
œil *m* eye
œuf *m* egg
œuvre *f* work

officier *m* officer
offrir to offer
oie *f* goose
oiseau *m* bird
on, l'on you, one, they, we
oncle *m* uncle
ondine *f* water nymph, undine
opposer to oppose
opposé opposite
or now, now then, now it so happens that
orage *m* storm
orchestre *m* orchestra
d'ordinaire ordinarily
ordonner to order
ordre *m* order
oreille *f* ear
organiser to organize
originalité *f* originality
orphelin *m* orphan
oser to dare, venture
ôter to remove, take away
ou or
ou . . . ou either . . . or
où where
oublier to forget
ouest *m* west
oui yes
ouvrage *m* work
ouvert open
ouvrir to open

paille *f* straw
pain *m* bread
paire *f* pair
paix *f* peace
panache *m* tailfeathers, a dazzling manner
panthère *f* panther
paon *m* peacock
papier *m* paper
paquet *m* package, parcel
par by, through
paraître to appear, seem
parapluie *m* umbrella
paravent *m* screen
parc *m* park
parce que because
parcourir to travel through, examine
pardon *m* pardon, forgiveness
pardonner to pardon, forgive
pareil (à) like, alike, such
parfait perfect

parfois sometimes
parler to speak, talk
parmi among, between
paroissial parochial, of the parish
parole *f* word
part *f* part, share
à part aside
participer to take part in
particulier private
particulièrement particularly
partir to depart, leave, go off
partout everywhere
parvenir (à) to succeed (in), to arrive
pas *m* step
passage *m* passage
   au passage while passing by
passager *m* passenger
passeport *m* passport
passer to pass, take (an exam), spend
   (time)
   se passer happen
   se passer de to do without
passionné passionate, impassioned
pâte *f* paste, stuff
patiemment patiently
pâtisserie *f* pastry, pastry shop
patte *f* paw, foot (of animal or bird)
paupière *f* eyelid
pauvre poor, unfortunate
payer to pay
pays *m* country, district
péché *m* sin
pêcheur *m* fisherman
peindre to paint, depict
peine *f* sorrow, trouble
   à peine hardly
   ce n'est pas la peine don't bother
peinture *f* painting
se pencher to bend, lean over
pendant while, during, for
pendule *f* clock
pénétrer to enter, comprehend, pene-
   trate
pénible hard, painful, distressing
penser (à), (de) to think (of), (about)
percepteur *m* tax collector
perceptiblement noticeably
percevoir to collect
percher to perch
perdre to lose
père *m* father
périr to perish
perle *f* pearl

se permettre de to allow oneself to
perplexe perplexed, puzzled
perruque *f* wig
personnage *m* character (in play, novel)
personne *f* person, nobody
   ne . . . personne no one
personnel personal
persuader to persuade
petit little, small
petit *m*, **petite** *f* little child
petitesse *f* smallness, pettiness
pétrin *m* kneading-bowl
   dans le pétrin in a fix, in the soup
pétrole *m* kerosene
peu little, few
peu s'en faut nearly
peur *f* fear
peut-être perhaps
pharmacie *f* pharmacy, drugstore
philosophie *f* philosophy
photographie *f* photograph
phrase *f* sentence
pièce *f* play, room
pied *m* foot
   de pied ferme resolutely
piège *m* trap, snare
pigeon vole *m* children's game
pincer to pinch
piquer to go down, to sting
piquet *m* piquet (card game)
piquette *f* cheap, sour wine
piqûre *f* injection, puncture
pire worse, worst
piscine *f* swimming pool
piste *f* track, trail
pistolet *m* pistol
pitié *f* pity
pittoresque picturesque, vivid
place *f* square, place
   sur place on the spot
placement *m* investment
plaie *f* wound, sore
se plaindre de to complain about
plaine *f* plain, open country
plainte *f* groan, complaint
plaire to please, delight
se plaire (à) to delight (in), to enjoy
plaisant funny, pleasing
plaisanter to joke
plaisanterie *f* joke
plaisir *m* pleasure
plan *m* plan, drawing
   au premier plan in the foreground

plat *m* dish
plein full
pleurer to cry
pleuvoir to rain
plongeoir *m* diving board
pluie *f* rain
plume *f* feather, pen
plupart *f sing.* the most, greatest part
plus more
    ne . . . plus no more, no longer
    de plus in addition
plus-que-parfait pluperfect
plusieurs several, many
plutôt rather, sooner
poche *f* pocket
poème *m* poem
poésie *f* poetry
point *m* point, period
    à ce point to such an extent
    ne . . . point not at all
pois *m* pea
    petits pois green peas
poisson *m* fish
poli polite, refined
politesse *f* politeness
politique *f* policy, politics
polluer to pollute
pompier *m* fireman
ponctualité *f* punctuality
ponctuation *f* punctuation
pont *m* bridge
portail *m* portal, door
porte *f* door, gate
porter to carry
se porter bien to be in good health
poser to pose
    poser une question to ask a question
potiche *f* (China) vase
poule *f* hen
    chair de poule goose flesh
pour for, to in order to
pourboire *m* tip
pourquoi why
poursuite *f* pursuit, chase
poursuivre to pursue
pourtant nevertheless, still, yet
pourvu que provided that
pousser to push
    pousser un cri utter a cry
poussin *m* chick
pouvoir to be able to
précaution *f* precaution, caution

précéder to precede, have precedence
précipitamment headlong, suddenly, hurriedly
se précipiter to dash, rush headlong
précis exact, precise
précisément precisely
préférer to prefer
préjugé *m* prejudice
premier, première first
prendre to take
    prendre de court to surprise, take aback
    prendre ses aises to make oneself comfortable
s'y prendre to go about it, to manage
prénom *m* first name, Christian name
préoccuper to preoccupy, engross
préparatifs *m pl* preparations
préparer to prepare
près de near, close to
    à peu près nearly
présent present, here
se présenter to present oneself
presque nearly, almost
pressé hurried
se presser to crowd, hurry
prêt ready, all ready
prétendre to allege, claim
prêter to lend
    se prêter à to consent to, engage in
prêtre *m* priest
preuve *f* proof, evidence
prévenir to warn
prier to pray, invite
primaire primary
priver de to deprive of
prix *m* price
probablement probably
problème *m* problem
prochain next
proches *m pl* relatives
prodige *m* prodigy, wonder
produire to produce
professeur *m* professor, teacher
profiter de to take advantage of
profondément profoundly, deeply
profondeur *f* depth
programme *m* program
progrès *m* progress
projet *m* plan, design
promenade *f* walk
promener to take for a walk
se promener to stroll, take a walk

promesse *f* promise
promettre to promise
pronom *m* pronoun
    pronom complément object pronoun
prononcer to pronounce, speak
    se prononcer to declare, to pronounce (an opinion)
propos *m* words, remark
    à propos de regarding
    à propos by the way
se proposer to offer oneself
propre own, clean
propriétaire *m* proprietor, owner
protéger to protect
protestation *f* protest
protester to protest
prouver to prove
provoquer to provoke
    provoquer une réponse elicit an answer
prudemment prudently, discreetly
public, publique public
puce *f* flea
puis then, next
puisque since
puits *m* well, pit
punir to punish

quai *m* platform, embankment, dock
qualité *f* quality
quand when
    quand même anyhow, even if
quant à as for
quantité *f* quantity
quarante forty
quart *m* fourth, quarter
quartier libre military pass, liberty
quasi almost
quatre four
que what, that, which, whom, as, only
queue *f* tail
quelque chose something
quelquefois sometimes
quelqu'un someone
querelle *f* quarrel
qu'est-ce qui what
qu'est-ce que c'est que what is
questionner to question
qui who, whom, which, that
quiconque whoever
quinze fifteen
quitter to leave

quoi what
quoi que whatever
quoique although

raccrocher to hang up, hook up
raconter to tell, relate
raffoler de to be crazy about
se rafraîchir to refresh oneself
rageur passionate, furious
railleur scoffing
raisin *m* grapes
    raisin noir red grapes
raison *f* reason, common sense
    avoir raison to be right
raisonnable reasonable, sensible
ranger to arrange, to put away
rangée *f* row
rapide *m* express train
rapidement rapidly
se rappeler to recall, remember
rapprocher to draw near
rare rare
se raser to shave
rassurer to reassure, cheer up
râtelier *m* manger, stall
rationnel rational
rattraper to recapture, grab, catch up with
ravi delighted
ravissant ravishing, entrancing
réalisme *m* realism
récemment recently
recette *f* formula, recipe, trick
recevoir to receive, entertain
recherche *f* search, quest
récipient *m* container, receiver
recommander to recommend
réconcilié reconciled
reconnaître to recognize
recouvrir to cover, cap
reculer to move back, withdraw
redescendre to go down again
redire to say again
se redresser to draw oneself up
réduire to reduce
réel real, actual
refaire to remake, do again
réfléchir to reflect, think over
réflexion *f* reflection
    à la réflexion on thinking it over
refus *m* refusal
    pas de refus not to be refused
se refuser à to object, to refuse

regard *m* look
régime *m* diet, system, rule
règle *f* rule
régner to reign, rule
regret *m* regret
regretter to regret, to miss
rejeter to reject
rejoindre to rejoin, reunite
se réjouir to rejoice
relativement (à) relatively (with reference to)
relever to raise again, release
relire to reread
remarque *f* remark
remarquer to notice, to remark
rembourser to repay
remercier to thank
remettre to put back, deliver, remit
remords *m* remorse
remplacer to take the place of, to replace
remplir to fill
remuer to move, stir
rencontre *f* meeting
rencontrer to meet
rendez-vous *m* date, meeting
rendre to give back, render, make
   se rendre à to go to, to surrender
se rendre compte de to realize, find out
renoncer to renounce
rentrée *f* return
rentrer to go back, to put away
reparaître to reappear
réparer to repair
repartir to start again, leave again
repas *m* meal
repêcher to fish out
se repentir to repent
répéter to repeat
répondre to answer
réponse *f* answer
reposer to rest, to put back or down
   se reposer to rest (oneself)
reprendre to take again, to take up again, go on
représenter to represent
réprimande *f* reprimand
reprise *f* repetition
   à plusieurs reprises several times, repeatedly
reproche *m* reproach
reprocher to reproach
réserver to reserve, save for

résolu resolute
se résoudre (à) to resolve (to)
respecter to respect
respirer to breathe
ressemblance *f* resemblance
ressembler à to resemble
ressentir to feel, resent
resserre *f* store-room
ressortir to go out again
reste *m* remainder, remnant
   du reste anyhow
rester to remain
rétablir to re-establish, restore
retard *m* delay
   en retard late
retenir to hold back, remember, detain
retirer to withdraw, pull back
   se retirer to retire
retour (**de—**) back
retourner to return, to turn over
se retourner to turn around
retraite *f* retirement
retrouver to find again, to join
réussir (à) to succeed (in)
revanche *f* revenge
   en revanche on the other hand
rêve *m* dream
réveiller to awaken
revenir to come back
rêver to dream
revers *m* reverse
   revers du manteau, du veston lapel of a coat, of a jacket
révision *f* revision, review
revoir to see again
ricaner to laugh sneeringly
riche rich
rideau *m* screen, curtain
ridicule ridiculous
rien nothing
rigoler to laugh, to enjoy oneself (colloquial)
rire *m* laughter
   le fou rire helpless laughter
rire to laugh
risquer to risk
ritournelle *f* ritornelle, little tune
rituel ritual
rivière *f* river, stream
roi *m* king
robinet *m* tap, faucet
rôle *m* rôle
roman *m* novel

rompre to break
rond round
rond *m* ring, circle
rond de serviette *m* napkin ring
ronronner to purr
rosbif *m* roast beef
rouge red
rougir to grow red, blush
route *f* route, road
    en route on the way
roux *m*, **rousse** *f* redhead
rudement rudely, roughly
rue *f* street
rugir to roar
ruisseler to stream, trickle
rupture *f* breaking open, breaking off a
    friendship
rusé tricky

sa, son, ses his, hers, its
sagesse *f* wisdom
saisir to seize
sale dirty
salle (de bains) *f* (bath) room
salon *m* living room
saluer to salute, greet
samedi *m* Saturday
sans without
sang-froid *m* courage, nerve
santé *f* health
sarcasme *m* sarcasm
satirique satirical
satisfaire to satisfy
sauce *f* sauce
sauf except
sauter to jump
sauver to save, rescue
    se sauver to escape, run away
savoir to know
    n'en rien savoir to have no idea
scandaliser to scandalize
scène *f* stage, scene
sciatique *f* sciatica
se himself, herself, oneself, itself, them-
    selves
seau *m* bucket
sébile *f* wooden bowl, beggar's bowl
sec, sèche dry
se sécher to dry (oneself)
secouer to shake
secours *m* help
secrétaire *m* & *f* secretary
secrètement secretly

séduction *f* charm
séduire to seduce, charm
seigneur *m* lord
selon according to
semaine *f* week
semblant (faire—) to pretend
sembler to seem
sens *m* meaning, sense
sensible sensitive
sentir to feel, smell
se séparer to separate, part
sergent *m* sergeant
    sergent de ville policeman
série *f* series
sérieusement seriously
sérieux serious
sérieux *m* seriousness
servant *m* gentleman-in-waiting
service *m* service, duty, favor
serviette *f* napkin
servir to serve
    servir à to serve as, to be used as
ses his, her, its
seuil *m* threshold, doorstep
seul alone, only
seulement only, even
sévère severe, hard
si, if, yes, so, as
le sien, la sienne, les siennes his, hers
signe *m* sign, symbol, mark
signification *f* meaning
signifier to mean
sillon *m* furrow, track
simplement simply
sincère sincere, frank
singe *m* monkey
situation *f* situation, job
sœur *f* sister
soi oneself, himself, herself, itself
soif *f* thirst
    avoir soif to be thirsty
soigner to look after, take care of
soigneux careful
soin *m* care
    être aux petits soins to take tender
    care of
soir *m*, **soirée** *f* evening
soldat *m* soldier
soleil *m* sun
solide solid
sombre dark, gloomy
somme *f* sum
    en somme in short

sommer to summon
son his, her, its
songer to dream, think, consider
sonner to sound, ring
sonnette *f* bell, doorbell
sort *m* fate
sorte *f* sort
    de sorte que so that
sortie *f* exit, departure
sortir to go out, leave, take out
sot *m* fool
sottise *f* stupidity, silly thing, silliness
sou *m* 5 centimes; $\frac{1}{20}$ of a franc
se soucier de to care about
soudain sudden, all of a sudden
souffrir to suffer
soulager to relieve, lighten, help
soulier *m* shoe
soupçon *m* suspicion
soupçonner to suspect
soupirer to sigh
sourire *m* smile
sourire to smile
sous under
soutirer to draw off
souvenir *m* remembrance, memory
se souvenir de to remember, recall
spécifier to specify, insist
spectateur *m* spectator, witness
spirituel witty
spleen *m* spleen, mental depression
stylo *m* pen
    stylo à bille ballpoint pen
sucre *m* sugar
succès *m* success
succulent succulent, delicious
sud *m* south
suffire to suffice, to be sufficient
suffisant sufficient, enough
suggérer to suggest
se suicider to commit suicide
suite *f* continuation
    toute de suite at once, immediately
suivre to follow
sujet *m* subject
    au sujet de concerning, relating
      to
superbe superb, proud
supérieur superior, upper
supplice *m* punishment, agony
supplier to plead, beg
sur on, upon
sûr sure, certain, safe

sûrement surely, certainly
surprendre to surprise
sursauter to startle, give a start
surtout especially, above all
survivant survivor
symboliser to symbolize
sympathique likable, congenial

ta, ton, tes your
tableau *m* blackboard, picture
tâche *f* task
tâcher to try
taire to say nothing about
se taire to be silent, to shut up
tandis que while
tant so much, so many
    tant mieux so much the better
    tant pis too bad
tante *f* aunt
tas *m* heap, pile
tasse *f* cup
taureau *m* bull
te you, to you
tel, telle (—que) such (as)
télégraphier to telegraph, cable
tellement in such a manner, so
témoin *m* witness
temps *m* time
    de temps en temps from time to
      time
tendre tender, delicate
tendre to extend, give
tenir to hold
se tenir to remain, stand, behave
tenir à to insist on, to be attached to
tentant tempting, alluring
tenter to tempt, attempt
tenue *f* behavior, good behavior
terminaison *f* termination, ending
se terminer to end, terminate
terrasse *f* terrace, pavement in front of
    a café
terre *f* ground, earth
    par terre on the ground
terrorisé badly frightened
tes, ton, ta your
tête *f* head, face
texte *m* text, textbook
théâtre *m* theatre, dramatic art
thème *m* theme, subject
le tien, la tienne, les tiennes yours
timide shy, timid
timidité *f* shyness, bashfulness

tirer to draw, pull, shoot
    s'en tirer to manage, get by
tiroir *m* drawer
titre *m* title
    à titre gracieux as a favor, free
titubant staggering
toc *m* faked stuff (colloquial)
    du toc imitation jewelry
toi you
tomber to occur, to fall
    tomber bien to occur at the right moment
    tomber mal to occur at the wrong moment
ton, ta, tes your
ton *m* tone
torchon *m* dishrag, rag
se tordre to twist, to laugh uproariously
tort *m* wrong
    avoir tort to be wrong
toucher to touch, touch upon, cash
toujours always, still
tour *m* tour, trick, turn
tour du monde *m* journey around the world
tourner to turn, stir
    se tourner to turn around
tousser to cough
tout, tous all, completely, very, everything
    tout ce qui everything that
tout à coup suddenly
tout à fait completely
tout à l'heure a little while ago, in a little while
tout de même after all
tout le monde everyone, everybody
tracas *m* worry, trouble
trace *f* track, trace
traduire to translate
tragiquement tragically
trahir to betray
train *m* train
    en train de in the act of, engaged in
tramer to weave (a plot)
tranquilliser to soothe, reassure
tranquille calm, still, unworried
transporter to transport, convey
travail (travaux) *m* work
travailler to work
travailleur hardworking
traverser to cross

trépas *m* decease, death
très very
triste sad
tristesse *f* sadness
trois three
tromper to deceive
se tromper to be mistaken, be wrong
trop too much, too many
trou *m* hole
troubler to bother, trouble
trouver to find, to think
    se trouver to be, to be located, to exist
truite *f* trout
tu you
tuer to kill
tuteur *m* guardian
tutoyer to address someone as *tu* or *toi*
type *m* type
    ce type-là that guy (colloquial)
typique typical

ultime last
l'un l'autre each other
uni joined, united
uniforme uniform, unvarying
usage *m* experience, custom, breeding
    d'usage customary
utiliser to make use of
utilisation *f* use

vacances *f pl* vacation
vache *f* cow
vaincre to conquer, defeat
vain vain, useless
valise *f* suitcase
valoir to be worth, to be as good as
    valoir mieux to be better
vanité *f* vanity
vaniteux vain, conceited
vanter to praise
se vanter to boast
veau *m* calf
vendre to sell
venir to come
    en venir to get at
venir de to have just
vent *m* wind
vente *f* sale
véritable true, real
vérité *f* truth
verre *m* glass
vers to, towards

vers *m* line of verse
vert green
vertu *f* virtue
veston *m* jacket
viande *f* meat, food
vide empty
vie *f* life
    en vie alive
vieil, vieille, vieux old
vieillesse *f* old age
(mon) vieux old man, pal
vif lively
vilain nasty, bad, ugly
villa *f* villa
ville *f* city
ville d'eaux spa, resort
vin *m* wine
vingt twenty
vingt-cinq twenty-five
visage *m* face
visiter to visit, go through
visiteur *m* visitor
vite fast, quickly
vivant living
vivement sharply, keenly, quickly
vivre to live
voici here is, here are
voilà there is, there are, ago

voir to see
voire even
voiture *f* carriage, car
    en voiture! all aboard!
voix *f* voice
    voix blanche toneless voice
volant *m* steering wheel
voler to steal
voleur *m* thief
volontairement voluntarily, willingly
volontiers willingly, gladly
volupté *f* pleasure, delight
votre, vos your
le vôtre, la vôtre, les vôtres yours
vouloir to want, to expect
vouloir bien to be willing
vouloir dire to mean
vouloir rire to be joking
en vouloir à to be angry with
vous you, to you
voyager to travel
vrai true
vraiment truly, really
vue *f* view, sight

y there, to it, to them
yeux *m pl* eyes